UNA STORIA DI PRAGA
Heath Raymonds

Questa è un'opera di fantasia. Qualsiasi riferimento a fatti, avvenimenti o persone della vita reale, presente o passata, è puramente casuale.

www.heathraymonds.com

h.raymonds@heathraymonds.com

"Love is never a shame"
To you, my beloved

Prologo

"Sei appena uscito, Janicek, sento ancora i tuoi passi sulle scale. Sono andato alla finestra, ti guardo dai vetri appannati. Ti volti e mi saluti. Nevica sul tuo sorriso, sui tuoi occhi, sul tuo berretto di lana. Torna, abbracciami, viviamo insieme ogni momento di questo nostro tempo infinito. Ti amo, stringiti a me. Saremo un'ombra sola alla luce del nostro amore, un'anima sola, per sempre, e poi ancora per sempre. E poi, solo per l'eternità. Ti lascio questa lettera sul cuscino, leggila subito.
Tutto il mio amore. Tom"

Janicek lesse la lettera, la piegò sui bordi che iniziavano a consumarsi e stava per rimetterla nel portafogli, ma non ci riuscì. Sospirò, la riaprì e l'appoggiò sul bancone della cucina. Si guardò intorno. I riflessi dei neon blu fuori dalla finestra, i tetti scuri, il cielo grigio appoggiato sugli alberi del parco, erano quelli di un mese fa. Anche i fiocchi di neve che vagavano nell'aria, sembravano gli stessi. Indugiò un attimo, prese la lettera e se la appoggiò al petto, ancora una volta perso in quell'amore di sempre, che quando ci pensava lo stringeva fino a togliergli il fiato. Riempì d'acquavite il piccolo bicchiere davanti a lui, e guardò l'orologio. Era ora. Andò in camera, si tolse la maglietta, si esaminò il torace nudo allo specchio. Si levò le calze, i jeans, i boxer. Si guardò di nuovo, ma ancora una volta vide solo se stesso. Si osservò le gambe e i muscoli delle cosce, si scrutò il viso, si passò le mani sul mento e sulle guance. Nudo com'era, andò in bagno, si sciacquò la faccia, si asciugò, cercò di pettinarsi e tornò in camera. Si infilò degli altri boxer, delle calze pulite, la felpa di Tom, quella grigia col cappuccio, i suoi jeans tenuti da parte

1

nell'armadio. Tornò in bagno, si pettinò di nuovo. Era una causa persa e lasciò perdere. Tornato in cucina, prese la lettera che aveva lasciato sul bancone, si sedette, la lesse ancora. Poi bevve la slivoviz, baciò la lettera, e la rimise nel portafogli, pensando a quella sera, quando l'aveva trovata in camera, sul cuscino, tornando dal lavoro...

Capitolo 1

Heathrow, gente che va, gente che viene... Meglio, tutti in coda al check-in. Serpenti umani, l'aereo che parte... Davanti a lui Thomas aveva una coda infinita e due signore con più bagagli di un trasloco. Quando lasciarono libero il campo, all'impiegata addetta al controllo apparve un ragazzo moro, dagli occhi verdi e i modi gentili, un giubbino di pelle e l'astuccio del violino a tracolla.

"Il tuo bagaglio..."

"Ho una valigia, una borsa, il trolley... Mi scusi, vorrei sapere se Il violino passa sempre come bagaglio a mano. Di solito posso portarlo senza difficoltà"

"Sì, puoi portare il tuo violino in cabina". Mentre parlava, Thomas aveva appoggiato borsa e valigia sul rullo. La ragazza controllò il peso sul display. "Per cortesia, puoi darmi un posto lontano da quelle due signore prima di me? Ho voglia di star da solo"

La signorina sorrise. "Va bene sull'ala, appena fuori dall'aereo?"

"Dentro l'aereo, è possibile? Preferirei..."

"Fila sette posto C, vicino al corridoio?"

"Okay, perfetto"

Gli restituì il passaporto con il biglietto per l'imbarco. "Buon viaggio. Questa è la fascetta per il trolley. Il volo parte alle undici e cinquantacinque. E' meglio che ti muova"

Dopo un girone di dannazione eterna al metal detector, passato il cancello d'imbarco, finalmente seduto in aereo, si tolse il giubbotto e lo infilò nella cappelliera insieme al trolley e al violino. Notò con sollievo non solo di essere lontano dalle invadenti traslocatrici di prima, ma anche di non avere nessuno

3

fra lui ed il signore accanto al finestrino. Si rilassò. Il volo arrivava alle quattordici e cinquantacinque, le tre. Sarebbero state le due, ma c'era un'ora di fuso. Sistemò l'orologio. Non male, si disse, finalmente tranquillo. Gli avevano confermato il contratto di un anno e per uno come lui agli inizi della carriera era un bel colpo. L'avrebbero conosciuto anche fuori Londra. E Praga non era una brutta sede. Poi torno a Londra, pensava, e divento stabile in qualche orchestra... Anzi, faccio il solista e vado in giro per il mondo. Per adesso vediamo come va a Praga e come mi ha sistemato Barbara con la casa...

Barbara era un'amica delle sorelle. Lavorava a Pinewood, nel mondo dello spettacolo, si occupava degli allestimenti di scena per i teatri di posa. Insieme alle sorelle di Thomas aveva contattato una loro amica di Praga, una certa Olga, e aveva saputo che il fratello di lei viveva da solo, aveva un appartamento in centro con due camere da letto e cercava qualcuno con cui dividere le spese. Lo aveva chiamato ed era riuscita senza problemi ad accordarsi con lui. In più, aveva riferito a Thomas, a causa del suo lavoro sarà in giro tutto il giorno e rientrerà solo alla sera, se non va dalla sua ragazza, così avrai la casa quasi sempre libera e potrai esercitarti quando vorrai. Brava. Pensò al contratto... Come mi troverò in un'orchestra dove non ho mai suonato? E se mi dicono che non vado bene e devo tornare a Londra? Speriamo di no... Alzò gli occhi, diede uno sguardo alla cappelliera, per controllare se il violino fosse sempre al suo posto. Si alzò, aprì il coperchio. Era lì. Sedendosi incrociò lo sguardo del vicino.

"Tutto bene? Non hai perso niente?"

"No, grazie, controllavo"

"E' tuo il violino nella cappelliera?"

Sì, devo suonare per qualche tempo con l'orchestra

del Teatro Nazionale. Se ho detto il nome giusto"
"Si hai detto giusto. Complimenti"
"Grazie. Lei è di Praga?"
"Sì, vivo lì"
"Com'è vivere a Praga?"
"Come in tutte le altre città, solo che sei a Praga..."
"Mi scusi, cos'ha di diverso?"
"Le leggende, ad esempio... Dicono che laggiù il Destino ti passa accanto, ti prende e ti porta dove vuole lui. È una delle tante..."
"Ho bisogno di tutto tranne che di uno che mi accompagni dove vuole lui. A parte questo, com'è la vita?"
"Molto divertente, soprattutto per un ragazzo come te. È una città piena di giovani, con mille di posti per uscire, prendere una birra e stare in compagnia. Ti troverai benissimo. E scommetto che avrai molto successo"
Thomas abbozzò un sorriso. Succedeva anche a casa. Jeans, felpa col cappuccio, i capelli castani con un ciuffo sulla fronte, e due occhi profondi, verdi come la malva, sapeva di non essere un brutto vedere. Quello, insieme alla dolcezza nello sguardo e una innata ritrosia nel comportamento erano state un invito a nozze per più di una persona.
"A cosa stai pensando, ragazzo? Mi dai quasi l'idea di fuggire da qualcuno o da qualcosa... Fai bene. Qualche volta è indispensabile..."
Thomas sorrise. "Si, lo penso anch'io... qualche volta è indispensabile..." Ad esempio, pensò, se fosse stato puntato da quelle due in coda davanti a lui al check-in. Rabbrividì all'idea.
"A Praga hai già una sistemazione?"
"Si, grazie. Dividerò l'appartamento con un amico. Conosco poco Praga ma mi hanno detto che la casa è abbastanza in centro, anche se è piuttosto lontana dal

Teatro"

"Sì, Sai dove?"

"A Zizkov. La via non me la ricordo, ha un nome strano e l'ho scritto da qualche parte, comunque mi hanno detto che non è una brutta via..."

"Sì, Zizkov è una delle zone in cui è divisa Praga. E' Praga tre. E' in centro, è piena di negozi, di birrerie e c'è il metrò. Ti troverai bene"

Thomas sorrise. "Grazie, signore. E, mi creda, vado a Praga per lavorare, non per passare le serate in birreria. Per me la musica è importante, voglio farmi conoscere"

"Buona fortuna... Se vengo all'Opera guardo nell'orchestra e se ti vedo ti saluto"

"Grazie signore. Io sono Thomas, Thomas Mayer"

"Hai un bel nome. Spero di vederti ancora"

Finalmente atterrato e salutato il vicino, con l'astuccio del violino sulle spalle arrivò alla consegna bagagli in tempo per le solite gomitate. Ritirò i suoi, trascinò la valigia con una mano, il trolley con l'altra, mise il borsone a tracolla, evitò le dame del check-in appena ricomparse ed uscì nella hall del Terminal. Ci risiamo pensò. Per l'agitazione gli era mancato il fiato. Ancora. Si fermò un attimo, per riposare. Vibrò il telefonino.

Era Barbara. "Sei arrivato?"

Thomas si era ripreso subito. Gli tornò il buonumore.

"Sì. A Tashkent, nell'Uzbekistan. Qui è pieno di cammelli..."

"Piantala... Guarda che ha telefonato Janicek e voleva sapere a che ora saresti arrivato, per aspettarti..."

"Oh, oh... Il mio coinquilino è già ansioso di conoscermi... Bene. Sarò in ritardo. Sono arrivato adesso, prenderò un taxi. Arriverò tra un'ora, un'ora e mezzo, anche due, non lo so"

"No, Praga è piccola, la conosci, fra tre quarti d'ora sei lì. Adesso chiamo e dico che stai arrivando "

"Grazie. Ma potevo chiamarlo anche da solo"

"Sì, figurati..."

"Comunque grazie. Sono arrivato, chiamalo e digli che sto prendendo il taxi"

"Stai attento e fatti vivo. A presto. Ciao"

Una lunga fila di taxi lo aspettava, sotto il portico, appena fuori dal Terminal. Preso il primo della fila, dopo aver detto dove voleva andare, entrò e si sedette sul sedile posteriore tenendo il violino in mano. Il tassista, un omone coi baffi rossi con l'aria di viaggiare a birra come l'auto andava a benzina, era un tipo cordiale e a sorpresa più colto di quanto gli fosse mai capitato di trovare a Londra. Mentre si avviavano prendendo la strada verso il centro, ancora vicino ai parcheggi dell'aeroporto, incuriosito dall'astuccio, gli chiese:

"Sei qui per suonare per qualche orchestra?"

"Sì, sto qui per un anno"

"Complimenti... Sai, qui a noi la musica piace molto, ma tu non fare la fine di quel violinista rinchiuso nel Castello..."

"Dalibor?... Non dica così..."

Pensò a quella leggenda, del violinista chiuso nelle prigioni del Castello per avere aiutato un gruppo di agricoltori nella loro ribellione al potente del momento, e per questo condannato a morte. La sua musica era tanto dolce che non ebbero il coraggio di dire quando lo avrebbero giustiziato. Lo seppero solo quando non udirono più la sua musica uscire dalla sua cella. Non era proprio questo che aveva in mente. Voleva vivere, avere la città ai suoi piedi, tassista compreso. Intanto avevano passato un paio di svincoli con le frecce per il centro e stavano viaggiando lungo un vialone che man mano stava diventando città.

"Adesso dove siamo?"

"Quasi alla Dejvicka"

"Sì, adesso mi ricordo. Una piazza grande, un po' rotonda. Da lì mancherà ancora molto?"

"E' ancora lontano. Per arrivare a Zizkov, nella tua via, dobbiamo andare avanti e passare il fiume. E' al di là della Vltava"

"Il fiume non si chiama anche Moldava? C'è anche una suite sinfonica che si chiama così"

"Sì lo so. È di Smetana. Ma in ceco il fiume si chiama Vltava"

Sorpreso dal fatto che un tassista conoscesse non solo la suite ma anche chi l'aveva scritta, Thomas rimase per un po' senza parole, poi replicò sorridendo: "Noi il Tamigi lo chiamiamo Tamigi e Londra la chiamiamo Londra"

"Anche noi il Tamigi lo chiamiamo Tamigi. La Vltava la chiamiamo Vltava, e Londra la chiamiamo Londra. Guarda, siamo alla Dejvicka. Allora non è la prima volta che vieni qui"

"No. Mentre andiamo vedremo il Castello?"

"Solo dal ponte, sulla destra"

"Passeremo vicino al Teatro?"

"No, non lo vedremo, se vuoi ci passiamo ma allungheremmo la strada di molto"

"No, non importa, grazie"

Rimasti tutti e due in silenzio, Thomas guardava la città fuori dal finestrino, le vie, le macchine, i tram bianchi e rossi... Ogni tanto gli ricordava Londra... Ma no... Questa città aveva una immediatezza, una facilità di porsi che era come se ci avesse già abitato molto a lungo. La sentiva sua, e dire che ci era stato così poco... Certe case antiche, certi palazzi, sembravano inchinarsi a lui e lo affascinavano. Bentornato, gli dicevano, bentornato... Questa, almeno, era l'impressione... Il telefonino lo richiamò alla realtà.

"Sì, ciao mamma, sono io"

"Sei arrivato? E' andato tutto bene?"

"Sì va tutto bene, non ti preoccupare. L'aereo non è caduto, le valigie c'erano tutte e mi han dato anche da bere..."

"E il tuo amico com'è? Pensi che ti troverai bene con lui?"

"Quale amico?"

"Quello dell'appartamento"

"Mamma... non lo conosco ancora. Sono sul taxi. Lasciami arrivare, poi ti so dire, okay? Va tutto bene, ci sentiamo più tardi, okay? Ciao"

"Ciao, fammi sapere. Barbara mi ha telefonato per dirmi che è stato avvertito e ti aspetta davanti a casa"

"Va bene, ciao, a dopo"

"Le mamme, eh? Sono uguali in tutto il mondo. Fanno così perché ti vogliono bene. Anche se rompono un po' non ci pensare, è così per tutti..."

Anche il tassista filosofo. Che palle... Per fortuna questo lo pensò soltanto e se lo tenne per sé. Oramai erano già arrivati al fiume e stavano attraversando il ponte. "Il Castello è sempre quello là sulla destra?"

"Sissignore"

Non è così terribile, pensò. Non fa paura. "Manca molto?"

"No, cinque minuti e siamo arrivati"

Passato il fiume tornarono indietro lungo una strada appena in salita, dall'aria di avere avuto tempi migliori. Dopo un semaforo il taxi voltò a destra e poi ancora a sinistra. In fondo alla via vide un ragazzone biondo. Il tassista lo raggiunse e si fermò di fianco a lui. Era arrivato.

Capitolo 2

Era una piccola via di Praga. Della Praga dei Praghesi, lontana dai turisti che ogni giorno invadono le sue bellezze e la sua storia, intruppati dietro capi carovane che indicano dove andare e cosa fotografare. C'è un viale in salita, che parte dal centro, e ad un certo punto si volta a destra. Proseguendo, a sinistra si apre una piazzetta con tre alberi, un eroe a cavallo, e due ragazzini col pallone. Ad un lato della piazza, nascosta, anche lei appena in salita, parte la via. Stretta. Il pavé e l'asfalto rattoppati e malmessi. Le case vi si affacciano stanche, affaticate dai ricordi. Sull'angolo, il negozio dei cinesi. È davanti a uno di questi palazzi che Janicek aspettava Thomas, contando le poche auto che passavano. Un taxi rallentò e si accostò al marciapiede, fermandosi davanti a lui... Finalmente...

Nervoso solo per averlo visto, Thomas decise di dare inizio alle ostilità e aprì la portiera sbattendola direttamente nelle palle di Janicek, che fece finta di non accorgersi della dichiarazione di guerra, si scostò un poco e gliela tenne aperta, aiutandolo a scendere.

"Ciao, sei Thomas, vero? Sono Janicek, come stai?"

"Sì, sono Thomas. Ti ha telefonato Barbara?"

Era più alto di lui. Almeno quattro dita. I capelli biondi pettinati col tritolo e un sorriso dolce e gradevole. Dichiarazione di guerra inutile. Lo aiutò a prendere le valigie dal taxi. Thomas ne approfittò per mettersi il violino a tracolla.

"Sì," rispose Janicek finendo di scaricare le valigie, "mi ha telefonato dicendo che stavi arrivando, così sono sceso ad aspettarti e a darti una mano con i bagagli"

Thomas notò che gli parlava in inglese, e rispose: "mia

madre è di Praga, possiamo parlare ceco, se vuoi..."

"Bene, allora comunicare non sarà un problema..." e continuò, osservando l'astuccio sulle spalle di Thomas, "è il tuo violino quello? Vedo che lo tieni ben stretto. Ha fatto buon viaggio?"

"Ha fatto buon viaggio chi?"

"Il violino, no?"

"Il violino bene, io invece sono caduto dall'aereo tre volte..."

Janicek gli sorrise. Lo guardò dritto negli occhi. Thomas abbassò lo sguardo, pentito dell'ironia inutile, preparandosi alla risposta che pensava di meritare.

"Che viaggio... Sarai a pezzi... Ti prendo io la valigia e la borsa, ti do una mano, se vuoi... Hai pagato il taxi?"

"Sì. Okay, i soldi..."

Partito il tassista, Janicek entrò nel palazzo e Thomas lo seguì col resto dei bagagli. Raggiunte le scale, cominciò a salirci allegramente. Thomas si fermò un attimo, perplesso, prima di seguirlo, quasi rincorrendolo.

"Scusa ma a che piano è l'appartamento?"

"Al secondo"

"Ascensore niente?"

"Sì, di fronte... Qui no, questa è una casa vecchia, non c'è posto per metterlo. Ma poi, cosa ti importa, non vivi sulle scale..."

Thomas sorrise. Mentre salivano, lo osservò con più attenzione. Era vestito come lui, coi jeans e il giubbino di pelle nera. L'unica differenza era la maglia, a strisce grigie e verdi. Arrivati al pianerottolo, Janicek gli mostrò la porta con un cenno del viso, gli disse è qui, e si avvicinò per aprirla. Girò le chiavi, spinse la maniglia ed entrò per primo, tenendo la porta aperta per permettere a Thomas di seguirlo.

"Eccoci..." disse, posando i bagagli, "questa è casa nostra... gran lusso... cinque stelle... Come ti pare?..."

"Cinque teschi, altro che cinque stelle. Tutto qui?"
Ma aveva già l'aria di casa. Gli sorrideva. E Janicek non gli dava più noia. Nella sua tana aveva perso quell'aria di protagonismo che sembrava avesse giù in istrada.

"Davvero non ti va?" Per Janicek la risposta di Thomas giungeva inaspettata. Si fece serio. "Mi dispiace," rispose, abbassando lo sguardo, "mi dispiace davvero". Si fermò un attimo, accanto alle valigie, e proseguì. "Se vuoi ti do una mano a cercare un'altra soluzione, ti aiuto. Non ho pensato che potesse non piacerti. Scusami, mi dispiace..."
Thomas non aveva creduto di essere preso così sul serio. Voleva solo scherzare, dire una battuta. La verità era proprio l'opposto.

"No, Janicek, va benissimo. E' molto meglio del mio buco di Londra. Hai anche una bella vista... Guarda lassù, là fuori, si vede il cielo..."

"Sì, è vero..." gli rispose Janicek rinfrancato, "quando non piove. E dentro abbiamo la cucina, il bagno... Non manca niente..."

"Meno male. Barbara mi ha detto che hai anche le camere da letto. E' vero?"

"Spiritoso... sì, due. Una per uno. Ti ho lasciato quella che per me è la migliore, ma se vuoi facciamo cambio. Scegli tu"

"Quella col letto più comodo. Voglio quella."

"Sono uguali... I letti sono gli stessi. Vieni, ti aiuto con le valigie"
Posati i bagagli in camera, Thomas si guardò intorno e notò le pareti, appena dipinte di verde. Un verde chiaro, opaco. Era una bella tinta, gli piaceva. Si accorse di averne avuto quasi la necessità. Era Janicek... Gli aveva letto nel pensiero. Sicuramente aveva deciso lui... La pittura era ancora fresca. Senza dire nulla, si avvicinò alla finestra e guardò fuori.

"Si vede mezza Praga... È la torre della tivù quella lassù?"

"Cinque stelle, caro Thomas, altro che cinque teschi... Sì, è la torre della televisione e c'è anche un ristorante in cima. Se vuoi una sera possiamo andarci. Si vede tutta la città"

"Magari... E' caro?"

"Con quello che guadagni no di certo. Anzi, potresti offrirmi la cena tutte le sere"

"Mettiti a dieta. Dove si attacca il computer?"

"Qui, ti faccio vedere"

Nella stanza c'era un piccolo scrittoio con un sedia, vicino alla finestra. Thomas posò il computer sul piano, e di fianco vi appoggiò anche l'astuccio con il violino.

"Sono di là", gli disse Janicek mentre Thomas si guardava intorno, "ti aspetto nel salone giallo. Ti faccio preparare il tè?"

"Sì, nel salone giallo... Taci... Ma il tè lo berrei..."

"Metti a posto, fa' in fretta..."

Dopo avere sistemato valigie e vestiti, e preso possesso di ogni angolo della stanza, Thomas tornò in soggiorno dove Janicek lo stava aspettando seduto al bancone della cucina. Sedutosi di fronte a lui, aspettò che finisse di preparare il tè e lo versasse nelle tazze. Cominciarono a parlare un po' di tutto, di come facesse Barbara a conoscere sua sorella, di come organizzarsi, di come dividere le spese. Mentre Janicek parlava, Thomas lo osservava. Quando sorrideva socchiudeva le labbra e sollevava gli angoli della bocca, con due fossette che gli si aprivano sulle guance. Aveva i denti regolari, bianchi, le sopracciglia chiare, un neo, appena visibile, sulla guancia sinistra. Gli occhi non scuri, ma neanche azzurri come di solito hanno le persone coi capelli chiari. Uno sguardo dolce, come il sorriso, come quando lo aveva visto scendendo dal taxi. Anche la voce. Musicale. Più bassa della sua, ma era giusto, gli piaceva. Con questo in testa, continuava ad osservarlo, senza ascoltarlo, ed ad un certo punto lo interruppe.

"Cosa vuol dire Janicek? Che nome è?"

"Vuol dire John. O meglio, il nome esatto è Jan. Janicek è un diminutivo. Puoi tradurlo con Johnny. Se vuoi puoi chiamarmi così"

"No, Janicek mi piace. Ha un bel suono. Peccato che dietro ci sia tu ma per il resto va bene. Di cognome so che fai von Menzel... È un cognome tedesco..."

"Sì, è un cognome tedesco. Ma noi siamo di qua..."

"Scusa ti ho interrotto. Cosa stavi dicendo prima?"

Janicek continuò sul fatto che sarebbe stato comodo fare una cassa comune per le spese di casa. Avevano un supermercato vicino, e dai cinesi si trovava di tutto. Non gli venne in mente altro. "Adesso basta. Ti ho detto tutto quello che so. Cosa ne dici di una birra?... Anzi, mi ero dimenticato. Qui c'è una tradizione, per dare il benvenuto a qualcuno brindiamo con la slivoviz. Ti va?"

"Sì, cos'è?"

"Non lo sai?... Dell'acquavite di prugne..."

"Okay, senza esagerare... una bottiglia basta, non di più, perché dopo dobbiamo uscire per la birra. A proposito, usciamo a prenderla o stiamo in casa?"

"No, andiamo giù. In casa non ce n'è. Adesso la slivoviz..."

La bottiglia era sul tavolino fra i divani, già pronta, insieme ai due bicchierini. Janicek si alzò e li riempì fino all'orlo.

"Al nostro futuro" Disse Janicek, serio, alzando il bicchiere e guardando Thomas negli occhi. Thomas ricambiò lo sguardo, e brindarono insieme.

"Okay, al nostro futuro, Janicek... Versa"

"Hai ragione. Al nostro grande futuro. Guarda che si

vuota il bicchiere in un colpo solo"

"Già fatto. Dai"

Al terzo bicchierino ormai erano vecchi amici, avevano abbattuto le barriere, soprattutto quelle di Thomas, ed era arrivato il momento delle reciproche confidenze. Al quarto bicchierino...

"Tu hai qualcuno? Qualche donna?..."

"No, Janicek, non ho nessuno. Non ho lasciato nessun cuore infranto a Londra. Sono sempre in giro e alla sera sono in teatro, quindi sto per i fatti miei e buonanotte"

"Ma non hai due sorelle? Loro potrebbero darti una mano, presentarti qualche loro amica..."

"Le hai viste le amiche delle mie sorelle? No, non me ne può importare di meno. Almeno, per adesso è così..."

"Ma non sei brutto... Beh, no, a guardarti bene sei messo davvero male, però respiri ancora. Come mai?"

"Come mai respiro?"

"No, come mai sei solo..."

"Senti, non insistere, in questo momento non ho voglia di parlarne. Ne parleremo dopo. Adesso dimmi di te"

Thomas aveva abbassato lo sguardo e il ciuffo dei capelli castani gli era scivolato sulla fronte, coprendogli gli occhi, e i suoi pensieri. Per favore Janicek non insistere, gli chiedeva in silenzio, non adesso. Lui intuì che gliene avrebbe parlato, ma non subito. Lasciò perdere e cambiò discorso, rispondendo a quello che gli aveva chiesto.

"Sì, ho una ragazza. Si chiama AnnCecilie. Se stasera andiamo a prendere una birra te la presento. Così la conosci e possiamo uscire qualche volta tutti insieme"

"Okay, va bene. Che tipo è?"

"E' simpatica. E' una mora coi capelli lunghi, lavora in una televisione privata."

"E' una diva dello schermo?"

"No, è una amministrativa. Però ci terrebbe a passare dagli uffici agli studi, magari come giornalista, o con qualche piccolo programma"

"Ah, sì... Barbara lavora più o meno nello stesso ambiente e pensa che la via più facile per entrare in quel giro è cominciare con un programma per i bambini. Lì ti fai le ossa e anche se sbagli qualcosa non se ne accorge nessuno. Potrebbe cominciare da lì..."

"Conoscendola direi che è più adatta a presentare un programma per adulti, in tarda serata"

"Dai, proprio tu dici una cosa simile?"

"No, non quello che pensi tu, solo che per i bambini non ha testa..."

"Insomma, non ce la vedi davanti all'asilo con carrozzino e biberon..."

"No, proprio no. Ma ha molte altre qualità..."

Ecco, ci siamo, pensò Thomas. Questo se la tiene solo per scopare. Oh, cacchio, non se la porterà qui in casa... Il pensiero lo folgorò. Se lo può scordare. Improvvisamente era tornato ad essere un nemico. Si allontanava da lui, dalla sua complicità, dai sentimenti, da tutto...

"Scusa ma quando volete star soli dove vi vedete? Perdona la franchezza ma non sono abituato ad avere e sentire nell'altra stanza gente che scopa. Sai com'è, mi darebbe noia..."

"No, stai tranquillo. Per scopare qui non viene quasi mai. Stiamo a casa sua. Lei vive con un'amica, Denisa, che sta un po' qui a Praga e un po' dai suoi col bambino, e le donne in queste cose si sopportano meglio. Ma come mai ti darebbe così fastidio? D'accordo che sei solo, ma guarda che non c'è niente di male in certe cose"

"Lo so, non so cosa dirti ma è così, mi darebbe fastidio"

"Va bene, allora senti. Ci metteremo d'accordo. Tanto, tu la sera sei quasi sempre a suonare, non è così?"

"Sì in effetti dovrei essere in teatro quattro o cinque sere su sette. Non so ancora"

"Di solito a che ora torni?"

"Si finisce verso le dieci, dieci e mezzo"

"E allora se decidiamo di stare qui lo facciamo quando non ci sei. Così siamo più liberi tutti, ti va? Ma poi dimmi, cosa c'è che non va? E' per il fatto che tu in questo momento sei solo?"

"No, non è per quello, non penso, almeno. E' che non sono abituato, tutto qui. Mi darebbe fastidio, mi darebbe fastidio e basta."

"Magari, se trovassi qualche donna non ti darebbe così fastidio, non credi? Io e mia sorella abbiamo molte amiche, te le presenteremo, un po' di compagnia la trovi in fretta. A Londra non avevi una ragazza, qualcuna con cui passavi le serate?... Vedi, se qui trovi una, poi ci mettiamo d'accordo... Ci organizziamo... Ma mi dicevi, a Londra avevi qualche donna che è rimasta là, qualcuna, qualche compagnia?"

Ma perché non la pianta? Pensava Thomas. Niente da fare. Janicek proseguì imperterrito.

"Mah, già che ci siamo e visto che dobbiamo vivere insieme per un po', tanto vale dircelo, non credi? Guarda che se avevi una che ti ha piantato e ci stai ancora male non sei l'unico, cosa credi? È capitato anche a me, e ci sono stato male anch'io. Poi passa e ti senti meglio"

"No, nessuna donna, insomma, lo vuoi capire? Non sono stato piantato da nessuna donna. Sono solo, punto e basta"

"Ah, capisco..." concluse Janicek, lanciandogli un'occhiata maliziosa e prendendolo un po' in giro, "allora sei stato piantato da qualche uomo..."

"No, neanche quello, da nessuno e poi guarda, già che ci siamo, preferirei essere stato piantato da un uomo, okay?"

"Ah... vuoi dire che?..." rispose Janicek, sorpreso, continuando a fissarlo negli occhi.

"Sì. Voglio dire quello. Tanto prima o poi, visto che dobbiamo vivere insieme, sarebbe venuto fuori. Adesso che sai, se non ti va, cerco posto da un'altra parte così la smetti di sfracellarmi le palle." Continuò.

"Parlo sul serio. Se la cosa ti dà fastidio, se pensi che la cosa ti metta in imbarazzo, posso capire. Dammi solo il tempo di organizzarmi e cercare un'altra sistemazione. Tutto qui"

"No, aspetta... Ascolta..." Janicek non sapeva cosa rispondere, era confuso. Si fece serio. Thomas aveva abbassato lo sguardo, e il suo ciuffo gli era caduto di nuovo sugli occhi. "No, va bene così. Solo che non pensavo... Tutto qui, scusa, adesso capisco..." aggiunse, tendendo una mano verso di lui.

"Capisco cosa?" gli rispose Thomas, rialzando gli occhi e trattenendosi dal desiderio di prendergli la mano che Janicek gli aveva teso.

"Che ti desse fastidio pensare a me nell'altra stanza con AnnCecilie"

"Sì, proprio così. Se io fossi in camera con qualcuno a scopazzare tra mugolii e risatine, tu come ti sentiresti? A disagio o non ti darebbe nessun fastidio?"

"Be', è vero, mi darebbe noia, almeno credo. Non mi è mai capitato"

"Ecco, ci capiamo." Prese fiato. "Adesso pensaci, se vuoi che me ne vada dimmelo, se ti senti a disagio... Non voglio darti noia o crearti dei problemi..."

"Ma no, smettila," gli rispose Janicek ritirando la mano, "che problemi vuoi che ci siano... Se trovi un amico e lo vuoi invitare una sera, ci organizzeremo. Io sparisco e tu fai quello che vuoi, tutto qui. Le spese le dividiamo lo stesso a metà eh?, okay?"

"Sì, ma non dire che non te lo avevo detto"

"D'accordo... Proviamo..."

Thomas lo guardò. Janicek aveva lo sguardo basso, l'espressione seria. Cercò di alleggerire quel momento, difficile per tutti e due. "Sai, appena ti ho visto ti ho odiato, già sul marciapiede mi davi fastidio e non ti conoscevo ancora... Figurati adesso..."

Janicek rialzò lo sguardo. Tornò a sorridere. "Lo so, l'avevo capito da come mi avevi sbattuto la portiera sulle palle... Io direi che di questa storia è meglio non dir niente a nessuno... Non credi?"

Sì. Era meglio non dir niente a nessuno. "Sì, per cortesia. E' il primo dei nostri segreti. Speriamo di averne tanti altri..."

"Ehi, non troppi... Adesso fammi chiamare mia sorella ed AnnCecilie, così andiamo a bere una birra e le conosci"

"Va bene, anche a mangiare qualcosa. Il frigo è vuoto e ho una fame che non ti dico... Nell'attesa, dov'è quella slivoviz? E' già finita?"

"No, avevi ragione, ci vuol tutta la bottiglia"

Ce n'erano ancora molte, di cose da sistemare. Mentre Thomas rientrava nella sua stanza per finire di mettere in ordine e cercare un posto sicuro per il violino, Janicek si dava da fare col telefono. Dopo un po' gli si parò davanti alla porta.

"Olga e AnnCecilie sono curiose e ti vogliono conoscere. Ci aspettano nella birreria qua sotto alle otto. Se ti va posso fare qualche telefonata e vedere se c'è qualcun altro che ha voglia di venire con noi. Cosa ne dici?"

Thomas non ne aveva voglia. "No, lascia perdere, non stasera.... sono stanco e domani mattina devo essere all'Opera... Sai se dicono abbiamo scherzato?... Devo far le valigie e tornare a Londra..."

"Allora non chiamo nessuno? Mia sorella ha detto che se vuoi telefona a qualche amico...

"Qualche amico?... Le hai già detto tutto quanto?"

"No, non le ho detto niente, scherzi?"

"Per favore, tieni tutto per te. Anche se penso che a nessuno importi un accidente, per me no. Credimi", aggiunse, "voglio lavorare, solo lavorare..." E poi, con un lampo divertito negli occhi e fissando il suo violino: "voglio diventare una star, voglio il pubblico in delirio che mi porta in trionfo all'uscita degli artisti. Che mi urla bravo... Volti adoranti, gente in lacrime..."

"Oh, poco e niente..." Janicek lo ascoltava. Thomas si prendeva in giro, ma lui no. Si fece pensoso. Ebbe un'idea. "Sai una cosa," gli rispose, "con me vicino ce la potresti anche fare. Se vuoi ti aiuterò, ti farò da manager. Sono un pubblicitario, ti farò diventare famoso... Non ti piacerebbe?"

"Ci penseremo... Sì, ci pensiamo sul serio. Ma adesso basta. Lasciami finire qui e usciamo per la birra. Hai detto alle otto?"

"Sì, alle otto qua sotto. Sbrigati"

21

Capitolo 3

La birreria sotto casa era un locale praghese, come tante altre in città. Non che le birrerie di Praga siano diverse dalle altre, ma questa aveva l'aria di offrire un'intimità più raccolta, un'accoglienza antica. Due vetrine sulla strada, la maniglia in ottone per entrare, un neon giallo. Tre stanze, le pareti color ocra, i quadri alle pareti. Le sedie e i tavoli scuri. Un posto dove ci sei sempre stato. E' qui che Olga e AnnCecilie, già arrivate e sedute a un tavolo in fondo, aspettavano Janicek col suo nuovo inquilino di Londra, Thomas.

Uscito insieme a Janicek per raggiungerle alla birreria, Thomas si era fermato per qualche secondo, appena fuori dal portone, girandosi attorno, posando lo sguardo sulle case, sulla strada. Respirò l'aria fresca della sera di fine estate. Gli venne voglia di perdersi nel cielo azzurro, lassù. Fu avvolto dal silenzio, nel vento leggero, e rimase così, finché una macchina, passando, ruppe l'incanto. Raggiunse Janicek, che lo aveva aspettato, ed ora aveva ripreso a camminare, senza premura, un accenno di sorriso sulle labbra. "Fuori non ci sono. Proviamo ad entrare". Sa già tutto di me, pensò Thomas. Ha fatto in fretta, aggiunse, sempre parlando a se stesso...

"Sì, entriamo" rispose Thomas, "se non ci sono aspettiamo dentro"

Appena nel locale le videro, sedute ad un tavolo in fondo alla sala. Li salutarono con un gesto, invitandoli a raggiungerle.

"Eccole", gli disse Janicek, "vieni, te le presento." Si avvicinarono al tavolo. "Ciao ragazze... Thomas... mia sorella Olga, e AnnCecilie, la mia fidanzata..."

"Come state?"

"Bene, grazie Thomas. Io sono Olga. Bene arrivato. Forza, prendete una sedia, non vorrete stare in piedi tutta la sera..." Ubbidienti, si sedettero, avvicinandosi al tavolo. Mentre Janicek cominciava a far due chiacchiere con loro, Thomas, incapace di star fermo, cominciò a giocare col menù e col portacenere, ma fu interrotto da Olga. "Allora Thomas, come va? ti sei già abituato alla vita praghese?"

Thomas lasciò perdere il menù, giusto per farselo rubare da Janicek.

"Sì, abbastanza... Dovrò fermarmi per un po'..."

"Lo so... E come pensi di trovarti con mio fratello?"

"Molto bene. Mi ha già chiesto dei soldi, quindi vuol dire che gli piaccio..."

Thomas sorrideva, ma appena, e con gli occhi bassi. È timido, Olga capì immediatamente. È timido, molto timido... "Thomas", proseguì, "vedrai, con mio fratello ti troverai bene, e ti troverai bene anche qui a Praga. Avrai successo, lo sento"

"Grazie Olga..." rispose Thomas alzando appena lo sguardo.

"E' meglio che tu lo sappia subito, Thomas. Janicek russa come un treno a vapore", intervenne AnnCecilie, indifferente alla ritrosia di Thomas, della quale non le poteva importar di meno, "sentirai che musica!"

"Be', sono un musicista, magari è un bel suono."

"Così!", disse Janicek, "bravo Thomas!" e poi, rivolto alle due donne, "Ragazze, basta... Vogliamo ordinare?..."

"Janicek, possiamo parlargli anche noi, o è già proprietà privata?" replicò AnnCecilie, e poi, guardando divertita Thomas, aggiunse, "guarda che russa davvero. Se ti trovi male e non riesci a dormire, vieni da me, ti ospito io"

"Grazie" rispose Thomas, prendendo confidenza e stando al gioco, "ci penserò. Sì, penso che si possa fare. Dove abiti?"

"Nella steppa. Fra i lupi", concluse Olga, categorica. Poi si addolcì guardando Thomas. "Ma sono sicura che ti piacerà stare da Janicek. Ti troverai bene con lui, lo so"

Thomas sorrise. "Sì, lo penso anch'io, e poi se russa davvero, lui andrà a dormire in macchina e io starò in casa. Siamo già d'accordo. A proposito di case... le sorelle mi han detto che sei architetto e lavori in un grosso studio..."

Olga lo guardò, attenta. Parlava volentieri del suo lavoro. Anche lei era bionda, piuttosto alta, coi capelli raccolti in una coda di cavallo, e gli occhi azzurri, ed aveva una quiete che a Thomas piaceva, e lo invitava alla confidenza.

"Sì, è vero. Lavoro in grosso studio. Io mi occupo principalmente degli arredi. Arredamenti per comunità, grandi spazi. Per intenderci, i grandi uffici, gli alberghi..."

"Sì... Le case chiuse, i bordelli..." la interruppe scherzando AnnCecilie. "Certo, le televisioni, i set... Dove lavori tu, insomma..." replicò Olga. Thomas si accorse che al di là della battuta, si era risentita. Il suo lavoro doveva piacerle sul serio, se era così poco disposta a scherzarci sopra. La capiva, e si sentiva già così bene con lei, come... Non fare guai... Guardò Janicek, la sua testa bionda, come sorrideva. Non ci pensar nemmeno... Lì davanti c'era AnnCecilie. Parlottavano insieme, e probabilmente stavano organizzando il fine serata. Senza di lui, ovviamente.

"Non si può ordinare qualcosa? tra un po' mangio il tavolo", disse Thomas ad alta voce, seppellendo quei pensieri. "Janicek, non puoi chiamare qualcuno e vedere se ci porta qualcosa?"

"Sì. Ho fame anch'io. Ragazze, voi mangiate qualcosa?"

"No", risposero all'unisono, "abbiamo già cenato. Prendiamo solo la birra"

"Magari, per farvi compagnia, io prendo un gelato. Tu no, AnnCecilie?"

"Olga, no... Piuttosto una slivoviz..."

"Beate voi", rispose Thomas, "Janicek, cosa si può mangiare qui?"

"Oltre al tavolo? Cosa diresti di una palacinka e del pollo fritto?"

"Va bene. Cos'è una palacinka?"

"Una specie di omelette. A me piace ripiena di formaggio"

"Anche a me. Grossa così. E la birra"

"Facciamoci portare anche una slivoviz. Per aprire lo stomaco..."

"E' una voragine. Ordina"

Mentre Janicek si alzava per cercare il cameriere ed ordinare, Thomas si mise a conversare con le ragazze, più a suo agio, grazie ad Olga, e si rivolse ad AnnCecilie. "So che lavori in uno studio televisivo..." e intanto la guardava. Era davvero bella. Mora, con gli occhi quasi blu, i capelli lunghi sciolti sulle spalle, era impossibile non notarla. Anche per lui era difficile toglierle gli occhi di dosso.

Abituata ad essere notata, e compiaciuta di aver fatto colpo ancora una volta, rispose. "Sì, in una televisione privata. Mi occupo di fatture, bollette, stipendi..."

"Sei sempre nel mondo dello spettacolo. È un ambiente pieno di vita, molto animato", rispose Thomas, continuando a guardarla. Nel frattempo era tornato Janicek. Era riuscito ad ordinare e adesso stava per arrivare tutto. Prendendolo per mano, AnnCecilie chiese a Thomas, "hai detto che domani devi essere in orchestra. Hai già suonato con loro?"

"No. Spero di essere in sintonia e, come dire, fondermi con loro. E' molto importante..."

Mentre le parlava, AnnCecilie gli aveva lanciato un'occhiata che a Thomas non era sfuggita. Non era la prima volta che veniva guardato così. Anche in modo più esplicito, se era per quello. Era accaduto, e lui abbassava gli occhi e si chiudeva a riccio. Lo fece anche questa volta, ma in più si scoprì a pensare, quante corna ti mangi, Janicek? Non ti accorgi di niente? Davanti ai tuoi occhi?

Finalmente era arrivato il cameriere con le ordinazioni, Mise sul tavolo le birre, il gelato per Olga, le palacinke, e le slivoviz per tutti.

"Forza, beviamo!" disse Janicek allegro, prendendo il suo bicchierino, "alle nuove entrate, a noi..."

"Sì, a noi... No, a voi..." Rispose Thomas, alzando appena il bicchiere ed abbassando gli occhi, parlando quasi a se stesso.

"Thomas, cosa stai dicendo?" gli chiese Olga, incuriosita dallo sbalzo di umore e dalla sua improvvisa malinconia.

"Oh, scusami... Qualche volta non capisco nemmeno io quello che ho nella testa. Mi sembra di essere inutile, di non avere niente da dare..."

"Non dire così, Thomas, non fare lo scemo," lo interruppe Janicek, "tu hai moltissimo da dare, moltissimo..."

"Ho capito... te li do i soldi dell'affitto, te li do, te li do..."

Tutti risero e anche l'umore di Thomas tornò normale. Dopo avere brindato con la slivoviz i ragazzi si lanciarono sui piatti divorando quello che c'era dentro. Olga e AnnCecilie cominciarono a parlare fra di loro, guardandoli ogni tanto e commentando la velocità con la quale ingoiavano ogni cosa, attratte dal ciuffo di Thomas che gli cadeva dalla fronte fino a coprire gli occhi.

"Ehi tu, là sotto" AnnCecilie cercò di farsi ascoltare, "credevo che gli artisti vivessero d'aria, ma mi sembra che per te ci sia anche tutto il resto, molto di tutto il resto"

"Come, scusami?" rispose Thomas alzando appena la testa dal piatto.

"Thomas, le posate non si mangiano" aggiunse Olga, materna, "si usano per mangiare, ma poi lasciale lì"

"Se lo dici tu..." e rimise la testa nel piatto. Anche Janicek riprese a mangiare. Più lentamente, adesso. AnnCecilie sorseggiava la sua birra, Olga, con calma, assaporava il gelato. Tutti e tre erano lo osservavano, e ad ognuno Thomas faceva nascere dei pensieri. Il più preso era Janicek. Al momento era quello che lo conosceva meglio. Tra una forchettata e l'altra pensava, oh, cavoli, quando mi ha detto di essere gay credevo che mi sarei sentito a disagio non solo ad averlo in casa, ma anche solo a stargli vicino. E invece son qui... Chissà se è un guaio... Lo guardava portare alla bocca una forchettata della stessa palacinka che mangiava lui. Gli guardava le labbra e pensava, quelle labbra hanno baciato quelle di un uomo, di un altro. Chissà cosa si prova... Ma non si punge con la barba? E si passava le dita intorno alle sue, di labbra, a sentire se pungevano, per provare la stessa sensazione. E le mani, curate ma robuste, non esangui come credeva fossero quelle dei musicisti, bianche e lisce, quelle mani hanno toccato l'uccello di qualche altro uomo, glielo hanno tirato su e giù, ci hanno fatto questo e quello. Anche con quella bocca, altro che palacinka... Anche lì, su e giù. Ma cosa provi, cosa ci trovi? Ma è tutto normale, è tutto naturale per te? Come ti senti dentro... stare con un altro uomo? Un giorno o l'altro gli chiederò qualcosa, ma per adesso meglio di no. Meglio la birra... Dov'è?...

Anche Olga lo guardava. Non era a conoscenza del segreto che Thomas aveva già confidato al fratello, e i suoi pensieri erano differenti. Aveva seduto di fianco a lei un ragazzo di ventisei anni, alto un po' più di un metro e ottanta, coi capelli castani, il ciuffo che continuava a cadergli sulla fronte, e nascosti là sotto due occhi verdi che ti guardavano nell'anima. Ti dicevano guardami, e nello stesso momento, per cortesia non mi guardare. Aveva un bel fisico, e sotto la felpa si intuivano due spalle larghe, il torace che si alzava un poco quando respirava, e le braccia ben sviluppate, probabilmente dalla palestra. Era bello. Sì, decisamente, concluse osservandolo, senza farsi notare. Grazie Barbara. Devo stare attenta a non spaventarlo, mi dà l'idea che lo si ferisca in fretta...

Anche AnnCecilie aveva i suoi pensieri, molto diversi da quelli di Olga. Tra un sorso di birra e l'altro lo aveva radiografato, mutande comprese. Non che le piacesse particolarmente o le fosse venuto in mente chissà cosa, ma si era accorta che la guardava e probabilmente, anzi senz'altro, aveva fatto colpo. Con poca fatica era suo. Non per farci qualcosa, solo per divertirsi. Per aggiungere un trofeo ai molti già conquistati. Doveva solo stare attenta a non fare ingelosire Janicek, a fare in modo che non se ne accorgesse. Niente di nuovo. "Davvero qui a Praga non conosci nessuno, Thomas?", gli chiese. Continuò. "Se vorrai, ci vedremo spesso, ti presenteremo i nostri amici. E' tutta gente simpatica, ti troverai bene con loro e spero che ti troverai bene anche con noi. Vedrai, farai in fretta a farti molti amici... Vero, Olga?"

"Eh? Ah, sì, certo... Magari appena posso ti presento Michal. E' un mio collega architetto, lavoriamo nello stesso studio e ama molto la musica, soprattutto Mozart. Gli piacerai senz'altro e avrete molto di cui parlare. Lui è anche un fanatico di motori, ma non so se tu sei il tipo..."

"No, motori no. Ma Mozart sì". Thomas aveva smesso di divorare il piatto ed era più tranquillo. Bevve un sorso di birra. "Lo sai che Mozart, al contrario di quello che si pensa, è molto difficile da suonare? E' facile andare dietro alle note, ma interpretarlo e renderne la magia, è tutta un'altra cosa..."

"Son sicura che tu ci riesci," intervenne AnnCecilie.

"Sei molto gentile, ma è difficile. Per davvero. Chissà come mi troverò domani con l'orchestra. Se non mi cacciano potrei conoscere qualcuno anch'io, potremmo uscire tutti assieme. Cosa ne pensi Janicek? Sarebbe possibile?"

"Sì, Thomas, sarebbe bello. Vedremo cosa succede..." Avevano quasi finito di mangiare. Ancora due birre e qualche parola.

"Lo sapete che ha promesso di farmi da agente? Diventerò ricco e famoso. Cosa ne pensate?"

"Sì," rispose Olga, "potrebbe essere un'idea. Come pubblicitario è bravo, anche se non è da molto che lavora. E poi ha molte idee originali, adatte alla pubblicità on-line, su computer"

"Io in una pagina di vendite online?... Ohimé..." rispose Thomas. "Non si può pensare a qualcos'altro?"

"Si può, si può..." intervenne conciliante Janicek. "Per i soldi tutto..."

"Anche per amore, sai..." Gli era sfuggita. Thomas, hai un problema e faresti meglio a risolverlo in fretta, si disse, mordendosi le labbra. Finite le birre e dopo aver giocato con tutto quello che era rimasto sul tavolo, dopo poche altre parole e qualche convenevole, Janicek guardò l'ora. Era il momento di andare a casa. Olga approvò. "E' tardi. Paghiamo e andiamocene..."

Usciti dal ristorante, Olga e AnnCecilie salutarono Janicek e Thomas con la promessa di rivedersi presto, anche l'indomani, e dopo aver fatto gli auguri a Thomas per il giorno dopo, salirono in macchina e si avviarono verso casa. Rimasti soli, anche Janicek e

Thomas si avviarono. Verso casa loro, pensò sognando Thomas... Era scesa la sera, c'era un fresco gradevole, il cielo era un broccato di stelle e il vento non soffiava più. Janicek mise un braccio sulla spalla di Thomas. Come ti sei trovato? gli chiese sorridendo. E la compagnia? Tutto perfetto, grazie. Non sapeva se era più contento perché Janicek era rimasto con lui e non era andato da lei, oppure perché gli aveva messo il braccio sulla spalla. Tutte e due... Possiamo stare così per sempre?...

"Non vuoi far due passi, almeno fino in fondo alla strada? Non ho voglia di andare a letto subito..."

"Va bene", rispose Janicek. "Ti va se andiamo fino alla piazzetta e poi torniamo indietro?"

"Sì. Andiamo." Janicek continuava a tenere il braccio sulla spalla di Thomas. Così per sempre, gli andava bene...

"Quando torniamo mi dai una copia delle chiavi di casa?"

Tornati a casa, si sedettero al bancone della cucina.

"Ti andrebbe un'ultima slivoviz? Per la buona notte..."

"Sì, per la notte e anche per domani, e il giorno dopo domani, e il giorno dopo ancora..."

"Dai, piantala, bevi..."

Capitolo 4

Svegliarsi al mattino è diverso da come si vede nella pubblicità. Dopo una notte in cui aveva fatto fatica ad addormentarsi, si era svegliato sì, come doveva, poco prima delle otto, ma certo non all'ora che avrebbe voluto. A fatica, raggiunse Janicek in cucina. "Ti vanno due salsicce e delle uova? Il prosciutto e il formaggio sono sul tavolo. C'è il succo di frutta... Vuoi il caffè?"
"Come?..."
"Muoviti... Io devo andare al lavoro e tu devi essere in teatro prima delle dieci"
Thomas ammise che Janicek aveva ragione e davanti al caffè si chiese se non poteva iniettarselo per endovena. Poi si rese conto di doverci andare davvero, al Teatro, e chiese ad Janicek come dovesse fare.
"Prendi il metrò, scendi a Mustek e fai un pezzo a piedi della Narodni. Da Mustek c'è anche il tram, se hai voglia. Quando arrivi al fiume non caderci dentro e guarda a sinistra. C'è il Teatro. Non puoi sbagliare. Neanche tu..."
"Grazie. Mustek, hai detto?"
"E' la fermata di piazza Venceslao. La piazza principale di Praga. Quando esci dal metrò la vedi"
Finito il suo wurstel e le sue dosi di caffè, e spazzolato ancora qualcosa dai piatti sul tavolo, Janicek si alzò, mise una mano sulla spalla di Thomas. "Devo andare," gli disse. "Oggi il capo mi manderà in giro dappertutto. Ci vediamo stasera, okay? Fatti valere, andrà tutto benissimo..."
Ciò detto, volò in bagno, poi in camera e poco dopo uscì.
"Vado. Ciao. Telefona ad Olga. Vuole sapere"

Presa la porta e uscito, Thomas rimase solo. Vista l'ora, finì in fretta di far colazione, sistemò la cucina e si preparò anche lui... Alle dieci in Teatro....

In macchina, mentre andava in ufficio, Janicek si mise a pensare a Thomas. E' simpatico, diceva tra sé. Deve essere anche sveglio. Però è così... Mah, contento lui... Non deve essere facile... Forse è per questo che sta molto sulle sue... No, è perché è timido, è un artista... Vedremo. Intanto oggi devo girare per mezza Praga, che palle... Per soldi questo ed altro... Ah, devo telefonare ad AnnCecilie, per stasera... che palle anche questa... La chiamo dopo. Arrivato in ufficio, tutte le sue previsioni si avverarono E' mai possibile che non riuscisse a mandare tutti a quel paese?... Ci penserò, per adesso c'è da fare...

Anche Thomas aveva i suoi pensieri. Arrivato al Teatro Nazionale con mezz'ora d'anticipo, perché tanto non era né ansioso né nervoso, era solo il metrò che era arrivato troppo in fretta, presentatosi al direttore, aveva approfittato dei venti minuti che mancavano all'inizio delle prove per mettersi tranquillo e ripassare la parte. Nella buca dell'orchestra, gli indicarono una sedia tra i violini. Arrivati tutti gli orchestrali, dopo qualche presentazione spiccia, il direttore iniziò le prove. Dopo due ore e mezzo, posò la bacchetta. "Tutto bene, ci vediamo alle due. Thomas Mayer, benvenuto." Ce l'aveva fatta. Era uno stupido, sapeva di avere già in mano il contratto, ma era la prima volta in un'orchestra nuova. Si rilassò. Adesso era un praghese. Come Janicek. Ricevuti i complimenti dai suoi nuovi colleghi, si guardò in giro per cercare qualcuno con cui far festa, ma se ne erano già andati tutti. Rimasto solo, uscì per far due passi lungo la Moldava. Attraversata la strada, sul ponte davanti al teatro, vide sulla destra, il Castello. Sono a Praga, pensò appoggiandosi al parapetto e guardando l'acqua che scorreva. E a casa c'è Janicek che mi aspetta...

Placata la fame in un posto per turisti, si ricordò di Olga. Lei fu contenta di sentirlo. "Hai visto? Tutto bene, bravo... Adesso sono al lavoro e non posso stare troppo al telefono. Stasera se hai voglia passo da te con Michal e ci dici come è andata, puoi?"

"Sì, grazie. Ho prove fino alle cinque e mezzo, quindi per le sei, sei e mezzo dovrei essere a casa. Vi va bene a quell'ora?"

"Certo. Ci vediamo dopo. Ciao"

Contento per avere parlato con Olga, si sedette su una panchina in riva al fiume, per riposarsi ed eliminare lo stress della mattinata. Era fatta. Guardava il fiume, Mala Strana al di là del ponte... Era un bel momento, e se lo godette fino in fondo.

In ufficio Olga aveva posato il telefono e si era messa a parlare con Michal. Le loro famiglie si conoscevano da tempo. Lei aveva cominciato a lavorare con lui, e poi si erano messi insieme. Michal era sulla trentina, più anziano di Olga, che era più grande di Janicek, anche se appena di un paio d'anni. Aveva un aspetto gradevole e posato. Alto e moro, anche se non bello come Thomas - lei lo aveva notato proprio questa mattina - aveva modi garbati che facevano intuire l'alto livello della famiglia da cui proveniva. I suoi si erano separati da tempo, e lui aveva preso dal padre la passione per i motori. Sua madre, come suo padre, non si erano risposati, ed erano rimasti in buoni rapporti. Come quando vivevano insieme, si vedevano più ai cocktail che in casa, ma a lui non era mai mancato niente. "Olga, che tipo è Thomas? Sono curioso di conoscerlo. Tuo fratello si trova bene insieme a lui?"

"Sì. Sarà divertente vedere come andranno avanti. Lui sa suonare solo il campanello, e Thomas è un musicista vero. Magari riesce a fargli capire qualcosa. Ce lo vedi Janicek a un concerto? Sarebbe un colpo grosso, e si staccherebbe un po' da AnnCecilie. Lo sai che non mi piace, ha una cattiva influenza su di lui..."

"Non esagerare, non è vero. E poi Janicek è un bel ragazzo, ed ha le sue carte da giocare. E secondo me sa come fare, se le gioca bene anche lui..."

"Speriamo. A me lei non piace, e non dirmi che sono le gelosie della sorella, e perché lei è bella io no. E' sfuggente, non ti guarda mai in faccia, non so cosa dire. Anche Thomas - mi sono accorta ieri sera - qualche volta non ti guarda in faccia. Ma abbassa gli occhi, e si capisce che lo fa perché è timido, lo si capisce subito. AnnCecilie no, guarda da un'altra parte"

"Ma no, farà così perché è strabica. Non vedere quello che non c'è... Allora, usciti dal lavoro andiamo da loro? Ho voglia di conoscerlo, vedere che tipo è... Chissà se ha voglia di suonarci qualcosa. Sai che a me la musica piace, e sai che colpo se riusciamo a farla piacere anche a tuo fratello... Cosa ne dici?"

"Magari, Michal... È impossibile..."

"Ma dai..."

Ignaro di essere l'artefice del nuovo destino musicale di Janicek, Thomas era tornato in sala prove. Vista una sedia libera, ci si sedette, aprì la custodia e tirò fuori violino e archetto, per controllare l'accordatura e scaldare le mani prima di iniziare. Vicino a lui c'era una ragazza, che stava trafficando con una viola, una biondina dai lineamenti fini, molto presa da quello che faceva, molto impegnata a leggere la parte.

"Ciao" disse, "io sono Thomas Mayer"

"Lo so benissimo" rispose nervosa, "io sono Martina. Con tutti gli orchestrali che ci sono in giro, proprio da me devi venire?"

"Come, scusa?" balbettò Thomas, non capendo cosa

avesse fatto di sbagliato. Comunque qualcosa aveva fatto, vista la reazione. "Scusa" continuò, "non pensavo di darti fastidio, pensavo solo di presentarmi e di parlare un po'. Ma se ti dà noia, scusa ancora..."
Rendendosi conto di averlo aggredito e di essere stata scortese, Martina cercò di scusarsi. "No, non è quello, ma di tutti quelli che sono qui sei venuto proprio a parlare con quella cui hai soffiato il posto..."
"Come, scusa?"
"Sì, all'audizione io sono arrivata in graduatoria subito dopo te. Se tu non c'eri adesso il tuo contratto sarebbe il mio. E invece eccomi qui un altro anno a fare la volante, ad aspettare che mi telefonino per riempire qualche buco dell'ultimo momento. Ecco, e tu vieni da me... Per fortuna mi conoscevano anche come viola..."
"Non so cosa dirti, mi spiace"
"Lascia perdere. È evidente, tu sei più bravo..."
"Non esagerare. Se sei qui sei brava anche tu, non credi? E poi sei una viola..."
"Sì, perché per le viole c'è più posto... Va bene, oramai sei qui..."
Quello che dava più fastidio a Martina, però, non era il fatto che gli avesse soffiato il posto. Era più bravo di lei. E poi era solo per un anno. No, le ricordava il suo ex, dal quale era stata piantata un mese prima. E adesso aveva tra i piedi questo tipo, uguale a lui, con lo stesso ciuffo sugli occhi. Mentre rivangava tutto questo, si rese conto che non era colpa di Thomas, e cercò di rimediare di nuovo al suo scatto di prima. "C'è da dire," continuò, "che tutto sommato mi piace di più suonare la viola. E' più dolce, la sento più vicina. Tu ti sei già organizzato, hai una casa, degli amici?"
"Sì. Sono a posto. Divido l'appartamento con un amico, che ha promesso di presentarmi un po' di gente. In realtà l'ho conosciuto ieri, però mi trovo già

37

bene. Questa sera verrà a trovarci sua sorella, e staremo un po' insieme. Vogliono sapere di questa mia prima giornata, e penso di avere qualcosa da raccontare... No, scusa, non volevo dire di te, volevo dire delle prove..."

"Ecco, bravo, sempre peggio..."

Le prove continuarono fino alle cinque e mezzo. Appena finito, Thomas prese la custodia, ripose violino ed archetto e se ne andò in gran fretta, senza salutare nessuno, per timore di altri guai, e per essere a casa prima di Olga e del suo amico, come si chiamava.

Aperta la porta, trovò Janicek, che era arrivato da poco e stava preparandosi per uscire, al telefono con - ovviamente - AnnCecilie.

"Allora, come è andata?" gli chiese. "Voglio sapere, dimmi subito com'è andata" Ma se eri al telefono con quella là, cosa te ne frega di sapere come è andata, pensò Thomas. La bellezza della giornata stava svanendo in un attimo.

"Bene. Adesso viene qui tua sorella col suo amico. Vogliono sapere tutto, cosa ho fatto e cosa mi hanno detto"

"E a me non lo dici?"

"Se hai già un piede fuori dalla porta e hai tanta premura cosa ti dico?... Ah, sì. Ho fatto fuori una che pensava di avere il posto lei"

"Fatto fuori come? L'hai ammazzata?"

"No, non esattamente... Comunque l'unica con la quale ho attaccato discorso è quella arrivata dietro di me in graduatoria e non l'ha presa bene. Anzi, l'ha presa molto male..."

"Va bene, mi spiegherai. Adesso devo andare. Vado da AnnCecilie e forse stanotte non torno. Non lo so ancora, si vedrà. Tu cosa fai? Aspetti Olga e Michal?"

"Certo, cosa vuoi che faccia? Se vuoi me ne vado e li

lascio per la strada... Sono gentili, vogliono parlare con me. Certo che li aspetto..."

"Va bene, ti saluto. Ci vediamo domani. Forse vado direttamente in ufficio"

"Ciao"

Rimasto solo, Thomas si rese conto di avere sbagliato. Sperava che Janicek non si fosse accorto di quanto gli avesse dato fastidio che se ne fosse andato, lasciandolo solo, proprio quella sera, la sera della sua festa. E per andare da lei. Certo che andava da lei, era giusto così, non doveva illudersi... Mentre cominciava a compatirsi per la tristezza del suo destino, suonò il campanello della porta. Con sollievo, andò ad aprire ad Olga e Michal, che entrarono di gran carriera, quasi investendolo e facendogli passare la malinconia.

"Allora! Dimmi tutto!" esclamò Olga, abbracciandolo e baciandolo con entusiasmo, "sono contentissima per te! Vedi che ti porto fortuna. Dimmi come è andata... Ah, ti presento Michal. Lui è il mio uomo, oltre che un collega. Quando gli ho parlato di te, ha voluto conoscerti subito. Gli piace molto la musica, come ti dicevo ieri, e sicuramente farà il tifo per te. Hai già il tuo pubblico, anche qui, non sei contento?"

"Sì, certo. Ciao Michal... Sono Thomas"

"Ciao Thomas. Olga mi ha detto che è andato tutto bene. Bravo. Bisogna festeggiare. Quando torna Janicek?"

"Non torna. E' andato da AnnCecilie e rientra domani mattina, forse addirittura domani sera"

"Ecco, oltre ad essere deficiente è anche un gran villanzone. Invece di star qui con noi e far festa insieme a te, è andato a scopare da quella là. Ma si rende conto di come si comporta?" Ad Olga si era alterata la voce e si era innervosita. Thomas capì di avere un'alleata. "Eh, sì, avrebbe potuto stare qui, sarei stato contento. Ma va bene lo stesso, mi ha fatto i complimenti e ha detto che sono bravo"

"Ci mancherebbe che non te li avesse fatti" commentò Michal. E poi, rivolto ad Olga, "Non c'è niente di male, Olga, va bene così... Thomas, non hai voglia di suonarci qualcosa?... Per festeggiare"

"Vi andrebbe Mozart? Potrei suonarvi qualche parte per violino del concerto numero cinque..."

"Hai voglia di farcele sentire? Olga ed io saremmo contenti"

"Non daremo fastidio a qualcuno nella casa?"

"Ma a chi vuoi dar fastidio? Non c'è nessuno. Forza..."

Capitolo 5

Denisa e AnnCecilie dividevano un appartamento in una zona più centrale, vicino alla Parizska, non lontano dal fiume, che riuscivano a intravvedere dalle finestre. Denisa aveva divorziato da poco e il bambino viveva dai nonni in campagna, dalle parti di Karlovy Vary, vicino al confine con la Germania. Al momento era uscita, e la casa era tutta per AnnCecilie e Janicek.

Ancora a letto insieme, i giochi ormai erano fatti. AnnCecilie si soffermò a guardare Janicek, che con gli occhi chiusi si godeva il momento di intimità.

"Ehi, campione, come va? Ti senti meglio?"

"Direi di sì. E tu, respiri ancora?"

"Appena. Ma a cosa stai pensando? Ti ho visto ridacchiare da solo. Cosa c'è, dimmi..."

"Sai che cominciano a caderti le tette? Tra un po', quando scendi dal letto ci inciampi..."

"Bugiardo!... Stanno su che è una meraviglia... A momenti mi arrivano alle orecchie..."

"Sì, quelle di Dumbo... Stavo pensando a Thomas... Io sono qui con te e lui è a casa col suo violino..."

"Beh, magari ci si diverte insieme... Cosa ne sai di quello che combina... e poi, cosa te ne frega..."

"È venuto a casa tutto eccitato, e io me ne sono andato per venire da te. Forse avrei potuto ascoltarlo cinque minuti... Non ha nessuno con cui parlare..."

"La prossima volta portalo qui... Lo mettiamo in mezzo a noi... Così si diverte anche lui e facciamo tante nuove cosucce..."

"Eh?..." Rispose Janicek. Non riusciva a capire se scherzasse o no, e conoscendo Thomas, quello era un terreno minato. Se avesse intuito qualcosa e le fosse venuto in mente per davvero un giochino a tre? Quel che è peggio, non avrebbe saputo cosa rispondere. Se ne era reso conto subito. Era sorpreso di se stesso e dei suoi pensieri, della violenza con la quale gli erano balzati alla mente e di quanto lo avevano immediatamente intrigato... Chissà come sarebbe, immaginò, soddisfatto, vedendolo accanto a lui, nudo, nel letto, coi suoi capelli sulla fronte, i suoi occhi verdi, socchiusi nel piacere... Guardandola in faccia e vedendola ridere, capì che aveva scherzato. Meno male.

"Ma no, uno alla volta mi basta, comincio a diventare vecchia... Hai detto tu che inciampo nelle tette. Lo mettiamo nel letto di Denisa e le facciamo una sorpresa..."

Qui parla sul serio, pensò Janicek... E che bisogno c'era di farmi venire qui di gran carriera, appena uscito dall'ufficio, senza avere il tempo di fare niente?

Il rumore dei passi di Denisa che rientrava lo scosse da questi pensieri. Dopo poco sentirono bussare alla porta ed entrò. Bella, una chioma rosso scuro ondeggiante coi suoi passi, un abito verde, elegante, era rientrata da un cocktail andato per le lunghe. AnnCecilie la salutò. "Sei bellissima!..." e poi, subito, "Sai, abbiamo un nuovo amico da presentarti..."

"Davvero? Chi?"

"E' Thomas, il nuovo inquilino di Janicek. E' un musicista, è di Londra, starà qui per un anno..."

"Ah sì?... Quando me lo presentate?"

"Anche domani, se vuoi..."

"No, domani non posso, devo andare per qualche giorno fuori Praga. Forse ho una possibilità... Un lavoretto... Non voglio lasciarmelo scappare..."

"Capisco..." rispose con un'occhiata complice AnnCecilie, "quando torni ne riparliamo"

"Okay, vi lascio soli. Buonanotte Janicek, divertiti..."

"Buonanotte Denisa..." Ma io qui servo solo per scopare, si scoprì a pensare Janicek, ascoltando i loro doppi sensi, e guardando i loro sorrisini. Per queste due non sono niente... Sono un uccello e basta... Avvilito, scese dal letto e cominciò a vestirsi.

"Cosa fai?" gli chiese AnnCecilie. "Niente", rispose, "mi rivesto e vado a casa. Domattina devo alzarmi presto e ho un sacco di cose da fare... Non ti spiace, vero?" e poi, fra sé... No, Non te ne frega niente... Buonanotte.

Tornando a casa pensava a Thomas, a come lo aveva trattato. Male. Mi spiace, Thomas, arrivo. Spero che non sia troppo tardi e di trovarti ancora sveglio a parlare con Olga e Michal. E non c'è niente da mangiare in frigo. Che stupido...

Olga e Michal avevano apprezzato l'esecuzione di Thomas. Dopo i complimenti di rito, la conversazione era proseguita sulla vita di Londra, su Praga, sulla musica. Si era fatto tardi. Sulla porta, lo ringraziarono ancora e gli augurarono la buonanotte. Fu solo quando se furono andati, che Thomas si rese conto di essere in casa da solo. Non che non ci fosse abituato. A Chelsea viveva da solo, e la cosa non gli aveva mai dato fastidio, ma qui era diverso. Sentiva che quella non era casa solo sua, o solo di Janicek, ma di tutti e due. Anche se era solo una sensazione, e non la ammetteva nemmeno a se stesso, era già così, e lo sapeva. Ecco, era in casa da solo e lui non c'era. C'era qualcosa che non andava, che non riusciva ad accettare... Aveva rimesso il violino nella custodia, e la testa girava... E non era solo la fame... l'ora di cena era arrivata da tempo, non aveva comprato niente da mangiare, e non aveva voglia di uscire a cercar qualcosa. Si arrangiò con quello che c'era nel frigo, prosciutto, formaggio, due wurstel e un panino che girava per casa. Fatto ordine sul tavolo, rimase seduto sul divano fino a quando l'adrenalina accumulata nella giornata non svanì, insieme ai pensieri che sapeva di non dover pensare. Stanco, si spogliò ed andò a letto. Rimase tranquillo per qualche minuto, si girò e spense la luce. Subito dopo sentì la porta che si apriva, e Janicek che rientrava. Lo sentì fermarsi davanti alla sua camera. Capì che stava per bussare, che voleva entrare... Vada al diavolo, pensò, non voglio parlargli... Non ha passato la notte fuori, è tornato prima. Non sono neanche le undici... Bene...

Janicek, fuori dalla porta, sapeva che Thomas era ancora sveglio. Aveva visto dalla strada la luce della finestra. Era sveglio, lo aveva sentito entrare. Ma la porta era rimasta chiusa e non dava cenno di volersi aprire. Inutile insistere. Sì sedette al bancone della cucina, dandosi ancora dello stupido. Ci rimase qualche minuto, con la testa fra le mani. Nessuna speranza, la serata era conclusa. Andò in bagno e poi a dormire, in camera sua.

Al mattino si svegliò per primo e cominciò a preparare la colazione. Quasi subito fu raggiunto da Thomas.

"Ciao, hai dormito bene?"

"Sì grazie. Sei qui... non hai dormito fuori questa notte..."

"No, quando sono tornato volevo parlarti, ma tu dormivi e non mi hai sentito. Fino a che ora si sono fermati Olga e Michal?"

"Fino alle otto, otto e mezzo, non ricordo. Mi hanno annegato di complimenti e hanno voluto che suonassi per loro"

"E tu l'hai fatto?"

"Certo, e sono stati contenti"

"Poi suoni anche per me?"

"Adesso? Alle otto del mattino?"

"No, adesso no... Se hai voglia, questa sera, quando siamo a casa..."

"Ah, perché stasera ci sei?"

"Sì, ho capito... Senti, a questo proposito, ieri sera so di essermi comportato male con te. Mi dispiace, scusami. Non ho pensato che ti avrebbe fatto piacere parlare con me e dirmi cosa era successo. Però almeno Olga e Michal c'erano e ti hanno ascoltato, no?"

"Sì, ma se ci fossi stato anche tu sarei stato più contento. Come è andata?"

"Niente di speciale. Abbiamo mangiato qualcosa e dopo sono tornato a casa. E tu? Sei andato giù a comprare qualcosa? Sei andato qui sotto?"

"No, sono rimasto in casa e mi sono arrangiato con quello che c'era in frigo"

"Vuoi dire la nostra colazione di questa mattina?"

"Sì. Hai detto che non tornavi fino a questa sera, quindi per te non c'era bisogno di niente..."

"Ho capito, ho sbagliato, lo so che ho sbagliato. Più di quanto pensi. Appena me ne sono reso conto sono tornato, ma tu eri chiuso in camera che facevi finta di dormire..."

"Facevo finta?..."

"Sì, facevi finta, lo so benissimo. Ho visto la luce dalla strada, e ti volevo parlare, ma tu hai tenuto la porta chiusa..."

"E' vero, non so cosa dirti..."

"Lo so io cosa dire... Vado giù a prendere qualcosa. Cosa vuoi che ti comperi?"

"Ostriche e champagne... Dei dolci, se li trovi..."

"Vedo quello che c'è. Vanno bene due panini, dei wurstel e del formaggio?"

"Benissimo, ma possiamo arrangiarci con quello che c'è."

"Non c'è niente. Vado. Aspettami, torno subito"

Infilata la tuta e sceso a comprare la colazione, Thomas lo guardava dalla finestra correre sul marciapiede e poco dopo lo vide tornare con due sacchetti in mano. Lo sentì salire di corsa le scale, gli aprì la porta di casa...

"Finalmente sei tornato... Muoio di fame, da' qua"

"Ti ho comprato delle brioches... Le ostriche mi han detto che le hai finite tu ieri sera..."

"Sì. Ero da solo e volevo consolarmi..."

"Piantala, ho capito... questa sera stiamo insieme noi due da soli, senza nessun altro. Mi suoni il pezzo di ieri sera e mangiamo qualcosa, qui o da qualche parte... Promesso?"

"Okay... A che ora pensi di tornare?"

"Verso le sei... Oggi pomeriggio devo vedere uno che deve fare pubblicità ai suoi cioccolatini, alla sua fabbrica di dolci e cioccolati vari..."

"Su internet?"

"Sì, si può fare anche quello"

"Vuoi dire qualche bel pop up che esce sullo schermo di fianco alla notizia che è misteriosamente scomparso chissà chi o che è scoppiata un'altra guerra chissà dove, e pum!, esce il cioccolatino dalle tette della vaccona di turno, che dice leccami tutta so di cioccolato?"

"A questo non avevo pensato... No, deve uscire di fianco a qualche notizia leggera... oramai è tutto mirato... Anche il pop up non esce a caso, c'è una selezione a monte. Non male, l'idea delle tette..."

"Per cortesia, risparmiami, dicevo per dire..."

"Il sesso nella pubblicità è dappertutto, non è una cattiva idea infilarlo anche lì..."

"Dove lo vuoi infilare?... Cosa?... Finisci di mangiare e va'. Qui metto a posto io, vai..."

"Sì. Questa sera promesso, okay? E non tradirmi con quella che ti voleva ammazzare..."

"Chi?"

"Quella cui hai rubato il posto, che è arrivata dietro di

te in graduatoria. Non voglio che la porti a casa..."
"Okay, sta tranquillo, quella a casa non ci viene.
Adesso va', ci vediamo stasera..."
Certo che ci vediamo stasera. Solo noi. Sta tranquillo,
pensò Thomas, blindo la porta e butto il telefono dalla
finestra. Fidati. Dopodiché sistemò in casa, si preparò
ed usci per andare in teatro per le prove. A momenti
gli stava simpatica anche Martina...
In macchina mentre andava al lavoro, Janicek
pensava al cioccolato da mettere in rete. Far uscire un
cioccolatino dalle tette non era una stupidaggine, ma
con uno poco interessato come Thomas era difficile
che funzionasse... Forse far vedere le tette come
quelle di una mamma e non di una battona, poteva
andare... Ma se il cioccolato lo comprava una donna -
o un gay - delle tette cosa gliene fregava... Niente
gliene fregava, e neanche a lui, vista la serata di ieri
sera... Però... Assorbito da questi pensieri, arrivò in
ufficio quasi senza accorgersene.
Nel suo studio, Olga era già al lavoro. Avevano il
progetto di un grosso ufficio da arredare e Michal era
andato in cantiere per controllare i lavori. Aveva voglia
di parlargli di Thomas. Senza che se ne rendesse
conto, quel ragazzo stava entrando come un ciclone
nella vita di tutti loro. Alla faccia della sua timidezza e
della sua ritrosia... oltretutto era anche bello...
Avrebbero dovuto avvertirla. E quella... anche
AnnCecilie se ne era accorta e aveva cominciato a
filarselo davanti a Janicek e davanti a lei, e quello
scemo di suo fratello non si era accorto di niente. Lei
sì, però, e se quella sgualdrina voleva la guerra
l'aveva trovata. Con questi pensieri, la giornata sul
lavoro era volata, e fu solo nel tardo pomeriggio che
ebbe la possibilità di parlarne con Michal.
"Cosa ne pensi, Michal?"
"Cosa ne pensi di cosa?"

"Oh, sì, scusa, stavo pensando a Thomas. Ieri sera è stato bravissimo e mi ha fatto venire i brividi. Ha qualcosa, è diverso, non so..."

"E' un artista, Olga, è un artista. Ha qualcosa dentro. Ha fascino da vendere, si intuisce che ha qualcosa, e non pensa solo a scopare e andare in birreria..."

"Come mio fratello. Lui pensa solo a farsi prendere in giro da quella là, e quando gli avanza tempo va in birreria. Qualche volta fa le due cose insieme, come l'altro ieri, quando quella a momenti salta addosso a Thomas, tenendo lui con l'altra mano..."

"Eh?"

"Sì, tu non c'eri... La sera in cui è arrivato siamo andati nella birreria sotto casa e quella a momenti gli si siede sulle mutande, con mio fratello che le teneva la manina"

"Mi sembri eccessiva, non è che sei gelosa?"

"Hai ragione, sì... Ha qualcosa... ha fascino, come dici tu..."

"Sì, te lo concedo. Sai che cos'ha, secondo me? La passione per il suo lavoro e per la musica. Questo lo allontana dagli altri, lo fa vivere più nel suo mondo, ed in quel mondo non c'è posto per tutti. È per questo che ti viene voglia di entrarci. Non è così?"

"Potresti aver ragione, Michal... È qui da tre giorni e mi è entrato nella pelle, e non solo a me. E non parlo di AnnCecilie, ma di Janicek. L'altro ieri se lo guardava, come se fosse roba sua, come se lo avesse appena comprato, non so... È per questo che non si è accorto di AnnCecilie, del filo che gli faceva..."

"Mah?, io non c'ero... ha fascino, eh? Dillo, che ti piace, Olga... Dillo, dai..."

"Pensa ai fatti tuoi, Michal, okay?"

"Non dire così... E poi per te è un ragazzino, è troppo giovane, ha l'età di tuo fratello, forse un anno in meno... Tu sei molto più anziana, devi cercarti un altro target..."

"Muori, Michal. Anzi, fallo subito..."

"Non ho premura, cara... C'è tempo..."

"Ma va'... e poi è vero, ha passione... E a quella ragazza ha soffiato il posto da sotto il naso, ed è una di qui. Certo che non lo regge, ha ragione..."

"Senti, Olga, adesso basta, dobbiamo lavorare. Se non vuoi passare la notte qui, diamoci da fare. Se hai voglia, tra qualche giorno gli telefoniamo ed usciamo tutti insieme, cosa ne dici?"

Michal aveva ragione. C'era da fare in ufficio e si stava facendo tardi. Aveva anche ragione sul fatto che le piacesse Thomas. Forse proprio perché nella vita di lui non c'era posto per molti. È vero, Thomas aveva qualcosa nell'anima, un fuoco di quelli che non si spengono, e del quale non ti accorgi finché non ci cadi dentro. Michal era in gamba, a capire tutto così in fretta, dopo averlo visto una volta sola. Michal era notevole, e tutto sommato, non era così brutto... E Thomas aveva la stessa età di Janicek, era ancora un ragazzo... Ma in fondo, cosa importa...

Anche per Janicek la giornata era volata. Ormai mancava poco all'appuntamento col re del cioccolato, e non sapeva ancora bene cosa proporre, quando entrò nella sua stanza il capo. Sua Maestà rimandava di qualche giorno l'appuntamento, causa improvvisa vacanza a Montecarlo. Lui era libero e se voleva poteva andare a casa.

"La ringrazio, ne approfitto" disse Janicek, grato del paio d'ore inaspettate a disposizione. Era un regalo, poteva andare a casa subito e preparare per Thomas, essere a casa quando sarebbe arrivato... Sarebbe stato sorpreso, gli avrebbe suonato qualcosa. Sarebbe stato bello. Sarebbe stato contento. Anche lui. Tutti e due...

Arrivato a casa, non sapeva cosa fare. L'attesa gli

dava quasi un fremito, ed anche l'indecisione su come sarebbe andata, gli piaceva. Sapeva che sarebbe andata bene. Questo lo sentiva, non come la sera prima. Preparò la tavola, gli aperitivi... Che stupido sono stato. Va bene, non ci pensiamo più... Ecco, la slivoviz, quella ci vuole, i bicchierini sono qua...

Arrivato, e aperta la porta, i bicchierini erano già in mano. La sorpresa di Thomas fu evidente. "Sei già qui?"

"Sì, non sei contento?"

"Neanche un po'..." quasi se lo sarebbe baciato. "Avevo i miei giri..."

"Allora come mai sei venuto a casa da solo?"

"Scusa, ma con chi dovevo venire?..."

Thomas suonò, Janicek ascoltò, e tutti e due capirono che qualcosa stava succedendo, e nulla sarebbe più stato come prima...

Capitolo 6

Parlando con Janicek, e vedendolo qualche sera, Olga aveva capito che i rapporti con AnnCecilie si stavano allentando. Ben lontana dal dispiacersene, non gliene parlava, per timore di qualche ripensamento, ma un po' alla volta le stava tornando il sorriso. A lei non piaceva. Se lo girava come voleva. E lui a farsi andare bene tutto... E poi, suo fratello non era l'unico che girava per la sua camera da letto, ne era certa... Ma Janicek non si accorgeva di niente?... Con Denisa, in più, chissà quante ne combinavano insieme, una complice dell'altra... Per Michal lei esagerava. Tuo fratello non è scemo, gli diceva, se gli va bene così, lascia stare. Non devi metterti in mezzo, altrimenti rovini i rapporti con lui. Vero, ma bisogna aprirgli gli occhi. La vicinanza di Thomas, il fatto di abitarci insieme, era una fortuna inaspettata. A Janicek era simpatico, era attratto da lui e dal suo mondo, un mondo nuovo, diverso. Un ambiente di persone che amavano il proprio lavoro... Thomas era così, e la sua influenza su Janicek sarebbe stata positiva. Anzi, lo era già. Alla sera stava in casa a parlare con lui, della musica, di Londra, della vita dell'orchestra. Tutti argomenti che lo attraevano, una ventata d'aria nuova... Come amico Thomas era una persona affascinante, e in casa era dolce e garbato... Michal aveva ragione, le piaceva... Sì, le piaceva, ma non riusciva a trovarlo attraente. Era quasi come suo fratello, non riusciva a vederlo a letto insieme a lei, non le dava quel tipo di sensazione. E' proprio vero che uno anche se è bello non deve per forza piacere anche per certe cose. Si vede che è una questione di chimica, chissà, una questione di odori, di feromoni...

"Ehi, hai finito di disegnare quelle scrivanie? Il mobiliere aspetta i disegni per ieri..." Era Michal che, rientrato in ufficio, aveva fatto anche rientrare Olga nella realtà. "Hai ragione, sì, ho quasi finito. Sono pronti. E' che non riesco a non pensare a mio fratello e a quella là, e ogni tanto vado via di testa..."
"Questa non è una novità. E' da quando sei nata che sei via di testa, e non c'è niente da fare... E poi le cose stiano andando meglio, no? Anche per me AnnCecilie non è una scelta felice, ma tuo fratello ci deve arrivare da solo, tu devi solo metterlo sulla strada giusta..."
"Grazie, sei un tesoro... I disegni delle scrivanie sono pronti, basta stamparli"
"E non potevi dirmelo? Stampali e andiamo..."
Ignaro dei discorsi preoccupati di sua sorella e Michal, Janicek, in ufficio, si sbatteva per farsi venire in mente qualcosa. Al pomeriggio doveva finalmente vedere il re del cioccolato, e doveva andarci con qualche idea, con qualcosa di nuovo che piacesse e facesse vendere... Il cioccolato, hanno già detto tutto sul cioccolato... Cosa mi invento di nuovo... Magari ha ragione Thomas, faccio uscire i cioccolatini dalle tette... Anzi, ci faccio uno sportellino, le apro e tiro fuori una scatola di cioccolatini... Questo non lo ha ancora pensato nessuno, magari è un'idea... Un bel nastro rosso intorno al collo, ed è fatta. Esce il pop-up, tette in faccia, si apre la scatoletta ed ecco i cioccolatini... Secondo me entra il ballo la lega antivivisezione, dicono che voglio far fuori le donne a pezzi, dicono che è ora di finirla col sesso dappertutto...
E' vero, tutta la pubblicità è basata sul sesso. Anche quella dei detersivi... Solo che è fatta in modo da non accorgersene. Qui sarebbe molto esplicita, per i bambini non va bene. Devo farmi venire in mente qualcos'altro. Vogliono un'idea nuova, un'idea per

tutta la famiglia... Ehi, ma ce l'ho in casa... Se la famiglia non fosse sempre la stessa? Se invece di avere sempre lo stesso target cambiassi, non totalmente, solo ampliassi gli orizzonti? Se ci mettessi Thomas che suona il violino e poi si mangia un cioccolatino, o te lo offre? Se a me Thomas offrisse un cioccolatino lo accetterei subito, accetterei anche un sacco di altre cose. Due note e via, un accordo ed è fatta, la cioccolata va... Potrei metterci proprio Thomas... In fondo gli ho promesso di fargli da agente e comincio a farlo diventare un divo del web... Sì, okay...

Assorto in questi pensieri ed ansioso di prepararsi per l'appuntamento che avrebbe avuto di lì a poco, quasi non si accorse del telefono che vibrava e fu solo quando le vibrazioni divennero perentorie che si decise a rispondere. Era AnnCecilie.

"Ciao, non ti ho più sentito, come stai? Sei sparito, ed avevo voglia di vederti. Come va?"

"Oh, sì, bene, e tu?" Su di giri per l'idea che aveva appena avuto e che senz'altro sarebbe piaciuta al boss ed anche al cliente, Janicek, aveva dimenticato tutti i motivi della sua scomparsa degli ultimi giorni, ed era contento di sentirla. E l'idea di provare dal vivo l'idea del cioccolato spalmato sulle tette di AnnCecilie di colpo si fece strada nella sua mente, e pensò di metterla in pratica, subito...

"Sì, hai ragione, è tanto che non ci vediamo... Cosa dici se passo da te questa sera, così stiamo un po' insieme... Sei sola o c'è in casa Denisa, magari con qualcuno?"

"Non lo so, e non importa" rispose AnnCecilie, contenta di essere riuscita a riacciuffare così facilmente Janicek, "ti aspetto, vieni appena puoi. Mangi da me o no? E poi perché Denisa con qualcuno? Hai in mente qualche giro a quattro?

Dimmelo, ma guarda che non sta bene, non si fa..."

"No, dicevo così per dire. Per la cena non so. Ti richiamo più tardi"

Il pomeriggio e la sera stavano mettendosi nel migliore dei modi, e lui era pronto per ogni tipo di battaglia, su tutti i fronti. No, non proprio tutti. Il giro a quattro no...

Anche Thomas, ignaro di essere sul punto di sostituire sul web le tette al cioccolato di qualche giorno prima, stava arrancando in sala prove. C'era da fare e si lavorava sul serio. Con buona volontà e diplomazia era riuscito a migliorare i rapporti con Martina, ed aveva cominciato a conoscere qualche altro orchestrale. Con un violoncellista, più o meno della sua età, era riuscito quasi ad entrare in amicizia, e iniziava a sentirsi inserito nell'ambiente. Durante una pausa aveva guardato il display del telefonino ed aveva visto un messaggio di Olga, che diceva di richiamarla.

"Eccomi, ho visto il tuo messaggio. Come va?"

"Bene grazie. Senti, sono qui con Michal e stavamo pensando di venirti a prendere all'uscita delle prove. Ti spiace?"

"Scherzerai... alle cinque e mezzo sull'angolo davanti al ponte? Facciamo due passi e se volete mangiamo qualcosa. Ho fame già adesso"

"Sì, volentieri... è da un po' che non ci vediamo... Così organizziamo una serata insieme, ti va?"

"Altroché. In questi giorni oltre al lavoro rimango sempre a casa da solo con Janicek. Sono contento, ma se vedo anche voi mi fa piacere. Ci vediamo tra poco, allora?"

Alle cinque e mezzo Olga e Michal erano fermi sotto il portico del teatro. Thomas era in ritardo e fu solo dopo un quarto d'ora che lo videro arrivare di corsa, con l'astuccio del violino in spalla, insieme ad una ragazza e ad un altro, sicuramente un altro orchestrale.

"Ciao Olga, ciao Michal. Scusate ma le prove sono andate per le lunghe. Questa è Martina, la ragazza di cui ti ho parlato, e questo è Patrik. Suona il violoncello ed è uno dei pochi che mi rivolge la parola qua dentro..."

"Non è vero!" disse Patrik, "smetti di fare l'incompreso. Ciao, Io sono Patrik, e lei è Martina. Come state?"

"Bene, grazie. Siamo venuti a prendere il bambino a scuola perché avevamo paura che si perdesse e finisse chissà dove..."

"Sì, mamma, grazie di essere venuta. Hai portato la merenda?"

"No, la merenda è al bar. Andiamo. Venite anche voi?"

"Sì, grazie, perché no?" rispose Martina, alla quale Michal era risultato subito simpatico. "Dai, andiamo" fece Michal, e, presa sottobraccio Martina, si avviarono verso il centro in cerca di un locale all'altezza del loro primo incontro. Trovato un lussuoso locale liberty quasi in piazza Venceslao, si sedettero ad un tavolino all'aperto, lungo il passeggio. "Questo è un posto per turisti, qua ci spennano" notò Michal, appena preso posto.

"Oh, grazie," ribatté subito Olga, che conosceva le risorse finanziarie di Michal, "grazie per averci portato in questo bellissimo posto e di volerci offrire a tutti i costi l'aperitivo. Non dovevi, ma va bene così. D'accordo, ragazzi?" Un coro di sì coprì le finte lamentele di Michal, e le ordinazioni fioccarono.

Dopo più di un'ora, salutati Martina e Patrik, rimasti soli, Olga, lanciò un'occhiata di tacita intesa a Michal, e chiese: "Come va con Janicek, Thomas?... Ti trovi bene con lui?"

"Sì molto, grazie Olga, sono contento. Passiamo tutte le sere insieme, vuole sapere tutto sul mio lavoro. Ci sto bene insieme, e penso che anche lui stia bene con me. Non ci pestiamo i piedi, mangiamo le stesse cose,

e in casa ci siamo organizzati. Anche la slivoviz...
Meglio di così non so come potrebbe andare..."
E intanto, fra sé, pensava, sì, qualcosa ci sarebbe, ma
è meglio lasciar perdere... Poi continuò, "Sai, abbiamo
già dei segreti in comune... Più di così, cosa vuoi..."
Olga, che non pensava certo a quel segreto, a quella
confidenza che si erano scambiati appena conosciuti,
interpretò quella frase come qualcosa che riguardava
suo fratello e AnnCecilie. Magari le cose andavano
male, magari l'aveva piantata, magari l'aveva
ammazzata e buttata nel fiume... Troppo bello. Glielo
avrebbe detto. "Oh, e che segreto?" gli chiese
sorridendo, con una indifferenza che più finta non si
poteva... Magari le avrebbe detto sì, l'ha fatta fuori...
No. "Se te lo dico non è più un segreto" rispose
Thomas facendo macchina indietro e cercando di non
far capire di essersi pentito di avere detto una frase in
più del dovuto.
"Non mi tenere sulle spine, dimmi tutto o ti faccio fuori,
chiaro?"
In quel momento suonò il telefono di Thomas. "Ciao,
sono io. Non sei in casa?"
"No, sono in piazza Venceslao con Olga e Michal"
"Ah, bene, volevo dirti che sto andando da AnnCecilie,
e quando torni non mi vedi. Ci vediamo dopo. Salutali"
"Capisco. Mangi da lei?"
"Sì, penso di sì. Organizzati da solo. Magari dillo ad
Olga, sta con lei"
"Va bene, ciao. Ci vediamo quando torni. Rientri
stasera o domattina?"
"Non lo so ancora. Quando arrivo, arrivo..."
Fine dei sogni, pensò Thomas. Un'altra volta fine dei
sogni. Si rivolse al Olga. "Era Janicek. Questa sera
non torna a casa... Va da lei" Sentire quel "va da lei"
dispiacque ad Olga almeno quanto a Thomas che
l'aveva pronunciato. "Allora rimani da solo in casa

questa sera?"

"Sì, oramai mi ero abituato troppo bene. Sono da solo"

"Senti, se veniamo io e Michal ti fa piacere? Possiamo andare in pizzeria, mangiare qualcosa insieme... Ti va?"

"Sì, grazie". Non aggiunse altro, e Olga capì che Thomas era dispiaciuto almeno quanto lei. Anche Michal capì. Più di Olga. Povero Thomas...

Avviatisi verso casa, "Andiamo a piedi?", aveva detto Michal, ordinando più che chiedere, avviatisi verso casa Michal mise un braccio sulle spalle di Thomas e cercò di consolarlo. "Coraggio... forse questa volta ci litiga sul serio, e torna a casa subito..."

"Speriamo, non so cosa dirti..." rispose, con gli occhi dentro il marciapiede. Michal, se aveva un dubbio, se lo tolse subito. Povero Thomas. Lo abbracciò più forte e gli disse: "Forza, andiamo a casa e poi in pizzeria" E aggiunse, "se hai voglia, un'altra volta usciamo tutti insieme, lo diciamo anche a Martina e Patrik. Facciamo una bella compagnia e ci divertiamo, okay?"

"Sì. Okay..." E si avviarono lungo la salita.

"Sai," disse ad un certo punto Thomas, camminando sempre con gli occhi bassi, parlando quasi a se stesso, "ogni tanto mi sento come se il destino mi dicesse cammina per questa strada, non ne hai altre, è la tua, è già segnata..."

"Non dire stupidaggini" intervenne Olga "siamo noi a scegliere il nostro futuro, non gli altri..."

"Sarà come dici, Olga" rispose Thomas. "ma sono dell'idea che il Destino non ci lasci completamente liberi. Comanda Lui... Forse non sono sempre guai, qualche volta un sorriso... un grande amore... Cosa ne so..."

"Speriamo che sia così, come dici..."

"Sai, penso anche che se in questa vita non fai in tempo a passarle tutte, le tue prove, quando sei nell'aldilà ti ci fanno passare attraverso, così concludi quello che devi fare... E poi ti viene dato quello che il Destino ti ha concesso di avere, e qui non sei riuscito ad ottenere..."

"E come?"

"Non lo so... Ci sono mille modi di aiutare una persona cui tieni, anche dall'aldilà. Se non fai in tempo ad amare qualcuno qui, avrai la possibilità di farlo dall'aldilà. Non mi chiedere come e perché. Per me è così..."

"Parli di amore nell'aldilà dall'aldilà?..."

"Sì, qualcuno che ti ama nell'aldilà, dall'aldilà, come dici tu"

"Mi fai piangere, Thomas. Allora non è tutto brutto quello che ci attende, ci sono anche le cose belle..."

"Non so, Olga, secondo me ci sono anche le cose brutte. Tante..."

"Sì, guarda quel deficiente di mio fratello, con quella là."

"Olga piantala!" intervenne Michal, "Thomas stava facendo un discorso più in generale, parlava per tutti noi. AnnCecilie è una cosetta, non ha nessuna importanza, e tuo fratello le dà il peso che merita"

"Io ho un presentimento, Michal, quella creerà dei guai. Farà del male a qualcuno, anche a mio fratello. Lo sento..."

"Non essere esagerata, Olga, piantala."

Sapeva che quelle parole facevano male a Thomas. Quei continui riferimenti ad AnnCecilie lo ferivano, e peggio ancora, lo facevano pensare a Janicek, a casa da lei e non da lui, a letto con lei... E poi parlano di intuito femminile. Capirai, Olga, capirai, adesso taci...

"Voglio andare da una cartomante..."

"Cosa vuoi tu? Ma sei scema?"

"Ti ho detto. Voglio andare da una cartomante. Dagmar ne conosce una a Mala Strana. Dice che è brava. Ci voglio andare"

"Dagma... Chi?" chiese Thomas.

"Dagmar. E' una mia amica. Lavora da un avvocato. Quando usciamo tutti insieme te la faccio conoscere. Anche lei ama la musica, le piacerai..."

"Va matta anche per il maiale arrosto, con le patate intorno" fece Michal. "E' una brava ragazza, ma ai violini preferisce i prosciutti, stanne certo"

Thomas si mise a ridere. La tensione si era alleggerita, e l'idea di mettersi a suonare un prosciutto invece di un violino lo divertì. "Vuoi dire che se mi metto sulla spalla un prosciutto invece del violino, e mi metto a suonarlo, magari col coltello al posto dell'archetto, la conquisto?"

"In un lampo, ragazzo. Devi stare solo attento che non ti finisca il prosciutto prima ancora che tu abbia cominciato a suonare"

"Michal, piantala! Dagmar non è così. Beh non solo..." ammise ridendo Olga, "la buona cucina la interessa, ma non solo quella. Ha anche altre qualità e quando vuole parla di argomenti interessanti"

"Sì, Olga, del marito che sposerà. Non sa ancora chi è, però ne parla già. È vecchia quasi come te, vuole farsi una famiglia..."

A Michal questa volta era sfuggito qualcosa. Non aveva pensato che aver parlato così di Dagmar significava aver dato a Thomas un'altra rivale dalla quale doversi difendere, un'altra nemica... Così, fra sogni e timori, parlando e camminando, Olga e Thomas, insieme a Michal, salivano per la Vinohradska... Quattro alberi spelacchiati, i tram, gente per la strada... Thomas si guardava in giro perplesso, e pensava, che strano, che strana sensazione... Quei discorsi di poco prima, perché ne aveva parlato? Erano pensieri tutti suoi, segreti da non dire, e lui.... E questa Dagmar... No, non è una nemica, lo sento... Erano arrivati vicino a Flora, al centro commerciale. Sulla destra della via c'era un locale sull'angolo, pieno di ragazzi come loro, birre in mano, che passavano la serata in compagnia. "Ci fermiamo qui?" chiese Michal. "Sì. Va benissimo" rispose Olga. "Comincio ad essere stanca. Forza, c'è un tavolo libero... qui fuori."

Mentre in birreria, Olga e Thomas cercavano di distrarsi, per non pensare, l'uno alla delusione, e l'altra alla rabbia, e Michal si sforzava di tenerli allegri tutti e due, la causa di tanto sfracello, appena uscita dall'ufficio, si era precipitata in un minimarket, dove aveva trovato quello che cercava. Con un grosso barattolo di crema di cioccolato fra le mani si era precipitato a casa di AnnCecilie, con idee chiarissime sul come cenare e passare la serata.

"Ceniamo qui in cucina?" fece AnnCecilie e, guardando il barattolo, domandò, "Cos'hai portato da mangiare?"

"Qui in cucina va benissimo" rispose Janicek, "adesso ti faccio vedere." Prese di peso AnnCecilie e la fece sedere sul tavolo della cucina, poi cominciò a spogliarla velocemente, fino a quando rimase nuda sul tavolo, coi vestiti per terra.

"Si può sapere cosa hai in mente?" "Adesso te lo dico" rispose Janicek, e, aperto il barattolo, cominciò a spalmarle il seno con la crema al cioccolato. "Ah, brutto porco, pervertito!" esclamò ridacchiando AnnCecilie, "almeno dammene un po', fammela assaggiare!" "La spalmo qui, ti va?" "Sì, lì va benissimo" fece per rispondere AnnCecilie, ma non fece in tempo a finire la frase che la bocca era già piena. La crema al cioccolato finì in fretta, come tutto il resto, dessert compreso. AnnCecilie andò sotto la doccia per prima, e voleva che Janicek la raggiungesse. A lui però erano passati i bollori.

Aspettò che uscisse dalla cabina, entrò e si lavò con calma. Non si era piaciuto, neanche un po'. Non gli era piaciuto quello che aveva fatto, cosa l'aveva spinto, perché?... Mentre si lavava sentiva AnnCecilie canticchiare, tutta soddisfatta, e che a un certo punto gli diceva, "Non vedo l'ora di dirlo a Denisa... E' stato fantastico. Come ha fatto a venirti in mente? Lo facciamo ancora?... la settimana prossima, ti va?"

Janicek non rispose. Finì di lavarsi, si asciugò, trovò i suoi vestiti, se li rimise addosso. "Allora, non dici niente?"

"No, scusa, mi è venuto un gran mal di testa. Forse era troppa..."

"Eh, sì, sei proprio un ingordo, non ti basta mai..."

"Non ti spiace se vado a casa? Non mi sento giusto, ho voglia di andare a casa..."

"Non vuoi restare? Puoi fermarti qui, se non ti senti di andare in giro..."

"No, vado a casa."

Salito in macchina e tornato a casa di gran carriera, salì le scale ed entrò nel soggiorno. La casa era vuota, non c'era. Era ancora in birreria, e lui voleva che tornasse subito, voleva vederlo subito, stare con lui subito. Solo.

Poco dopo Thomas rientrò. Era seduto al bancone della cucina, la testa fra le mani, che lo aspettava. "Avevi detto che saresti rimasto fuori, che stasera non rientravi..."

"Sai una cosa Thomas" rispose Janicek alzandosi e mettendogli un braccio sulla spalla, "Non mi piace il cioccolato al latte. Preferisco quello fondente... In tavoletta... Nel frigorifero, così non si scioglie... Ti va una slivoviz? Ho preparato i bicchieri..."

"Sì, certo", rispose Thomas, e fra sé pensò, questa non l'ho proprio capita...

Capitolo 7

I giorni passavano e Janicek aveva smesso un'altra volta di vedere AnnCecilie. Aspettava che Thomas tornasse dai concerti, facevano due chiacchiere, bevevano un bicchierino, e poi a letto, ognuno per conto suo. Le giornate erano pesanti, e qualche volta Janicek era talmente stanco che faceva fatica ad aspettare Thomas sveglio. Ma lo faceva sempre, ed era sempre contento di vederlo rientrare e sentirlo raccontare di come era andata la serata, degli applausi, dei complimenti dei vari direttori. Una sola volta non gli era piaciuta una cosa. Thomas era tornato a casa con una tavoletta di cioccolato fondente. Lui gli aveva lanciato un'occhiata assolutamente incomprensibile... "Ma avevi detto tu che preferivi il cioccolato fondente... Pensavo di farti un piacere... l'ho comprata qua sotto, non ti va?"
Janicek non aveva risposto. Dopo avergli messo un braccio intorno alle spalle, gli aveva risposto: "no, è buonissimo, hai fatto bene... Metà per uno, okay?"
Thomas non ne aveva più comprato, e lui neppure. Meglio così, almeno per un po'.
Dopo qualche giorno Janicek tornò dal lavoro e trovò Thomas già a casa. Quella sera non aveva recite ed era tornato presto anche lui. "Sai, devo dirti una cosa..." cominciò Janicek con l'aria di dover rivelare un segreto nascosto a lungo, come quando sei costretto a parlare sapendo di dare un dispiacere. Ci siamo, pensò Thomas. Va a vivere con lei... "Indovina..." A sentire indovina e il tono con cui veniva detto, Thomas respirò. Forse non era una cosaccia... "Indovina cosa... Dai, dimmelo..." "Ti ricordi il re del cioccolato, quello che voleva la pubblicità dei

cioccolatini sul web?"

"Sì, mi ricordo, la storia delle tette eccetera..."

"Gli ho proposto di fare tu lo spot."

"Con le tette?"

"No, scemo. Suoni il violino, ti fermi, prendi un cioccolatino, lo scarti, te lo metti in bocca, e poi ne prendi un altro e lo offri a chi ti guarda... Gli è piaciuto, e vuole farti firmare il contratto subito. Sei contento?"

"Oh, sì, grazie è fantastico... Grazie..." Lo abbracciò. Janicek si staccò da lui, lo guardò dritto in faccia e gli sorrise. "Ovviamente, visto che sono il tuo agente, il dieci per cento del contratto è per me..."

"Lo sapevo... Lo sapevo che lo facevi per soldi, non per me..."

"Vero. Per soldi, cosa credevi, che lo facessi per te?" E così dicendo, afferrò Thomas per un braccio e se lo strinse al petto strizzandoselo ben bene. A Thomas tremarono le ginocchia...

"E quando cominceremo?" gli chiese, staccandosi da lui a malincuore.

"Vedremo. Penso che entro due settimane sarà tutto deciso. Anche i passaggi in televisione. Io insisterò perché te li facciano fare, sei contento?"

"Ovviamente sempre per soldi, vero?"

"No, Thomas, no. Per te..." Thomas annaspò, cercò di prendere fiato. Janicek proseguì. "Ehi, campione, non mi dici niente?"

"Ho bisogno di un bicchierino... No, non quello, prendi la caraffa della birra, quella lì... Speriamo che basti... Sai sono astemio, è meglio che beva poco..."

"Thomas, sei unico. Cosa ne dici se andiamo a mangiare fuori? Direi che la serata merita."

"Sì, avevi detto che sulla torre della televisione c'è un ristorante. Cosa ne dici? Se divento un divo dello schermo devo cominciare a frequentare l'ambiente, non credi?"

"Sì, certo. Andiamo lì. Vedrai, c'è una vista bellissima. Si vede tutta Praga. E si mangia anche bene"

"Certo che c'è una vista bellissima! Ci sono io da guardare, altro che Praga!"

"Piantala di far lo scemo e preparati. Io intanto telefono per prenotare il tavolo. Per due, vero? Non vuoi dirlo a Martina?" Fece appena in tempo a scansarsi per evitare il golf lanciatogli da Thomas dritto in faccia.

Nello stesso momento, Olga era fuori a cena con Michal. Un ristorante dove andavano spesso. Lì l'atmosfera era diversa, e Olga aveva un'espressione preoccupata. "Si può sapere a cosa stai pensando?" Michal la interruppe nei suoi pensieri, "stasera non sei giusta, hai la testa chissà dove..." "Sì, c'è qualcosa che non mi torna..."

"E' per il lavoro?"

"No, non è per quello. Janicek si trova bene con Thomas, e grazie a lui vede meno AnnCecilie... Ho paura che quella faccia qualcosa. Una come lei non accetta di essere messa da parte. Se è lei che ti pianta va tutto bene, se no te la fa pagare. Se pensa che è per colpa di Thomas che Janicek la vede di meno, sono sicura che si vendica..."

"E' una fissazione, smettila... Se anche lei non si fa viva vuol dire che ha i suoi giri. Però sì, è vero, vuole essere lei a condurre il gioco. Bisogna lasciarglielo credere..."

"E cioè? Come bisogna fare? Non mi viene in mente niente..."

"Neanche a me... Ho un'idea... Si potrebbe organizzare una serata tutti insieme con lei. Se viene le facciamo capire che con noi è sprecata. Una come lei merita ben altre compagnie, nel mondo dello spettacolo, della televisione... Per me ci casca. Dirle, cara se non sfrutti adesso la sua bellezza poi cosa fai, dovresti conoscere qualche attore, qualche produttore che ti lanci..."

"Perfetto... giù dal Castello..."

"Olga piantala. Organizziamo una bella cena con un sacco di gente e le diciamo che con noi perde il suo tempo, qui a Praga non riuscirà mai a sfondare. Cara, non hai mai pensato di andare a Londra, in una capitale vera? Sì... Londra, è un'idea. Barbara... è nel mondo dello spettacolo, possiamo dirle che le darebbe una mano..."

"A chiuderla nella Torre di Londra?... Perfetto... Non mi far sognare, Michal, mi basterebbe che finisse al Polo Sud, mangiata da un branco di orche... Povere bestie, chissà come starebbero male..."

"Olga piantala... Passi per le orche, ma non ti sembra di esagerare?"

"Hai ragione. Però non sono tranquilla. Io da quella cartomante ci vado, e chiedo cosa devo fare e come andranno le cose. Mi faccio dire della cena, se va in Alaska a cercare il petrolio e che non faccia del male a nessuno, né a Janicek né a Thomas"

"Con te non si può discutere. Io organizzo la cena e tu vai dalla cartomante, okay? E adesso mangia, se no non ingrassi abbastanza e non mi piaci più"

"Michal, per una frase così io ti sposerei..."

"Mangia e taci."

Mentre Olga, contenta del programma, si gustava il gelato, Thomas faceva lo stesso con il suo. Dal ristorante della torre la vista era magnifica, la compagnia di Janicek era fantastica, e tutto era perfetto. Troppo bello per durare. A metà gelato suonò il telefono e Janicek rispose. Era lei.

"Sei sparito... Non ti ho più sentito, non hai fatto indigestione da qualche altra parte, vero?"

Ecco, siamo a posto, pensò Thomas, fine della festa. Thomas, devi ficcarti nel cervello che quella è la sua donna, punto. Con te è un'altra cosa...

"Sì, ciao, sono al ristorante con Thomas. Stiamo festeggiando un contratto pubblicitario che ha ottenuto con un produttore di cioccolatini. Andrà in televisione, sai?"

"Televisione? Davvero va in televisione? A fare la pubblicità del cioccolato? Janicek, sei stato tu, vero? Sei incorreggibile. Spero che sia qualcos'altro da quello che sai..."

"Certo, sta tranquilla, gli spot sono tutti molto differenti, suonerà il violino, offrirà i cioccolatini... Saranno degli spot bellissimi, e lunghi, anche. Si parla di un minuto l'uno... Una cosa seria... E' anche strapagato... Sì, ti saluta Thomas... Come dici? Sì, certo, ci vediamo una di queste sere, magari tutti insieme, che ne dici?... Sì, anche con Thomas, coi suoi amici... Sai adesso è una star, dobbiamo tenercelo buono, è uno importante..."

"Vero, verissimo". AnnCecilie decise che dovevano vedersi al più presto. "Organizziamo tutti insieme e facciamo una bella serata. Ciao Thomas, mi senti? Congratulazioni e a presto. Lo dico subito a Denisa. Ciao Janicek, fammi sapere"

"Ciao, sì, ti telefono."

"Cosa ne dici Thomas? Ti va?"

"Ma sì, certo, una sera che non ho rappresentazioni... Finisci il gelato, che si raffredda..."

Poteva essere peggio, pensò Thomas. Poteva dire vengo da te e scopiamo subito e questo lo pianto qui, o poteva dire vengo da te domani e questo lo pianto a casa. No, organizziamo tutti insieme, Thomas è importante... Oltre al gelato, qui ci vuole il caffè e la caraffa di slivoviz...

Chiusa la comunicazione, rivolgendosi a Denisa, che girava per casa, AnnCecilie disse: "Sai che Thomas ha avuto un contratto con la televisione? Prende un sacco di soldi... Quello diventa famoso... Qui bisogna muoversi, darsi da fare. Quando usciamo vieni anche tu, okay? Questo diventa roba nostra, altro che Janicek. E poi, lui in televisione e noi niente? Noi chi siamo? Dobbiamo cercare un altro ambiente, persone più importanti, che ci diano del lavoro vero, in televisione, nel cinema..."

"Ma tu non ci lavori già, in televisione?"

"Sì, sai che lavoro... E poi è una televisione troppo piccola, finché sto lì non vado da nessuna parte... Dobbiamo muoverci, Denisa, finché siamo in tempo..."

"Chiedi a Thomas....fa la pubblicità in tivù..."

"Spiritosa... Ma sai che potresti aver ragione? E poi non è niente male..."

Ancora al ristorante, Janicek guardava Thomas finire lentamente il suo gelato, la testa nel piatto, isolato, lontano da tutti.

"Sì può sapere cosa c'è? Sembra che tu sia andato sulla luna e hai lasciato il tuo corpo qui. Credi che non mi sia accorto che ogni volta che telefona AnnCecilie tu cambi faccia, tiri giù il ciuffo e metti gli occhi nelle scarpe? I discorsi fra noi sono sempre stati chiari. Certe cose no, okay? Ognuno la sua vita..."

"Lo so. Cerca di avere pazienza con me, non ti arrabbiare, non ti sto saltando addosso, non entro di notte in camera tua... Lo sai che sono fatto così, cerca di avere pazienza..."

"Okay, e per cosa dovrei avere pazienza?"

"Stare con te... Ecco, stare con te, ad esempio. Guarda non ho detto stare a letto con te, ho detto solo stare con te. Non ho detto scopare con te, ho detto parlare con te, uscire con te, va bene anche così... Non ti arrabbiare, per favore, non ti arrabbiare, lasciami sognare..."

"No, Thomas, non mi arrabbio, con te non ci riesco..."

E fra sé pensava, cosa faccio, lo ammazzo, lo sposo o lo tengo così... Non riesco ad arrabbiarmi con lui, non ce la faccio...

"Il caffè lo vuoi? Anche la slivoviz, o preferisci un amaro, una becherovka?"

"Una cosa?"

"Una becherovka. Un amaro che si prende dopo mangiato. Anche prima, se è per quello..."

"Tutte e due..."

"Ne prendiamo una per uno e facciamo a metà, ti va, okay? E per cortesia guardami in faccia, piantala di tenere gli occhi in cantina, non ti ho mangiato"

"Okay..." Se mi mangiassi sarebbe meglio...

"Telefoniamo a mia sorella. Lei sarà contenta di sapere del contratto, e che vai in televisione"

"Ma non è ancora firmato, non c'è niente di deciso..."

"Lo dici tu, imbecille... Il contratto è già scritto, il tuo compenso anche... E' anche alto, ma non te lo dico, non adesso"

"Perché non me lo dici? Guarda che i soldi piacciono anche a noi artisti..."

"Perché se ti dico quanto son riuscito a farti prendere mi salti addosso qui al ristorante e come minimo mi metti la lingua in bocca... Manca solo la tua firma, ma il resto è tutto pronto. Non volevo dirti tutto in una volta, però tanto vale dirti tutto subito. Sei contento?"

"E me lo chiedi? E hai fatto tutto questo per un misero dieci per cento? Ma guadagni così poco dove lavori?"

"Non l'ho fatto per... Io ti strozzo, cosa mi fai dire... Sì, l'ho fatto per soldi, okay? L'ho fatto per un misero fottutissimo dieci per cento, va bene? Anzi, facciamo il venti e così stai zitto. Lasciami chiamare Olga, voglio dirglielo subito"

"Ma non sarà tardi?"

"No, tanto lei esce a cena quasi sempre con Michal..."

"E' una cosa seria?"

"Sì, ma loro non lo sanno ancora..."

"Dai, chiama, le voglio parlare anch'io"

Mentre Thomas, con la testa appoggiata ad una mano, si riprendeva contemplando, al di là delle vetrate, la città illuminata, Janicek si dava da fare col telefonino. "Ciao befana, dove sei? Indovina un po'..."
"Cosa è successo?" Il tono della voce di suo fratello era allegro e più alto del solito. Si sentiva della musica di sottofondo e si capiva che non era in casa. Temendo che la felicità di Janicek potesse non essere la sua, continuò: "Sono al ristorante con Michal e stavamo proprio parlando di te... Cosa hai combinato stavolta?"
"Io niente, o quasi... Thomas ha avuto un contratto per degli spot pubblicitari in televisione e sul web... Siamo usciti a festeggiare... Siamo a mangiare alla torre della televisione... Sì è qui... Si, lui non lo sa ancora, ma io mi tengo, come agente in esclusiva, il novanta per cento di quello che gli danno... Come?... Il dieci per cento per lui è troppo? Hai ragione, facciamo il novantacinque..." e, rivolto a Thomas, "dice che il novantacinque va bene..."
"Non è vero!" Thomas sentiva Olga urlare dall'altra parte del telefonino... "Thomas bravissimo, complimenti! Non dare niente a quel pescecane di mio fratello! Tieni tutto tu! Anzi, fatti dare qualcosa anche da lui, fatti valere... Fagli capire che sei prezioso, e se ti vuole deve pagare lui, altroché... Il quaranta per cento, fatti dare tu il quaranta per cento... Complimenti anche da Michal, dice che sei bravissimo e te lo meriti"
"Grazie Olga, stasera è tutto bello, vorrei che non finisse mai" rispose Thomas avvicinandosi al telefonino di Janicek, "vorrei che fosse sempre così. E sapessi che vista da qui, si vede tutta la città. E' fantastico"
"Thomas dice che però qui dentro la vista più bella è lui... Bisogna metterlo un po' in riga..."

"Sì, mettiamolo un po' in riga... Cosa ne pensi Janicek?"

Davanti al silenzio del fratello, Olga continuò: "Stavamo pensando di fare una cena tutti insieme... Cosa ne dici? E così festeggiamo anche il contratto di Thomas. Andiamo in un bel posto, anche lì alla torre della televisione, o sulla Vinohradska, tutti quanti. Lo diciamo a Dagmar, a AnnCecilie, a Denisa, a tutti e passiamo una bella serata insieme, è possibile?"

"Sì, è una bella idea... Tutti insieme... Paga Thomas, naturalmente"

"Naturalmente" rispose Olga, stando allo scherzo ed immaginando la disperazione sulla faccia di Thomas, "però in un posto costoso, cosa dici?"

"Certo, un posto molto costoso... Il più costoso di Praga... Aspetta... No Thomas, non ti buttare giù, i vetri sono antisfondamento, e se li rovini devi pagare anche quelli... Devi vedere la faccia di Thomas, non sa ridere o piangere... Noi diciamo sul serio, vero?"

"Certo" disse Olga a voce più alta per farsi sentire da Thomas, e poi, ridendo: "Sta tranquillo Thomas, Michal ha detto che offre lui, puoi tornare a respirare... Lo dici tu ad AnnCecilie?"

"L'ho appena sentita, anche lei è contenta e ha detto di fare una serata tutti insieme con Thomas. Vogliono fargli i complimenti di persona, lei e Denisa"

"Ecco, brava. Mettiti d'accordo tu, quando Thomas può. Il posto lo scegliamo noi. Ci sentiamo domani. Abbraccia forte Thomas da parte mia e di Michal"

"L'ho già abbracciato prima, poi si abitua... Meglio di no, lasciamo perdere... Sì, ciao, ci sentiamo domani..."

Chiusa la comunicazione, Olga si rivolse immediatamente a Michal, "quella vipera... Ha già detto che vuole festeggiare e fare i complimenti a Thomas di persona... Quella vuole portarselo a letto... Eh già, sta diventando importante, vuoi mettere un musicista famoso in confronto a Janicek? Quella si vuole mettere in mezzo e rovinare tutto, te lo dico io... Io non la reggo..."

"Olga, piantala, tu con lei non ragioni più... E poi sai una cosa? Penso proprio che AnnCecilie con Thomas non abbia speranze... Anche Denisa..."

"Cosa vuoi dire Michal?"

"Che secondo me nessuna delle due è il suo tipo, ma veramente nessuna delle due..."

"Michal, tu non ti sbagli mai, speriamo che tu abbia ragione anche questa volta..."

Alla torre della televisione, Janicek stava parlando con Thomas, "allora, grande serata per te, hai sentito, tutti invitati ospiti di Michal. Cosa ne pensi?"

"Penso che sono contento, Janicek, sono contento. Cosa devo dirti, più di così, non so cosa dirti... Diventerò un grande solista, sarò la star dei teatri di tutto il mondo... Ma non sarà mai così..."

"Perché scusa? Magari invece sì..."

"No Janicek, non credo. Senti, piuttosto, se facciamo questa serata, credi che possa dirlo a qualcuno dell'orchestra? Uno o due, non di più..."

"Penso che non ci sia niente in contrario. Sono certo che a Michal non dispiacerà. Chi hai in mente?"

"Una è Martina. Non è cattiva, ogni tanto ci parliamo, e mi sento in colpa con lei, cosa ti devo dire..."

"Non hai nessuna colpa. E l'altra chi è?"

"L'altro è uno che ci chiama Patrik. E' un ragazzo simpatico, vedrai. Non ti spiace se lo diciamo anche a lui?"

"No, fa come vuoi, la festa è la tua"

C'erano due cose che a Janicek non erano piaciute. Chi era questo Patrik, cosa voleva, da dove veniva... E l'altra era lo sguardo di Thomas, come lo guardava...

Capitolo 8

Michal aveva scelto il locale sulla Vinohradska, dove erano già andati una volta, e che a Thomas era piaciuto. C'era la possibilità di stare tutti insieme, e di parlare senza che la musica e il rumore del locale impedissero di sentirsi. Era importante poter parlare, e soprattutto, farsi ascoltare. Arrivati per primi, Olga e Michal avevano scelto un tavolo all'esterno, che dava direttamente sulla strada. Era più facile vedere ed essere visti, e non avrebbero avuto nessuno troppo vicino. Quasi subito arrivarono, a piedi, Thomas e Janicek, e Dagmar, che, con un colpo di fortuna, trovò il posto per la sua auto proprio davanti al ristorante, praticamente davanti al tavolo. Dopo gli insulti di rito per la fortuna avuta nel trovar posto per l'auto, salutato allegramente tutti, si sedette al tavolo con gli altri. "Ciao Thomas, piacere di conoscerti". Era una ragazzona alta e mora, dal sorriso contagioso, che metteva di buon umore solo a vederla. Anche Thomas, che la collegò immediatamente al prosciutto divorato al posto del violino, fu colpito dalla sua cordialità e pensò che sì, quella un prosciutto era capace di mangiarselo sul serio. Se poi ha fame cosa succede... Seduta di fianco ad Olga cominciò a parlare delle solite cose, ma proprio Olga la interruppe quasi subito. "Oh, sono arrivate..." Erano AnnCecilie e Denisa, eleganti, truccate con cura e sicure di non passare inosservate. Perfetto, pensò Olga, con perfida ammirazione. "Siete bellissime!... l'attrazione della serata..." disse loro appena si furono sedute al tavolo. "Sicure di non aver fatto succedere qualche incidente mentre venivate qui?... Un attimo, tiro su la lingua a Michal... Michal, non sta bene sbavare in quel

73

modo..."

"Grazie Olga" rispose AnnCecilie ridendo, "E' tutto in onore di Thomas, è lui il divo della serata, è per lui che ci siamo messe così..."

"Grazie, ragazze" si inserì Thomas, "siete bellissime. Anche tu, Denisa, sei splendida... Sedetevi qui vicino a me, con loro siete sprecate... Come sapete sto per andare a Hollywood, e avrò bisogno di assistenti, di qualcuno che curi le pubbliche relazioni, i rapporti con la stampa, i produttori. Voi sareste disposte? Potremmo farci tanta compagnia, potremmo fare mille cose insieme..."

"Va bene, parliamone" rispose AnnCecilie stando allo scherzo, ma contenta per aver sentito proprio quello che voleva sentire, "Hollywood penso che vada bene, Cosa ne pensi, Denisa, vieni anche tu? Andiamo?"

"Certo che vengo, ho già il biglietto in borsa... Con noi, Thomas, ti divertirai moltissimo... Vedrai, faremo un sacco di cose insieme..."

Sì, povere illuse... pensò Michal, "guardate che neanche a noi dà fastidio vedervi così sistemate, siete uno schianto... Cosa ne pensi, Janicek? Sono di tuo gusto?"

Janicek non sapeva più se essere geloso di AnnCecilie, di Thomas o di tutti e due. Rispose. "Ehi, ragazze, guardate che se Thomas ha avuto un contratto è solo merito mio... Ho fatto tutto io, lui non ha fatto niente..."

"Certo, caro, certo" lo interruppe Olga, "però se invece di essere stato Thomas fosse stato un altro, tu non ti saresti mosso, e non sarebbe successo niente. Dì la verità, è stato dopo che hai fatto vedere la foto che hai sul telefonino e il video che avevi girato in casa mentre suonava, che ti hanno detto di andare avanti e preparare il contratto, vero? Dai, ammetti che è andata così?"

"E tu come fai a saperlo?" e poi, a Thomas, "Sì, Thomas, è andata proprio così. Ti ricordi quel video che abbiamo girato in casa due settimane fa? L'ho fatto vedere a loro, è piaciuto ed hanno voluto subito il contratto. Ho fatto poca fatica, Thomas. Ho fatto fatica solo ad alzare il tuo compenso..."

"Non dire così... So che ti sei dato molto da fare... E' tutto merito tuo, senza di te non sarebbe successo niente..."

"E' vero, e adesso piantala di ringraziarmi e sta lì tranquillo. Si tratta solo di qualche spot, non ti montare la testa. E non saltarmi addosso per abbracciarmi e ringraziarmi, non è il caso, okay?"

E pensava, perché non lo fai? È merito mio, sei roba mia, sono io che ti porto a Hollywood... Cosa c'entrano quelle due, cosa vogliono? Cosa si mettono in mezzo a fare?

Con questo per la testa, silenzioso in mezzo agli altri che si raccontavano allegri gli avvenimenti dei giorni passati, e contenti di stare insieme, Janicek poco dopo notò una coppia che veniva verso di loro, con sua sorella e Michal che si alzavano per salutarli. Anche Thomas. Lei, una biondina, e lui, alto poco più di Thomas, anche lui biondo, coi capelli in ordine e un'aria di ragazzo per bene che gli diede subito sui nervi.

"Ciao Thomas, scusate il ritardo, abbiamo fatto fatica a trovare il posto per la macchina. Come va?"

"Ciao Martina, figurati. Siamo appena arrivati anche noi. Ecco, gente, lei è Martina, e lui è Patrik. Sono i miei colleghi che vi dicevo, e sono anche gli unici che mi salutano in orchestra..."

"Thomas, non dire così..." lo redarguì Patrik. Strinse la mano a tutti, e baciò le ragazze sulle guance. Baciò anche Thomas, sulle guance, con Janicek che, non visto, prima lo fulminò con un'occhiata, e poi pensò di farlo a pezzi.

"Martina, siedi qui vicino a me", fece Michal, spostandosi e facendole posto, "è un po' che non ti vedo. Com'è andata in questi giorni? So che state preparando la Carmen di Bizet..."

"Sì, anche quella... Ho sentito che questa sera festeggiamo un contratto di Thomas per la pubblicità..."

"E' merito mio", intervenne Janicek, seduto di fianco a Martina, dall'altra parte di Michal, "sono io il suo agente, gli ho procurato io il contratto, e tutto il resto. E' roba mia..."

"E allora pensa anche a me, ci sono anch'io. Procura qualche contratto anche a me, parliamone..." rispose Martina.

"Okay, cara. Dammi il tuo numero e ci organizziamo..." il tono di Janicek era scherzoso, ma lui aveva la testa da tutt'altra parte. AnnCecilie e Denisa non avevano occhi che per Thomas, e passi, lui sapeva la storia, ma anche Patrik non faceva altro che rimirarselo, e questo lo infastidiva... Anzi, no, lo avrebbe incenerito. Di buono c'era che si rimirava anche Denisa. La valutava centimetro per centimetro, e sembrava che a lei non dispiacesse affatto. Non sapeva più cosa pensare. Isolato alle corde. Il centro della serata era Thomas, e lui era stato messo da parte. Anche da sua sorella, intenta a parlare con Dagmar e AnnCecilie. Quella serata era merito suo, e nessuno lo degnava di uno sguardo. Poteva alzarsi e andare a bere una birra al bancone, e nessuno se ne sarebbe accorto. E cosa avevano da dirsi? Anche Michal. Si era messo a parlare con Martina di musica, di concerti e lei gli rispondeva, gli spiegava come e cosa, e perché. Per fortuna arrivò il cameriere e la scelta delle ordinazioni ricompattò la compagnia.

"Si può sapere di cosa stavate parlando con tanto

interesse?" chiese Janicek alla sorella. "Del nostro futuro" gli rispose AnnCecilie.

"Di cosa?"

"Del nostro futuro", rispose Olga. "Vogliamo andare da una cartomante e farci leggere le carte. Vogliamo sapere il nostro futuro, il destino..."

"Il grande destino che ci aspetta" disse AnnCecilie. "Vieni anche tu Denisa?"

"Oh, sì che vengo". A Denisa l'idea di sapere qualcosa sul suo futuro non dispiaceva affatto. La sua vita non le piaceva. Sotto le apparenze da star, la sentiva vuota. Le mancava qualcosa, un obiettivo per vivere, per essere degna di suo figlio. "Sì, andiamo. Devo sapere un paio di cose che mi interessano molto. Domani va bene?"

"Denisa, dobbiamo chiedere per il lavoro... Olga ha ragione quando dice che potremmo cercare qualcosa di meglio, che per quello che facciamo siamo sprecate. Io, che archivio bollette dal mattino alla sera e tu, che non fai niente, nemmeno dalla sera alla mattina"

"Cosa dici, AnnCecilie, dalla sera alla mattina? Che pubblicità mi fai? Chi non mi conosce ancora cosa pensa di me?"

"Tutto il bene possibile, cara" la interruppe Patrik, suscitando l'ilarità di tutti, "vederti e non pensare bene di te è impossibile, credimi"

"Patrik, tu sì che mi capisci" rispose Denisa stando allo scherzo.

"Sì, ti capisce che è una meraviglia, stai tranquilla" si inserì Janicek, tornando nel mondo dei vivi. Il tono era scherzoso, la stoccata a Patrik era arrivata, ma poi si morse le labbra. Meglio Denisa di Thomas, accidenti... Che si fili Denisa e ci lasci in pace. Non sapendo come rimediare e cosa dire, stette zitto e guardò Thomas, che ricambiò la sua occhiata con uno sguardo degno di una sfinge. Non riusciva a capirlo. Era già la seconda volta che lo guardava in quel modo. E non gli piaceva. Thomas era sempre stato un libro aperto per lui, ogni volta che lo guardava. E anche quando non lo guardava e metteva gli occhi nelle scarpe, come si diceva lui... Ma quelle occhiate... era come se si allontanasse, guardasse un estraneo. Non lo capiva, lo ferivano...

"Sono i complimenti di mio fratello, Denisa, sai come è fatto... Con lui ci vuole pazienza, bisogna prenderlo così com'è..."

"E' vero, ci vuole pazienza," la interruppe Thomas, "però ogni tanto ne vale la pena..." La dolcezza del tono della sua voce sciolse Janicek, che per un attimo non seppe più cosa pensare. Nessun altro se ne accorse, e la conversazione continuò, allegra come prima.

"Davvero ti occupi solo di bollette e di pagamenti?" fece Patrik ad AnnCecilie, "uno schianto di ragazza come te? Non ci posso credere..."

"E' così!..." Olga prese la palla al balzo, e continuò: "Con le doti che ha e la bellezza che si ritrova passa la sua vita rispondendo al telefono e tenendo la contabilità di quei quattro furbacchioni che la sfruttano, pagandola una miseria..."

"Come Kafka... Solo che lui si è messo a scrivere e ha avuto successo... Io sono ancora qui, e non riesco a venirne fuori... Olga, secondo te cosa devo fare?"

"Devi svegliarti, AnnCecilie, devi muoverti. Cambiar lavoro, cercare una casa di produzione, non so, un posto dove far carriera... Magari entrare nel mondo del cinema, qualche piccola parte, cominciare in qualche modo... Qui a Praga il mondo del cinema non dà molto, ma una televisione più grossa, più strutturata... Anche la televisione di Stato, perché no? Perché non cerchi di entrare lì, di conoscere gente nuova, che ti valorizzi?..."

"Olga ha ragione", intervenne Michal, "tu sei sprecata... Il mondo del cinema qui a Praga non è Hollywood, ma ci sono agenzie, case di produzione Qui costa meno, vengono dall'estero a girare... E non c'è solo Praga, ad esempio c'è Londra... Quell'amica di Olga, Barbara, abita a Londra, è nel cinema, potrebbe aiutarti. E' lei che ha mandato qui Thomas, è un'amica..."

"Dici davvero?" e poi, rivolta a Thomas, "tu pensi che potrebbe darmi una mano a Londra? E' sul serio nel mondo del cinema?"

Sì. Lavora a Pinewood, è una amica delle mie sorelle. Se può darti una mano, lo fa volentieri, come ha fatto con me qui..." L'idea di potersi liberare di AnnCecilie, e di spedirla a Londra, piacque immediatamente a Thomas, che guardò riconoscente Michal, il quale fece finta di non capire. "Olga ha ragione," proseguì. "Anche secondo me qui hai poche possibilità. A Praga vengono a fare i film perché costano poco, ma poi prendono e vanno via. A Londra è un'altra storia, avresti molte più chances..."

"Mi fate pensare... Sono davvero così imbecille a restare qui? E' vero, potrei cercare per il momento un posto in qualche casa di produzione, o alla televisione di stato, e intanto dire a quella vostra amica, Barbara, se può trovarmi un lavoro a Londra, in qualche studio cinematografico..."

"Ma sì, AnnCecilie, anche se non diventi un'attrice, la vita sarebbe diversa, e l'ambiente anche... Potresti conoscere persone interessanti, che potrebbero darti molto... Finché resti qui non combini niente..."

Il pensiero che Olga, con questo discorso, stava liquidando il fratello e le stava dicendo che finché fosse rimasta con lui non avrebbe combinato niente di buono, non la sfiorò minimamente. Olga e Michal si resero conto di avere centrato il bersaglio, e, in fondo, lo facevano anche per il bene di lei. AnnCecilie non era adatta per Janicek, ma avrebbe potuto esserlo per qualcun altro. Era una bella ragazza, intelligente, ed aveva delle qualità. Solo non era quella giusta per Janicek. Tutto qui. Se poi si portava dietro anche Denisa, sarebbe stato perfetto. Ma non era importante.

"Denisa, hai sentito? Forse avremmo una possibilità di lavorare a Londra... Negli studi di Pinewood... "

"Scherzi? A Pinewood? E come, scusa?"

"Barbara, un'amica delle mie sorelle...", intervenne Thomas. "Sì, lei potrebbe farvi lavorare lì, ma non so con che incarichi... Per recitare bisogna fare dei provini, piacere ai registi, trovare le parti giuste... Ma come assistente, alla regia, o alla produzione, o un sacco di altre cose, è più facile... Potreste andare e venire, tenere i contatti con Praga. Magari vengono a girare qui, potreste essere utili per i collegamenti. È un'idea niente male, dovreste pensarci..."

"E io chi sono? Ragazze, non penserete di andare a Londra senza di me? Vengo anch'io e facciamo uno sfracello! A Piccadilly!"

"Saresti la gioia di tutti i ristoranti, Dagmar" le disse Denisa, "e un giorno mi spiegherai come fai... Con quello che ingoi dovresti essere due quintali, e invece sei più magra di Olga..."

"Non sono grassa!"

"No, Olga... Neanche tanto magra, però piaci lo stesso, non ti preoccupare..."

"Grazie Michal, tu sì che mi capisci... Magra no, eh?"

"No, magra no" disse Thomas, "ma come diciamo noi, hai il tuo pubblico, c'è chi ti apprezza così come sei..."

"Così come sono? Sono così orrenda?"

"No, scusa, non volevo dire... No, mi spiace..."

"Lo so Thomas, ti stavo solo prendendo in giro, volevo

divertirmi a vederti diventare rosso..." Finalmente arrivò il cameriere con i piatti. Il vino era già finito e le bottiglie vuote furono immediatamente rimpiazzate. Accorgendosi del silenzio di Janicek, Martina cominciò a parlare con lui. "Sai, Thomas non fa altro che parlare di te. Sei stato bravo a fare quello che hai fatto. Nessuno di noi nell'orchestra ha avuto qualcosa di simile, neanche i titolari. Certo che non lo salutano, lo invidiano..."

"E tu? Lo invidi anche tu perché ti ha soffiato il contratto?"

"No, non riesco ad invidiarlo, o a trattarlo male. Cioè, l'ho fatto, e mi è spiaciuto, e adesso sono qui, come puoi vedere..."

"Vedo anche che non sei venuta da sola... Chi è lui?"

"Patrik, dici? E' come me, suona in orchestra quando lo chiamano, fa qualche serata, si arrangia, come me..."

"E' il tuo uomo?"

"No, è un amico ed un collega, tutto qui..."

"Ha qualche donna?"

"Non lo so... In queste cose è molto riservato, non dice niente..."

"A giudicare da come punta Denisa, non mi sembra molto riservato..."

"Non lo so" rispose ridendo Martina, "a me sembra che sia più lei a puntare lui... Comunque adesso sta parlando con Thomas... Anche in orchestra si parlano molto, è uno dei pochi con cui Thomas parla... Sta sempre sulle sue, sembra che abbia qualcosa che non vuole dire... Tu ne sai niente? Tu ci vivi insieme, sei quello che lo conosce meglio..."

"Da come gli parla insieme, direi che anche Patrik lo conosce piuttosto bene..."

"Siamo a tavola, siamo a pranzo insieme, certo che ci parliamo tutti, non ti pare? Ma senti, prima sentivo un discorso... È la tua donna quella AnnCecilie, quella che vuole andare a lavorare a Londra?"

"Sì, è lei. Lei e la sua amica Denisa."

"Mi sembrava che stessero parlando sul serio... Non ti scoccia? In fondo sta parlando di piantarti qui e andare a vivere da un'altra parte, senza chiederti niente, neanche se ti spiace, o qualcos'altro, del tipo non so, cosa ne pensi, o qualcosa del genere..."

"Vuoi sapere la verità, Martina?... non so cosa dirti... Me ne sono accorto, certo che l'ho notato... E' come se non esistessi, ha in mente solo sé stessa... Sai una cosa... non mi importa. Faccia quello che vuole, vada dove vuole..."

"Sì, Janicek, lascia perdere... Dai, togliamo Patrik dalle sue sgrinfie..." e da quelle di Thomas, pensò grato Janicek. "Patrik, vuoi venire qui a parlare con noi? In tutta la serata non ci hai rivolto la parola..."

"Hai ragione, Martina, scusa... Thomas, ti spiace se vado da loro?...eccomi, sono tutto per voi... Tu sei Janicek, vero? Thomas non fa altro che parlare di te..."

"Sì, come no... A giudicare da questa sera, non mi sembra proprio. Anche adesso, sta parlando di prosciutti con Dagmar..."

"E' perché è abituato a te, e questa è la sua serata... Che male c'è, anche se parla con qualcun altro..."

"Sì... Hai ragione, ma mi sento messo da parte... Questa serata è merito mio, potrebbe anche dirmi grazie, non ti pare?"

"Sono sicuro che te lo ha detto, grazie, e se non te lo ha detto lo pensa senz'altro. Da come lo conosco..."

"Lo conosci bene?" Il tono di Janicek lasciò perplesso Patrik. "Sicuramente non come te, però sì, penso di conoscerlo abbastanza per capire che ti vuole bene e per lui sei importante... Lo saresti anche per me, e per Martina, se avessimo un agente come te. Potremmo

82

fare qualche serata in più, qualche passaggio sul web o in televisione, non sarebbe male..."

"Se lo dici tu... Comunque è tutta la sera che non mi guarda in faccia..."

"Non fare il bambino, Janicek" lo interruppe Martina, "sono sicuro che a casa ti ringrazierà. Senti, a proposito, potremmo venire qualche volta a trovarvi? Thomas è molto riservato, ma potremmo vederci qualche volta, non credi?"

"Vero" aggiunse Patrik, "potresti anche venire a qualche serata, almeno quando suoniamo noi. Non ti andrebbe l'idea?"

"Non lo so, forse sì"

"Certo", concluse Patrik, "ti aspettiamo... E vedrai, Thomas, quando sarete a casa ti ringrazierà... Ti ringrazierà di tutto quello che fai per lui... Lo sa, non ti preoccupare..."

Patrik non si sbagliava. Tornati a casa, Thomas gli disse quanto gli era riconoscente e quanto gli fosse piaciuta quella serata insieme agli altri. Bevuta la doverosa dose di slivoviz, andarono a letto, e Janicek fece fatica a non abbracciarlo mentre gli augurava la buona notte. Poi lo abbracciò lo stesso, se lo strizzò al petto come uno strofinaccio, andò in camera sua, lo mandò al diavolo e chiuse a chiave la porta.

Capitolo 9

"Allora, Olga, sei contenta per ieri sera? Mi sembra che tutto sia andato per il meglio, non credi?"

"Sì, Michal. Direi che è stato un successo. Secondo me l'avevano già nella testa, e noi abbiamo solo aperto la porta. In effetti, a parte la faccenda di Janicek, per quello che fanno sono sprecate, potrebbero cercare qualcosa di meglio..."

"Beh, sì. Soprattutto Denisa. È a spasso tutto il giorno. Il suo ex non la manterrà in eterno, e ha un figlio cui pensare. D'accordo che lo crescono i nonni, ma non è così sciagurata da non pensarci... Non male la storia che non fa niente neanche dalla sera alla mattina... Chissà cosa aveva in mente AnnCecilie quando glielo ha detto..."

"Che non la da via abbastanza, dici, Michal?"

"Questo non lo credo proprio..."

"Che non la da via abbastanza?"

"Che non la da... Ma cosa mi fai dire alle nove del mattino, sul lavoro... No, voleva dire qualcos'altro, un lavoro vero, non so, la cassiera o il direttore di qualche ristorante... Non è stupida, e forse ad AnnCecilie spiace che passi il suo tempo ad uscire con qualcuno solo per divertirsi e non combinare niente di buono..."

"Sì, a tutte e due non è parsa vera la possibilità di lavorare a Londra. In effetti Barbara potrebbe fare qualcosa per loro, se volessero..."

"Perché non telefoni tu a Barbara e le chiedi se c'è qualche possibilità? Muoviti tu per prima... Sei tu che la conosci..."

"Hai ragione, adesso la chiamo. Meglio darsi da fare subito. E poi oggi esco prima, vado con Dagmar a farmi leggere le carte..."

"Ci vai sul serio? Ma non ti è passata? E AnnCecilie e Denisa? Non volevano venire anche loro?"

"Andranno per conto loro, non so... Io devo sapere... Ci sono un sacco di cose che bollono in pentola ed è il momento giusto per andare..."

"Anche Dagmar?"

"Sì, anche Dagmar"

"Capisco... Vuol sapere cosa c'è nella pentola..."

"Quale pentola... Ma piantala, cosa mi fai dire..."

"Niente, cara. Fai tutto tu. Premesso che per me sei scema, almeno fino a quando esci di qua fa andare il cervello e datti da fare... Lavora, anch'io oggi vado via prima..."

"Dove vai, scusa?..."

"Lo sai. Quel raduno di auto storiche, con mio padre... Dobbiamo preparare le auto per domani..."

"Che voglia... C'è anche la sua fidanzata?"

"Milana? Si c'è anche lei... Tu cosa pensi di fare?"

"Non lo so... Se vengo te lo dico..."

"Devi chiedere alla cartomante... Capisco..."

"Piantala Michal... Adesso dobbiamo lavorare per davvero..."

Nel suo ufficio, Janicek era seduto alla scrivania. Meno impegnato di Olga e Michal, oggi non doveva andare da nessuna parte. La giornata era dedicata a qualche nuovo spot per un prodotto da passare in televisione. Seduto sulla sua sedia, le mani dietro la testa, si spremeva in cerca di un'idea... Il solito vasetto con delle salse da mangiare con la carne... Era già stato detto tutto e il contrario di tutto. L'idea di Thomas col violino se l'era presa il cioccolataio, doveva trovare qualcos'altro. Dunque, vediamo un po'... pensava, qui cosa succede... Hanno in mano uno spiedino, ci infilano la carne, poi lo intingono nella salsa, densa, che cola, e poi se lo ingoiano tutto infilandoselo in bocca, con voluttà. Il condimento esce dalle labbra, cola... Potrei fare la coppia etero che cena a lume di candela, e lei che mangia e intanto se lo guarda... E se facessi la coppia gay?... maschio con labbroni e barba di tre giorni... Mi licenziano... Ecco cosa fanno se dico una cosa del genere... Però potrei dirla a casa... Dico a Thomas che ho pensato ancora a lui per un altro spot... deve solo mettersi una salsiccia in bocca con la salsa che cola e la faccia in estasi... Chissà che reazione avrebbe. Magari mi rompe il violino in testa... Magari invece mi salta addosso e... no, meglio lasciar perdere. No, non è una buona idea...

Più tardi, nella mattinata suonò il telefono. Era AnnCecilie. "Ciao, ti disturbo?"

"No, stavo quasi pensando a te... Dimmi tutto"

"No, niente. Volevo solo dirti che ieri sera è stata una bella serata, e volevo sapere se Thomas è rimasto contento. Finalmente l'ho visto che parlava con tutti e rideva, anche..."

"Sì, in effetti si è dato da fare... Dovrebbe ringraziare Michal, che ha offerto la serata a tutti ed ha pagato anche per suoi amici che si è portato dall'orchestra"

"Sì, sono due ragazzi simpatici. Con Martina ho parlato poco, ma Patrik è piaciuto a tutti..."

"Sì. A te e Denisa soprattutto, e a Thomas, anche. Cosa se lo è portato a fare..."

"Janicek, da quello che ho capito sono le uniche persone con le quali è riuscito a fare amicizia sul lavoro, non dire così. E poi, senti, ti ho telefonato per sapere se oggi dopo il lavoro posso passare da te. Vorrei chiederti un consiglio, poi salutiamo Thomas, se è in casa, e andiamo da me... Cosa ne dici?"

"Si può fare, ti aspetto. Cosa mi devi chiedere?"

"E' per il lavoro... Sai, ieri sera ho parlato con Olga e Michal..."

"Sì, ho sentito, vuoi andare a Londra a lavorare nel

cinema..."

"Sì, hanno detto anche questo... Ma a me interessa qui a Praga. Non dovrebbe essere difficile..."

"Non so cosa dirti... Qui in ufficio non hanno bisogno di nessuno..."

"No, stavo pensando a qualche casa di produzione, o la televisione ceca, o come corrispondente di qualche televisione straniera... Non lo so"

"Non è una cattiva idea. Quando vieni parliamone, poi andiamo da te"

"Se arrivo verso le sei Thomas c'è? Vorrei salutarlo..."

"Sì. Vieni prima. Di solito lui esce verso le sei, lo trovi."

"Ciao." A telefonata conclusa, Janicek pensò, cosa ci viene a fare a casa? Quella ha voglia di vedere Thomas... Se lo scorda... Cosa lo vuol vedere a fare... Sarà per Londra... Magari ci vuole andar sul serio... Che ci vada e mi lasci in pace... No, ecco, vuol vedere Thomas per Patrik... Da come Denisa se lo filava ieri sera scommetto che è stata lei a chiederglielo... Benissimo, se lo cucchi lei e me lo tolga dalle palle, che mi dà fastidio solo a pensarci.

Non lontanissimo da lui, sulle rive di una Moldava placida e incurante, l'oggetto del suo disprezzo, Patrik, era in sala prove con Thomas. "Davvero credi che sia riuscito simpatico a tutti? A Janicek mi è parso di no... E dire che sarebbe utile anche a me... Qualche lavoro extra, degli spot... Credi sia possibile?"

"Penso di sì, Patrik. Una di queste sere passa da noi, beviamo una birra e avviamo il discorso... Qualcosa ti trova. Se hai voglia potremmo pensare anche a delle serate con Martina. Cerchiamo un altro violino e facciamo un quartetto. Anche fuori Praga. Cosa ne dici?"

"Perché no, Thomas?... Quando posso venire?"

"Quando vuoi. Una sera o un pomeriggio che non abbiamo spettacolo..."

"Perfetto". A Thomas l'idea sorrideva, ma non per quello che pensava Patrk...

La Moldava scorreva ignara e lo spirito di Mozart aleggiava su tutto e tutti. Olga al telefono prendeva gli ultimi accordi con Dagmar. "E' a Mala Strana, hai detto?"

"Sì, è vicino alla Maltézské Namesti. C'è un ristorante dove siamo già andate. E' una piccola via da quelle parti..."

"Va bene. Alle cinque, davanti al ristorante... Cosa dici? Facciamo bene?"

"Ma certo, cosa stai dicendo? Andiamo solo a farci leggere le carte, e poi se vuoi restiamo a mangiare fuori..."

"Chissà come andrà..."

"Andrà benissimo. Ci vediamo tra poco. Maltézské Namesti, alle cinque."

Dalla piazza presero una piccola via che partiva da lì e dopo poco arrivarono davanti ad una casa antica, malandata, col portone chiuso. "E' qui?" fece Olga. "Sì, è qui" rispose Dagmar.

"Il portone è chiuso. È un segno."

"Suona..."

Suonarono il campanello e salirono per le scale fino al secondo piano, dove aprì loro la porta una signora anziana, un po' curva, dall'aria gentile. "Venite, ragazze, entrate pure". Presero un sedia e si misero intorno al tavolo. Dalla finestra impolverata la luce filtrava appena. Olga ebbe un brivido, ma si riprese subito. La cartomante aveva preso un mazzo di carte consunto, logorato dall'uso, e lo aveva appoggiato sul tavolo, sopra una tovaglia pesante, che ricadeva ai lati con una frangia di pizzo dove i buchi si confondevano alle trine.

"Da chi cominciamo?"

"Da me" disse Olga, "voglio sapere di mio fratello e

della sua ragazza, se finalmente si piantano e lei va a vivere a Londra, se trova lavoro da un'altra parte, il più lontano possibile da lui." La cartomante prese le carte e cominciò a mescolarle.

"Va bene. Concentrati su tuo fratello..." Dopo avere tagliato il mazzo e disposto sulla tovaglia sette carte, osservato attentamente il gioco sul tavolo, la vecchia signora riprese a parlare. "Vediamo... Che confusione... Vicino a tuo fratello c'è un giovane uomo. È l'amante lui. Significa che gli vuole molto bene, e c'è la carta dell'amore di fianco... Una donna che guarda lontano, il viaggiatore... Un cambiamento importante... La superbia, la falsità... Oh, è uscita la morte..."

"Vuol dire che lei schiatta e lo lascia in pace?"

"No, la morte non vuol dire questo. Diciamo che è più una conclusione, un cambiamento... Una porta che si chiude e un'altra che si apre... Non riesco a capire a chi si riferisce... ci sono tre persone... C'è il consultante, e cioè tuo fratello, l'amante lui, l'amante lei, il cambiamento, il viaggio, il matrimonio dopo la morte... E' tutto così confuso... Sono così strane... Facciamo un altro giro... Vogliamo provare solo per il lavoro di lei? Forse riusciamo a vedere meglio, e se vuoi, dopo, rifacciamo le carte per il futuro in generale... ti va?"

"Sì, proviamo così"

La cartomante riprese a mescolare. Ogni tanto si soffermava per osservare Olga, senza dire una parola, senza un'espressione sul suo volto di anziana signora, poi riabbassava lo sguardo continuando a mescolare le carte, le dita ossute, le unghie curate, un tremolio, che sparì subito...

"Taglia..." Prese a caso tre carte dal mazzo e continuò. "Ci sono la speranza, il cambiamento, il miglioramento della situazione... Sì, qui è facile leggere. Le carte dicono che questa ragazza troverà presto un nuovo lavoro, forse lontano, e per lei ci sarà un miglioramento. Ci riuscirà..."

"E per il resto?"

"Guarda cara... è tutto così confuso... Quando escono delle carte così vuol dire che niente è definito, che non c'è niente di certo... Quel giovane di fianco a lui è una persona importante. Anche lei, ma non riesco a vedere di più..."

"Grazie, in fondo mi ha detto quello che volevo sapere. Lei trova un altro lavoro, e poi c'è un viaggio, un cambiamento... È lei che se ne va..."

"Può darsi, cara, può essere. Tu conosci la situazione meglio di me, puoi capire meglio di me cosa dicono le carte. Basta così?"

"Sì, grazie, per me basta così."

"Adesso tocca a me" disse Dagmar, "voglio sapere tutto del mio futuro"

"Riguardo a cosa, cara?" rispose la cartomante cominciando di nuovo a mescolare le carte.

"Tutto. L'amore, i soldi, la felicità, la fortuna..."

"Nient'altro?"

"No, mi basta quello"

"Ti accontenti di poco... Comunque vediamo... Taglia, così, ecco, brava..." Anche qui la cartomante prese a caso sette carte dal mazzo, le rovesciò, le guardò attentamente. "Dunque... Hai conosciuto da poco un bel giovane... Dovrebbe essere un bel biondo... Oh, quanta concorrenza... C'è la nemica, il disperato per gelosia... Quante cose... la speranza, la gran consolazione... Sì, direi che questa è una storia che va avanti... Sì, cara... hai qualche possibilità..."

"Questo è Patrik" la interruppe Olga, "Dagmar, dì la verità che ti piace... È per questo che sei venuta qui... Adesso capisco... e come va a finire?"

"Va bene, va tutto bene..." rispose sorridendo la

cartomante, "non c'è niente di definitivo, ma le premesse sono buone... Sì, è una storia che va avanti... Se non c'è altro che volete sapere..."

"No signora, va bene così" rispose Dagmar, "abbiamo saputo quello che ci interessava"

"Spero che siate rimaste contente, care. Tornate a trovarmi, vi aspetto."

Salutata la signora ed uscite sulla strada, Olga e Dagmar tornarono verso la Maltézské Namesti, e cominciarono a commentare fra di loro.

"Cosa ne dici, Dagmar?"

"Dico che ho fame. Andiamo a mangiare qualcosa."

"Se prima ci prendiamo una birra? E' venerdì sera, divertiamoci un po'... Prendiamo una birra, andiamo a mangiare qualcosa e dopo se vuoi andiamo a prendere Thomas all'uscita del teatro. Magari c'è anche Patrik. Cosa ne dici?"

"Un'ottima idea. Telefona a Thomas, se è ancora in casa, e diglielo."

Thomas era in casa, e stava combattendo su molti fronti. Era appena arrivata AnnCecilie, e Janicek si era subito sciolto davanti a lei, ma lei lo aveva sì e no salutato ed aveva buttato le braccia al collo di Thomas. "Bravissimo Thomas, congratulazioni per il contratto. Senti, vorrei chiederti un paio di cose, se non ti spiace..."

"Dimmi pure AnnCecilie..."

"La prima è questa. Come fai a sopportare Janicek e a viverci insieme, me lo dici?"

"Guarda, me lo chiedo anch'io. E' difficile, credi, è difficile. Ci vuole coraggio, pazienza, e tanta buona volontà..."

"Parla ancora e ti faccio ingoiare il violino, di traverso" gli ribatté Janicek. Ridendo, AnnCecilie continuò. "E poi c'è una cosa più seria"

"Dimmi pure"

"Ieri sera parlavo con Olga, e lei mi ha detto di quella tua amica a Londra. Forse potrebbe trovarmi un lavoro là. Sono stanca di archiviar bollette. A Londra avrei più possibilità... Sono sicura..."

"Sì... Barbara. Olga la conosce bene. Non dovrebbe essere difficile. Ma scusa, non potresti cercare un altro posto qui a Praga, almeno per adesso? A Barbara potresti dire che anche qui fai qualcosa che è già più adatto a te... Non so come dire... Potresti venderti meglio..."

"Thomas, tu sei straordinario... Cosa ne dici se pianto Janicek e mi metto con te? Io farei un affare, e anche tu... Vuoi mettere vivere con me invece che con lui?"

"Parliamone, AnnCecilie, se ne può discutere" rispose ridendo Thomas, mentre guardava Janicek, "e lui però dove lo mettiamo? Sai, mi sono affezionato e non ho voglia di buttarlo via..."

"Io butto via te, mascalzone... Ti faccio a spiedini, di riduco a salsicce e poi ti mangio con la salsa al rafano, e due birre..."

Mentre diceva questo, suonò il telefonino di Thomas.

"Sì, ciao Olga... Va bene... Sì, d'accordo, penso di uscire verso le dieci e mezzo... Con Dagmar? Va bene... Sì c'è anche Patrik... Certo che glielo dico... Beviamo una birra tutti insieme, okay... A dopo, ciao"

Era tua sorella, è con Dagmar e mi vengono a prendere all'uscita del teatro, andiamo un po' in giro..."

"C'è anche Patrik, hai detto..."

"Sì, non mi molla mai..."

"E' un ragazzo simpatico," si inserì AnnCecilie, "portalo in giro qualche volta, lo vedrei volentieri. Anche tu, Janicek, vero?"

"Certo. Adesso andiamo da te, vero? Preparati che usciamo." Il tono di Janicek era di quelli che ferivano, ma Thomas aveva la risposta pronta. "Ciao, divertiti. Ti saluto Patrik".

Usciti che furono, Thomas si sedette al bancone della cucina, prese il bicchierino della slivoviz, lo riempì e se lo bevve, e dopo un minuto, un altro, e prima di uscire, un terzo. Era dura, lo sapeva.

All'uscita dalla rappresentazione, con Patrik, trovò Olga che lo aspettava, insieme a Dagmar. "Allora, come è andata questa sera?" chiese Dagmar.

"Bene, grazie, gran successo. La musica è piaciuta. Molti applausi."

"Dalla faccia che hai non si direbbe," disse Olga, "sembra che tu abbia addosso tutte le disgrazie della terra..."

"Diglielo anche tu, Olga," rispose per lui Patrik, "è tutta la sera che è così. Era talmente via di testa che non si è neppure accorto che il direttore gli stava facendo i complimenti, così gli ho pestato un piede ed è tornato tra noi... Vero Thomas?"

"Sì, è vero," rispose Thomas, "è andata così..."

"Si può sapere cosa c'è Thomas?" gli chiese Olga, "si vede che hai qualcosa che non va... Hai litigato con Janicek?"

"No... È che questa sera mi sento addosso il Destino... Lo senti questo vento freddo... Non so, me lo sento intorno..."

"Oh, questi artisti," intervenne Dagmar, "il vento freddo c'è perché siamo sul fiume, e la sera qui c'è umidità, e il vento lo sento anch'io, e non è un segno del destino. È segno che fa freddo e basta. Anzi, fa venire fame..."

"Dagmar, sei unica, riesci sempre a mettermi di buon umore," rispose Thomas sorridendole, "però ogni tanto ho delle sensazioni, mi sento come se fossi qui da sempre, non so..."

"Magari hai passato qui una vita precedente" rispose Dagmar.

"Può essere... Io mi vedo ragazzino, con la cartella e un berretto sulla testa, in una via di Mala Strana. So che abito lì, e sto tornando da scuola o qualcosa del genere. Sono con un amico, ma non so che faccia ha. Poi sento una voce che mi chiama, si apre un portone, ed entro lì. Fine..."

"Questo in genere ti capita dopo la terza o dopo la quarta slivoviz?" chiese Patrik. Tutti risero, anche Thomas, che disse: "Si può andare a mangiare qualcosa? Ho una fame..."

"Qui sì che ti capisco," rispose Dagmar, "andiamo."

Mentre camminavano verso una birreria poco distante e Patrik conversava amabilmente con Dagmar, Olga guardava Thomas e pensava che sì, qualcosa era successo. Per avere quei pensieri così tristi, qualcosa dentro di lui c'era e lo stringeva come quel vento freddo che diceva prima. Sta a vedere che ha davvero litigato con Janicek, o quello gli ha detto qualcosa che lo ha ferito... Lui o AnnCecilie... Forse lei...

"Come è andata a casa oggi, Thomas?" chiese Olga, interrompendo i suoi pensieri, "con Janicek va tutto bene?"

"Come? Sì, a casa, sì. È venuta AnnCecilie, voleva chiedermi di Barbara e del lavoro a Londra..."

"E tu cosa le hai detto?"

"Sì. Le ho detto di cercare prima qui, così là si vende meglio, e può trovare qualcosa che la soddisfi di più"

"Hai detto benissimo. E poi?"

"E poi", rispose gelido Thomas, "è andata via con Janicek, a casa di lei..."

Capitolo 10

A letto con AnnCecilie, Janicek la sentiva parlare, annoiato, senza ascoltare. Era una fatica... gli dava fastidio anche averla intorno. Basta... Lei era solo per certe cose. Anche questa sera si era prodotta con delle novità che a lui non sarebbero mai venute in mente. Era stanco anche di quelle. Si era fermato alla crema di cioccolato. E l'idea era di Thomas, e lui l'aveva rubata, e se l'avesse saputo ci sarebbe stata un'altra settimana di testa bassa e occhi nelle scarpe. Peggio, era spiaciuto anche a lui, e quando era tornato a casa aveva fatto fatica a guardarlo in faccia... Intanto AnnCecilie aveva smesso di parlare, e dal silenzio intuì che gli aveva chiesto qualcosa. "Come, scusa? dicevi?"
"Stavo dicendo che un'altra volta queste cosette qui me le compro di un altro colore... Rosse, cosa ne dici? Con le roselline intorno..."
"Sì, fa' quello che vuoi. Mi va bene tutto. Anche niente..."
"Certo, l'importante è il risultato, vero? Ma lo faccio per te, sai... non ti viene mai in mente qualcosa di diverso, per divertirci, qualche novità?..."
"Un bel paio di boxer?" le rispose, quasi fra sé, e intanto pensava, sei esperta anche in quello, chissà quanti ne vedi... L'importante è che non veda quelli di Thomas... Come se gli avesse letto nel pensiero, AnnCecilie si mise a ridere e gli disse: "E Thomas? Lo lasciamo sempre a casa da solo... Poverino, chissà come si annoia..."
"Cosa vuoi fare? Un giro a tre?"
"No, non pensavo questo... non ha un'amica con cui stare, passare qualche ora con lei?... Oramai è qui da

97

tanto, qualche amicizia dovrebbe averla..."

"Lascia stare, okay? Sono fatti suoi. È mai possibile che voi donne dobbiate sempre impicciarvi di certe cose... sempre a cercare di accoppiarci, a mettere una qualche donna a letto con noi?"

"Perché, a te non piace? non ti dà nessun fastidio..."

"Neanche a te dà fastidio, vero? Che se poi, oltre a me ci fosse qui anche Thomas, saresti ancora più contenta..."

"Visto che torni sull'argomento, ho tanto l'impressione che saresti più contento tu di me, vero? Per me ti piace... Dillo che ti piace, che lo vorresti qui in mezzo a noi..."

"Piantala... Fammi scendere dal letto... Devo andare a casa..."

"Non ti fermi a dormire qui?"

"No, domani ho da fare..."

"Non abbiamo parlato del mio lavoro..."

Mentre finiva di rivestirsi e si avviava verso la porta, per andarsene più in fretta che poteva, Janicek le rispose, senza nemmeno guardarla in faccia, "Ne parliamo un'altra volta. Penso anch'io che se trovi da un'altra parte è meglio. Magari domani o dopo, ci sentiamo"

AnnCecilie lo salutò, senza trasporto. "Sì, va bene, buonanotte Janicek"

Mentre scendeva quasi di corsa le scale per raggiungere la macchina al parcheggio, Janicek si era messo a parlare da solo... "Certo che ti aiuto a trovare lavoro... Al Polo Sud... Il giro a tre... già, poverina... chissà com'è Thomas a letto... Sai quando scopre che non la degna di uno sguardo e se la fa solo con me... Ti voglio vedere in faccia, te e Denisa... E poi, allunga le mani su Thomas e te le taglio... Te lo do io il giro a tre e a quattro con Denisa di là... Al polo sud vai, e ci vai da sola..." Sbolliti i nervi, dopo aver guardato l'ora,

98

pensò che poteva ancora telefonare a loro e raggiungerli da qualche parte...

"Pronto, Olga?"

"Ciao, dimmi, dove sei?"

"Sono appena uscito da casa di AnnCecilie. Voi siete ancora in giro?"

"Sì. Siamo nella birreria sulla Narodni... Sì, siamo appena arrivati... Okay, ti aspettiamo"

"Sì grazie, vedi se c'è qualcosa da mangiare, e poi un birra e della slivoviz"

"Va bene, quella la prende anche Thomas, l'ha già chiesta"

"Digli di aspettare a berla. Quella la beve solo con me, quando ci sono io, chiaro? Che non ci pensi nemmeno a berla senza di me..."

"Signorsì... Glielo ordino subito..." Olga era quasi contenta di sentirglielo dire, "devo comandargli qualcos'altro?"

Il tono di Janicek si fece più conciliante. "Sì... Beh, no, non lo so... Arrivo tra dieci minuti, aspettatemi. C'è anche Patrik?"

"E' qui, sta parlando con Thomas"

" Arrivo. La slivoviz la beve con me, chiaro?"

"Ci penso io, ti aspetto."

Pochi minuti dopo, e prima dei dieci previsti, Thomas vide entrare nella birreria la sua testa bionda, che si girava a cercarli, gli occhi attenti che si illuminarono quando lo vide... Sì, si illuminarono, Thomas era più che sicuro. Si avviò verso di loro, senza togliere lo sguardo da Thomas. Li salutò, gli sorrise, e mentre si avvicinava, lui si spostò per fargli posto. Arrivato al tavolo, Olga prese la parola. "Non sapevo cosa ordinare, allora ti ho chiesto una palacinka con formaggio e prosciutto, ti va?"

"Benissimo..." Si sedette di fianco a Thomas e poi, rivolto a Dagmar, "tu no, bellezza... giù gli artigli...

Ordina il tuo cinghiale arrosto e lascia stare..."

"A me? Che vivo d'aria?"

"Sì, e di mucche allo spiedo..." intervenne Olga, e poi, "Janicek, come mai? Pensavamo rimanessi da AnnCecilie..."

"No, sono venuto via prima, voleva parlarmi di lavoro, vuole chiedere a te e a Michal... secondo me ci tiene davvero a trovare qualcosa di nuovo..."

"Sì... Oggi ho chiamato Barbara, ma c'era la segreteria e ho lasciato un messaggio. Mi richiamerà lunedì... Sì, qui o là, una mano a trovare qualcosa gliela diamo senz'altro... Meglio là..."

Meglio là, al Polo Sud... Janicek era assolutamente d'accordo... Per non parlare di Thomas, che pensava anche lui, al Polo Sud, dentro un iceberg... bene in fondo...

I loro sogni di glaciazione vennero interrotti da Patrik. "Il lavoro è importante," disse, quasi a sé stesso, e rivolto a Janicek, aggiunse: "siete molto gentili, tu e tua sorella, a davi tanto da fare per aiutare gli altri come fate... e da come Thomas parla di voi sono sicuro che pensa sia una fortuna avervi conosciuto..."

"Sì, per Thomas è una fortuna avermi conosciuto. Senza di me non so cosa farebbe..."

"Lo so benissimo, cosa farei..."

"Ah, sì, cosa?"

"...Non lo so..."

Questa è una dichiarazione d'amore, pensò Janicek. Non fece in tempo a finire questa considerazione che intervenne Patrik, forse a sproposito. "Non ti preoccupare Thomas. Se lui ti molla una mano te la do io..."

Se in quel momento avesse incrociato lo sguardo di Janicek sarebbe finito incenerito sul pavimento, ma stava guardando Thomas e sopravvisse. Thomas stette al gioco e rispose: "Grazie Patrik, terrò presente... Lui è sempre così impegnato... Sai, il lavoro, la sua ragazza..."

"Guarda che l'ho piantata a casa per venire a bere la slivoviz con te, testa di legno..." Si guardarono. Thomas era indecifrabile. Prima, quando era entrato, era sicuro che gli fossero brillati gli occhi appena lo aveva visto, gli aveva letto in faccia che era contento, ma adesso non lo capiva, e ci stava male. "Dai, lo beviamo questo bicchierino? Son venuto qui per questo..."

"Lo so ti ho aspettato..." Ecco, meglio prima... Quando parlava così, gli muoveva il sangue. Oramai, lo ammetteva anche a sé stesso, si sentiva perso per lui... Lo voleva, era suo... Per fortuna non se ne accorse nessuno, nemmeno sua sorella, impegnata ad ascoltare Patrik e Dagmar, che si parlavano... Sì, pensò Janicek, rivolto a Dagmar, portati via Patrik, portalo lontano... Thomas non era più un amico, era roba sua. Un bel guaio... Ci penserò... Magari mi passa, si disse senza crederlo...

Era venerdì, e la conversazione proseguì senza occhiate all'orologio. Quando ad Olga fu chiesto come mai Michal non fosse con loro, lei rispose che era andato in campagna a trovare suo padre, per non so quale raduno di auto storiche, sabato e domenica, e forse c'era anche una gara di regolarità. Doveva essere un fine settimana divertente, ed era uscito presto dall'ufficio, quel pomeriggio.

"Auto storiche? Certo che deve essere divertente!" esclamarono quasi all'unisono Thomas, Janicek e Patrik. "A saperlo potevamo andare anche noi..."

"Se volete si può fare," disse Olga, "da quello che so il raduno è vicino a casa di suo padre in campagna ed è a meno di un'ora di macchina da qua. Se volete domani lo raggiungiamo, e poi vediamo. Non so se ha posto per farci dormire tutti, e, detto fra noi, non so se

suo padre e la sua amica hanno voglia di ospitarci...
Thomas, tu domani devi lavorare o sei libero?"

"Sono libero... Devo essere in teatro domenica sera,
ma domani posso, fino a domenica pomeriggio"

"E tu, Patrik?" chiese Dagmar, "come sei messo?"

"Domani devo lavorare, ma potrei raggiungervi
domenica mattina con Martina, se mi volete. Al
pomeriggio devo rientrare anch'io per essere in teatro
alle sei e mezzo. Verrei volentieri, le auto d'epoca mi
piacciono. Stavo quasi per comprare un rottame da
restaurare, un paio di anni fa, poi sono guarito e ho
lasciato perdere. Anche Martina... deve conoscere un
po' di gente, altrimenti non si toglie più dalla testa
quello che l'ha piantata..."

"Non è che sei tu quello che deve conoscere?" gli
chiese Dagmar. Il suo tono inquisitorio non sfuggì ad
Olga. Non esagerare, pensò... "No, per carità. Io sono
un amico... A lei piacciono mori, con gli occhi scuri. E'
da quando la conosco, è da una vita, che è così"

"Bene, allora diglielo" rispose Dagmar stando attenta a
non far capire quanto si sentisse sollevata, "sì, dillo
anche a lei, passiamo una bella giornata tutti insieme.
Lo diciamo anche ad AnnCecilie e a Denisa, Janicek?
Glielo dici tu domattina?"

"Sì. Glielo dico. Però mi sembra che sia già
impegnata, che debba vedersi con delle ex compagne
di scuola, non ho ben capito. Forse è un addio a un
nubilato, una delle sue compagne di scuola che si
sposa..."

"Sai che pollaio" disse Thomas, "lasciala dov'è..."

"Forse hai ragione" rispose Janicek, "lasciamola stare
dov'è." Ma perché non riesco a lasciar stare anche te,
dove sei... Concluse fra sé.

L'idea di alzarsi al mattino dopo abbastanza presto li
aveva invogliati a non fare troppo tardi. Preso
appuntamento e spiegato a Patrik come avrebbe

dovuto fare per raggiungerli domenica mattina, si salutarono, e Thomas salì in macchina con Janicek.

"Io non ti capisco più" sbottò quasi subito Janicek, "si può sapere perché ogni tanto mi guardi in quel modo? E poi, quel Patrik, te lo devi sempre portare dietro? Io vengo qui, ti raggiungo per bere con te, per festeggiare il successo della serata, e tu sei già lì, a sbevazzare con tutti gli altri..."

"Sì. E tu da dove arrivavi, eh? Cosa stavi facendo mentre io ero in orchestra a lavorare? Te la stavi scopando, no? E chiedi a me cosa stavo facendo io? La prossima volta ti dico che ero con Patrik a scopare nel camerino, così siamo pari. Anzi, lo faccio per davvero, così siamo pari sul serio"

"Ma cosa stai dicendo? Te l'ho detto fin dall'inizio come stanno le cose, lei è la mia donna. Punto e basta."

"Te l'ho detto anch'io, fin dall'inizio, come stanno le cose. Quindi, perché tu sì e io no, eh?" rispose quasi urlando, "perché tu te la puoi scopazzare, poi mi raggiungi fresco come un fringuello e mi dici beviamo caro, sei stato bravissimo a teatro. Sai io non c'ero perché stavo scopando quella là, e tu come da miei ordini, sei stato qui ad aspettare che facessi i miei comodi. E adesso beviamo qualcosa, alla mia salute. Mia e del mio cazzo, se non ti dispiace. Guarda," continuò, appena più calmo, "ti garantisco che appena trovo uno me lo scopo davanti ai tuoi occhi, così capisci cosa si prova. E se è Patrik, tanto meglio. Intanto non è niente male e poi, visto che ti sta tanto sulle croste, meglio ancora. Così siamo pari per davvero"

"Patrik? Cosa vuoi dire con Patrik? Vuoi dire che è come te?"

"Cosa te ne frega? Vuoi portartelo a letto tu? Non ti basta quella la?"

Janicek capì di averlo ferito. "No, no, non volevo dire quello. Non lo so, è che non so più cosa pensare..." Voleva abbracciarlo, stava guidando, non sapeva cosa fare...

"Non so neanch'io cosa pensare... Mi spiace Janicek, mi spiace"

La voce gli si era intristita. Aveva finito la frase a fatica, quasi sottovoce... Abbassò gli occhi e rimase a testa bassa, coi capelli che gli coprivano la fronte. Dopo qualche minuto di silenzio, quasi a casa, Thomas continuò: "Scusami Janicek. Ho sbagliato, non dovevo lasciarmi andare in questo modo. Sono troppo possessivo... Non dovevo. Mi dispiace. Quello che sbaglia sono io. Se credi che le cose siano troppo difficili, dimmelo, cerco posto da un'altra parte e non ti do più fastidio..."

"Non ci pensare nemmeno. Se lo fai ti ammazzo, e poi ti riammazzo un'altra volta, chiaro?"

"Dimmelo ancora..."

"Se te ne vai ti ammazzo..."

"Grazie. Scusami... Mi spiace di essere così rompiballe. Si solito cerco di non romperle a nessuno, non come a te, almeno..."

"Lo so che rompi le palle Thomas. Siamo arrivati. Scendi e andiamo in casa. Hai voglia di bere ancora qualcosa?"

Saliti in casa, si rilassarono tutti e due. Dentro quelle mura si sentivano al sicuro... Protetti anche da quello che si erano detti, poco prima, in macchina. Anche da quello che non si erano detti... Era casa loro, erano loro due, insieme, da soli... Seduti al bancone della cucina, cominciarono a chiacchierare. "Senti, puoi dirmelo," cominciò Thomas, "Come mai non ti sei fermato da lei? Ci hai litigato? Quando sei arrivato in birreria avevi una faccia che non mi piaceva, si vedeva, avevi qualcosa per la testa, e poi mi ci sono messo anch'io... Scusami ancora Janicek, mi sono lasciato andare..."

"Non dire così... No, Thomas, non ho litigato, solo non mi piaceva quello che stava dicendo... Non mi ci trovo più con lei, stiamo diventando diversi..."

"Sai una cosa..."

"Sì?..."

"Mi sono accorto che da quando sono qui, ogni volta che vai da lei mi dici che passi la notte fuori e torni il pomeriggio dopo, e invece torni sempre a casa, e mai così tardi... E a me non la racconti che è perché il mattino dopo devi andare a lavorare..."

"Ma non ti ho mai disturbato... Ti ho sempre trovato sveglio, che mangiavi qualcosa, o facevi la doccia..."

"Un tempismo straordinario... Arrivi sempre giusto per mangiare quello che ho preparato per me... Ma dimmi... è successo qualcosa?"

"Niente di speciale... è che quella pensa solo a scopare, a se stessa, al suo lavoro, alla sua amica Denisa... tutto ruota intorno a lei e alla sua camera da letto... Ho l'impressione di non essere l'unico che se la fa, e che ogni tanto se la spassi con qualcun altro... Insomma, non sono il suo amore, sono quello che se la scopa quando vuole lei..."

"Scusa, ma non ti ha mai detto niente? Non ti ha mai detto che ti vuole bene, che ti ama, anche quelle stupidaggini che si dicono, tipo non posso vivere senza di te, sei l'uomo della mia vita? E, a parte le parole, non ti sei mai sentito amato da lei?"

"Non so cosa dirti... ho preferito litigare con te piuttosto che stare con lei..."

"Lascia stare, Janicek... So di essere l'ultimo a poter parlare, ma non hai mai pensato di lasciar perdere e di andare ognuno per la sua strada? Qualche volta lasciarsi prima di litigare, quando si è stanchi, può essere un buon sistema per salutarsi quando ci si vede, e rimanere amici, senza forzare un legame che non c'è più..."

Janicek si irrigidì. "Senti, Thomas, pensa ai fatti tuoi, okay? Quella è la mia donna, decido io come comportarmi con lei e che cosa fare, non ti immischiare, per cortesia..."

"Scusami non volevo..."

"Lo so ma non rompermi le palle... Tu, piuttosto... io non so assolutamente niente di te, di quello che combinavi a Londra, con chi stavi, cosa facevi... Eh, chi è che hai a Londra? Qualcuno hai, coi tuoi occhioni verdi, i tuoi capelli sugli occhi, la tua aria da salvatemi vi prego... Parla un po' tu, altro che me, quanti ne hai a Londra, quanti ne hai avuti, eh? Quanti te ne sei scopati, con quella tua aria innocente da bambino per bene?"

Thomas lo guardò negli occhi, perplesso, poi abbassò lo sguardo. "Non credere, Janicek... So che è inutile, perché in queste storie qualunque cosa tu dica non vieni creduto, ma è così..."

"Non mi dirai che non hai mai avuto nessuno, non cacciar palle con me"

"No, qualcuno ho avuto, ma il mio ultimo amore non è mai stato con me..."

"E cos'era, una donna? Fa' capire..."

"No, scemo, non mi far ridere. Era un maschio, solo che non gli piacevo. Punto. E poi sono venuto qui. Come vedi non ho una gran carriera, non ho molto da raccontare..."

"Tutto qui? E da grande cosa farai?"

"Cosa vuoi che faccia? Per amarsi davvero bisogna essere in due, altrimenti sono solo lacrime e illusioni. Cosa vuoi che ti dica..."

Janicek si addolcì di nuovo. "Dai, raccontami qualcosa..."

"Prima una slivoviz, ti va?"

106

Dopo avere versato l'acquavite nei due bicchierini, poca questa volta, Janicek disse: "allora? Arriva?"

"Mi viene in mente una poesia... O meglio, è un canto o qualcosa del genere... È di tanto tempo fa, e non la so tutta..."

"Dimmi quello che sai..."

"Se mi guardi, sono il fiore rosso del tuo giardino... Se mi ami, sono il sole nel campo di grano... Se mi lasci, sono la barca vuota, che va sul fiume e un sasso la spezza... Non so se è così. Forse ci ho messo qualcosa di mio..."

"E' bella, Thomas, è bellissima... Se poi è tua è ancora più bella..."

"Basta, adesso. Andiamo a letto" Si alzarono e si avviarono verso le loro stanze. Janicek appoggiò una mano sulla spalla di Thomas. Stava per dargli il bacio della buonanotte, senza rendersene conto. Sempre senza rendersene conto, si trattenne. Pensò al fiore rosso, al sole, alla barca sul fiume... "Sì. Meglio di sì... Domani abbiamo una bella giornata. Chissà com'è un raduno di auto d'epoca, e la gara... Si perderanno i pistoni per la strada... Buonanotte Thomas"

"Buonanotte Janci..."

"Janci?"

"Ti piace? Janicek è troppo lungo, e poi ti chiamano così anche gli altri..."

"Okay. Buonanotte Tom... Sono l'unico a chiamarti così, vero?"

"Sì, i miei mi chiamano Tommy"

"Bene. Buonanotte Tom"

"Va a letto..."

Entrato in camera, chiusa di malavoglia la porta che avrebbe voluto lasciare aperta, si spogliò, girò intorno al letto, ci si sdraiò sopra. La testa appoggiata sul cuscino, le mani dietro la testa, pensò a Thomas, no, a Tom, nell'altra stanza... Dimmi cosa vuoi, che beva alla salute del tuo cazzo... Alla noia che gli dava il solo pensiero di AnnCecilie... Quella barca, sul fiume... Quella pensa solo alle mutande... Janci, sei messo male... Sei messo male...

Capitolo 11

"Giù dal letto, pigrone!" Il vocione di Janicek rimbombò nella testa di Thomas, ancora addormentato. "Sveglia! Sono le sette e mezzo, piove che è una meraviglia, ed abbiamo un sacco di cose da fare..."

Aprì un occhio. Janicek torreggiava di fianco a lui, con l'aria decisa di chi vuole farsi obbedire, subito.

"Abbattetelo..."

"Dobbiamo andare a prendere mia sorella e poi andiamo da Michal per il raduno. Giù dal letto, muoviti!"

"No... Dimmi che non è vero!" Implorò Tom aggrappandosi al cuscino, ma non fu ascoltato. Janicek lo prese per il piede incautamente lasciato fuori dalle coperte e cominciò a trascinarlo fuori dalla camera verso la cucina. Thomas seguì, a pelle di leopardo, aggrappato al cuscino, sul quale cercava di tenere appoggiata la testa.

"Perché mi fai questo?" continuò Thomas oramai sveglio, rendendosi conto di avere perso. Alzandosi prima sui gomiti, poi sulle ginocchia, e rimettendosi a posto i bermuda coi quali aveva dormito, arrancò fino al bancone della cucina, dove Janicek aveva già preparato la colazione. Mancava solo il caffè, quasi pronto nel bollitore. "Dai, muoviti... Abbiamo una bella giornata davanti e un sacco di cose da fare..."

"Eh?... Cosa?..."

"Muoviti se no ti prendo l'uccello e te lo inchiodo al muro. E adesso mangia..."

"Non farmi male..." rispose Thomas immaginandosi i chiodi e le martellate da tutte le parti, "ci sono affezionato... È da un sacco di tempo che ce l'ho, anche da prima di venire qui..."

"Bugiardo... Dai muoviti, che abbiamo poco tempo..."
Tom lo guardò negli occhi, malizioso, con un piccolo sorriso sulle labbra appena increspate, poi abbassò lo sguardo. "Come vuoi... Buono il caffè... No, ce l'ho sempre avuto, sai..."
La dolcezza della voce di Thomas e quello che aveva detto gli avevano mosso il sangue fin nelle orecchie, e adesso si trovava ad avere un ingorgo dentro il pigiama.
"Mangia... Io intanto vado in bagno. Guarda che forse passiamo la notte fuori, prendi la roba per dormire"
"Signorsì, sissignore." Per un attimo la mente di Tom fu sfiorata dall'idea che avrebbe potuto passare per la prima volta la notte nella stessa camera di Janicek, addirittura nello stesso letto. Poi lasciò perdere, pensando a quanta gente ci sarebbe stata e che non era esclusa la possibilità di dormire su un divano o in quattro o cinque nella stessa stanza. Meglio non farsi illusioni, il fine settimana sarebbe stato divertente lo stesso. Uscito dal bagno Janicek, entrato lui, preparate le due borse per la notte e finito il caffè, erano giusto in tempo per andare a prendere Olga. Passati da lei, si avviarono fuori Praga, attraversando i parchi e i viali della periferia, osservando il cielo che si apriva e la pioggia che andava rapidamente calando.
"Meno male, sta smettendo di piovere" cominciò Olga, seduta sul sedile anteriore di fianco a Janicek, "sarebbe stato un peccato passare la giornata sotto l'acqua, e magari anche domani... Avete preso il necessario per dormire fuori? Ho telefonato a Michal e ha detto di non preoccuparvi, una sistemazione ve la trova..."
"Bene, rispose Janicek, così non dobbiamo tornare indietro e possiamo bere... Basta che non sia un materasso sul pavimento... Sai se saremo in molti?"
"Non ho la minima idea, so solo che il padre di Michal

si è iscritto ad una specie di gara di regolarità con la sua Skoda d'epoca, devono fare il giro di un circuito non so quante volte, cronometrano i tempi, e Milana gli fa da navigatrice..."

"Una Skoda d'epoca?" chiese Thomas.

"Sì ha una Skoda Roadster del millenovecentotrentasei. E' una macchina aperta, con la capote di tela..."

"Che bello, una macchina aperta" disse Thomas, "non sai se si vestono come negli anni trenta, con i vestiti della stessa epoca della macchina? Di solito in Inghilterra fanno così"

"Anche qui" rispose Olga, "da quello che so si mettono berrettoni, cappelli con le piume, occhialoni... Avete già fatto colazione? Vi siete svegliati in tempo?"

"Sì" rispose Thomas, "dormivo, mi ha preso per un piede, mi ha trascinato sul pavimento e mi ha messo davanti alle uova e al caffè... E poi mi ha detto delle cose orribili..."

"E cosa ti ha detto?" chiese Olga.

"Ha detto che mi prende l'uccello e me lo inchioda al muro..."

"Cosa ti ha detto?" chiese Olga scoppiando a ridere...

"Che mi inchioda l'uccello al muro, mi ha detto..."

"Certo che te lo inchiodo al muro! Così ti svegli e ti muovi..."

"E allora?" chiese Olga al fratello, "è servito?"

"Sì, hai visto? Puntuali, no?"

"Be', allora... "concluse Olga, divertita, "e poi appeso al muro ci sta bene... Ce lo vedo... con un bel fiocco celeste, una coccarda... Cosa ne pensi, Thomas?"

"Aiuto!" rispose Thomas, con un gemito strozzato.

"E una cornice... Cosa ne pensi, Olga?..."

"Certo Janicek, una bella cornice... Valorizza molto... Visto che è roba tua, come la preferisci, Thomas?"

"Nessuna... È mio, me lo tengo attaccato!"

"Va bene", rispose Janicek, "allora vuol dire che te lo tieni lì e ti inchiodiamo la cornice tutto intorno..." Meglio non insistere, pensò Thomas. Si mise il giubbino sulle ginocchia e cercò di cambiare discorso. Mancava poco. Finalmente arrivati, con Thomas tutto intero, scesero dalla macchina davanti alla villa che ospitava il raduno.

"Questa non è la casa del padre di Michal, vero?" chiese Tom guardandosi intorno e sgranchendosi le gambe.

"No, la loro casa di campagna non è così bella, anche se a momenti quasi. Questa viene affittata per delle manifestazioni, per degli eventi, come questo di oggi. Guarda quante macchine ci sono già..."

"Di macchine inglesi non ce n'è..." osservò.

"E' vero," rispose Olga, "le manifestazioni che fanno qui in genere non attirano gente da molto lontano. Sono macchine di qua, quasi tutte ceche o tedesche. Skoda, Laurin e Klement, qualche Tatra. Le manifestazioni importanti le fanno d'estate, a Karlovy Vary e mi sembra anche da un'altra parte. Quello di oggi è un raduno senza grandi pretese, tra gente che ha solo voglia di vedersi. Anche la gara, è solo un giretto in campagna. Quello che conta è divertirsi e passare una giornata piacevole..."

"Speriamo," rispose Thomas, "vedo che stanno già preparando il buffet"

"Sembri Dagmar, vergognati" lo redarguì Olga.

"Silenzio, Tom, guarda le macchine, se no..." gli fece Janicek.

"Quelle non si mangiano..."

"Tom, sei peggio di lei... Janicek, mi sembra di avere visto Pavel, il padre di Michal... Raggiungiamoli..."

Obbedendo ad Olga si avviarono attraverso il giardino passando davanti ad una decina di macchine ben allineate e lucide come specchi, fino ad un gruppetto di persone di fianco ad una macchina rossa cui stavano abbassando la capote.

"Buongiorno a tutti..."

"Oh, ciao Olga... Janicek... Tu sei Thomas, vero? Come state? Conoscete Milana, vero?"

"Sì, certo," rispose Olga, "come va? Ti vedo in gran forma. Sei pronta per la gara?"

"Prontissima," rispose Milana, "dobbiamo solo fare quattro giri del parco e tornare qui... Sono dell'idea che faremmo prima a piedi, ma non dire niente a Pavel, potrebbe arrabbiarsi..."

"Fatela tacere," rispose Pavel. "Questa che tu vedi," proseguì, rivolto a Thomas, "è un vero bolide. E' una Skoda Popular del trentasei, ed è velocissima"

"In discesa," puntualizzò Milana, "comunque oggi pomeriggio faremo il nostro bel giretto nel parco e vedrai, Thomas, quando vedrai un bolide rosso lungo la strada con due dietro che lo spingono, siamo noi che ci avviamo verso la vittoria..."

Pavel cercò di zittirla, senza riuscirci. Milana proseguì, "anzi, uno solo che spinge. Io sto alla guida. Tanto è velocissima..." Al che Thomas le rispose, sorridendo come gli altri, "Oh, ma questo succede abitualmente anche in Gran Bretagna, anche senza le gare. La gente scende a spingere le auto per passione, per amore dello sport. E si divertono, anche..."

"Non ci crederai" rispose Milana, "anche qui fanno lo stesso... E' così appassionante che ci stanno facendo un film..."

"Un film?" chiese Olga.

"Sì, cara, non lo sai? Oggi pomeriggio dovrebbe arrivare una casa di produzione cinematografica di Praga, che fa film, documentari... Sai quelle cose che vanno nelle televisioni di mezzo mondo, tra uno spot e l'altro?"

"Molto gentile, Milana," la interruppe Janicek, piccato.

"Smettila... " lo redarguì Thomas, "non si può fare un salto al buffet?"

"Sì... Andiamo," fece Janicek, e si avviò con lui verso il tendone dei rinfreschi mettendogli un braccio sulle spalle e trascinandoselo dietro. E sottovoce, ma perentorio, gli mormorò all'orecchio, "al muro ti inchiodo soltanto io, chiaro?"

Thomas lo guardò, perplesso, senza capire a cosa volesse alludere, ma questa volta fu lo sguardo di Janicek ad essere impenetrabile. Sempre con il braccio sulla spalla e tenendoselo stretto, se lo trascinò fino al buffet, dove erano pronti tartine, ogni genere di bevande, e grossi bollitori per il caffè. Gli altri seguirono e furono raggiunti da Michal, che li aveva visti mentre stava conversando col proprietario di una vecchia Tatra a motore posteriore, dall'altra parte del giardino.

"Ciao ragazzi, che voglia di caffè... Siete qui da tanto?"

"No, caro..." rispose Olga abbracciandolo. Anche Thomas lo salutò. "Grazie per averci invitato, Michal. Sapevo che ti piacevano i motori, ma non che fossi appassionato di auto d'epoca e che avessi anche un'auto antica..."

"In realtà è sua," rispose Michal indicando il padre, "anzi ne ha anche un'altra, una Auto Union, e sta pensando di comprare anche la Tatra... Non è male e il prezzo è onesto, "continuò, rivolto al padre, "di meccanica è a posto e anche la carrozzeria è in ordine. Può essere un buon acquisto..."

"Oggi è in gara, vediamo come va" gli rispose Pavel. "Ci penseremo..."

"Ah, sì... Sai che ci saranno anche delle riprese... C'è una casa cinematografica che sta facendo un documentario sulle auto d'epoca... La troupe è già arrivata..."

"Michal!" lo interruppe Olga, "il lavoro per AnnCecilie! Chiediamo a loro... Chissà... se non altro ci sapranno dire a chi dobbiamo rivolgerci..."

"Buona idea, Olga... raggiungiamoli. Janicek, vieni con noi?"

"No, sto qui con Thomas. Andate voi e sentite cosa dicono..."

Mentre Olga e Michal si avviavano in cerca della troupe e Pavel e Milana tornavano alla macchina, Janicek, sottovoce, quasi scusandosi, si mise a parlare con Thomas. "Non ti dispiace se pensiamo anche ad AnnCecilie? Sai che sta cercando un altro lavoro..."

"Magari in Amazzonia, in mezzo agli anaconda..."

"Non te la prendere, tieni, mangia questa tartina... Ti va di andare a vedere qualche macchina? Su, finisci il caffè e andiamo..."

Mentre si avviavano verso il prato che ospitava la fila di auto dove era parcheggiata anche la Skoda di Pavel, osservarono Olga e Michal che avevano raggiunto la troupe e si erano messi a conversare con loro.

"Cosa ne pensi?" chiese di nuovo Janicek.

"Non so cosa dirti, non li hanno sbattuti via... Stanno parlando con uno... vuoi andare a sentire anche tu?"

"No, non ho voglia, ci diranno loro. Andiamo da Pavel... Hai visto Milana, eh?"

"Mi ricorda mia madre. Ha i capelli corti come lei e si tiene in gran forma. Scommetto che mangia una volta al mese, e solo insalata..."

"Proprio come Dagmar... Dovrebbe arrivare tra poco..."

"Giusto per pranzo..."

"Sì, che caso... per me si sta filando il tuo amico Patrik, da come se lo è guardato quando le ha detto che Martina è solo un'amica, e da come si è bevuta tutto quello che le ha raccontato ieri sera..."

"Patrik? Non credo proprio... Oh, ecco Pavel, chiediamogli della macchina e di oggi..."

Il non credo proprio lasciato a metà da Thomas infastidì Janicek, che però non insistette e si lasciò coinvolgere dalle lunghe spiegazioni del padre di Michal sulla sua auto, sull'altra sua auto, sull'auto che voleva comprare e su tutte le altre auto presenti al raduno, fino a che furono salvati da Olga e Michal di ritorno dal colloquio con la troupe cinematografica.

"Non ci crederete," cominciò Olga, "stanno cercando due persone, un'assistente alla produzione e una posizione più generica, di collegamento, una specie di tuttofare segretaria, qualcosa del genere. Gli ho detto di AnnCecilie e di Denisa e mi han risposto di mandarle in sede a Praga la settimana prossima. Io ho detto che probabilmente oggi sono qui e se vogliono le possono conoscere subito, per avere un primo contatto. Le aspettano e mi han detto di portarle da loro quando arrivano."

"Allora telefona," le disse Janicek, "non è il caso di lasciar perdere, ti pare?"

"No di certo. Le chiamo subito."

Mentre continuavano a girare fra le auto e il padre di Michal continuava con loro i discorsi interrotti prima, Olga era al telefono, e dopo poco tornò dicendo: "tra un'ora sono qui. Hanno detto che dopo dovrebbero tornare a Praga per un addio al nubilato, ma se vedono che è meglio restare si fermano fino a stasera o anche domani, dipende da cosa succede."

"Va bene" rispose Janicek, "aspettiamo Dagmar ed aspettiamo loro. Per adesso facciamo un giro tra le auto e andiamo a mangiare qualcosa, ti va Tom? Hai voglia di vedere quella Tatra?"

"Sì, andiamo."

L'umore di Thomas, alla notizia che presto sarebbero

arrivate loro due, tornò ad essere il solito in queste circostanze, quello di festa rovinata e occhi nelle scarpe, poi pensò che sì, era meglio che venissero subito e trovassero un nuovo lavoro nel mondo del cinema, così sarebbe stato più facile spedirle a Londra, biglietto di sola andata. In ogni caso giocherò qualche mia carta. Vedrai, caro...

"Dicevi di Dagmar, Janicek? Stiamo aspettando anche lei?"

"Sì, dovrebbe arrivare tra poco..."

"La aspettiamo direttamente al buffet, cosa ne dici?"

"Mi sembra il posto migliore..."

"Certo... cosa stavi dicendo di lei e di Patrik? Che gli sta dietro? Sono proprio curioso di vedere cosa succede..."

"Perché dici così? C'è qualcosa di Patrik che tu sai meglio di me?"

"Io?, figurati... Penso solo che Dagmar non sia il tipo che possa piacere a Patrik, proprio no..."

"Perché? È come te?"

"Cosa ne so? Chiedilo tu a lui, se hai tanta voglia di sapere. Domani è qui, no? Chiediglielo. Chiedigli anche se viene a letto con me, così ti togli la curiosità..."

"Insomma, basta, Thomas, sei impossibile..."

Thomas decise che per oggi sarebbe bastato, e che non era il caso di insistere su questo argomento. Dagmar capitò a proposito. "Guarda chi è arrivata..." La salutò con la mano. Poi, rivolto a Janicek, "mettiamo in salvo qualche panino..."

"Sì, anche i wurstel, fa in fretta, metti nel piatto ..."

"E con la birra?"

"Non ti preoccupare... Ciao Dagmar, già qui?"

"Ciao ragazzi... Che bel buffet... Vedo che vi siete dati da fare, non mi avete aspettato..."

"Sai com'è, davanti al cibo non si resiste... Ma tu non

puoi sapere..." replicò Janicek. "No, lo sa benissimo..." proseguì rivolto a Thomas.

"Spiritosi, tutti e due, siete una coppia..."

"Sai che forse abbiamo trovato un lavoro per AnnCecilie e Denisa?" Era Thomas a parlare, "c'è una troupe qui per delle riprese e Olga è andata a chiedere. Le aspettano oggi pomeriggio per conoscerle..."

"Ragazzi, siete bravissimi. Se cambia lavoro e riesce ad andare a Londra, è fantastico... Così vi liberate di lei..."

"Cosa stai dicendo?" la interruppe Janicek.

"Oh, dai, si vede che quando stai con lui sei tutto contento, e quando sei con lei hai una faccia... Alla zia puoi dirlo, no? Io capisco, non c'è niente di male... "

"Dagmar!" rispose Janicek per zittirla, ma Thomas stette al gioco e le rispose: "Oh, grazie Dagmar, grazie per capirci... Sai, è un segreto, Janci non vuole che si sappia, ma è come dici tu..."

"Caro, non c'è bisogno di dirlo, basta vedere la sua faccia in questo momento... Janci, hai detto? Bello..."

"Sì, ma solo io posso chiamarlo così."

"Sentite," cercò di farli tacere Janicek, stizzito. "Tra un po' c'è la gara delle auto. Perché non vi buttate sotto tutti e due? Anzi, aspettate che passi un pullman, così siete più sicuri..."

"Sì, però prima mangiamo qualcosa... Guarda che braciole..." e rivolta al cameriere, "ragazzo, non si può avere una birra?"

"Annegacela," gli ordinò Janicek.

Raggiunti dagli altri e trovato un tavolone con dei posti liberi si sedettero tutti insieme. L'unica a notare che Janicek e Thomas si erano seduti vicini, molto vicini, fu proprio Dagmar, che non disse nulla a nessuno, sorrise tra sé, e se li sarebbe baciati tutti e due, tanta era la tenerezza che le ispiravano. Era vero, stavano bene insieme. Vediamo quando arriva AnnCecilie, cosa succede...

Ed arrivò. Con Denisa. Eccitatissime tutte e due, salutarono appena gli altri e si sedettero di fianco ad Olga e a Michal, chiedendo di essere aggiornate su quello che era successo e su quello che dovevano fare. Dagmar li guardò, Janci e Thomas. Non si erano staccati di un centimetro, ma le facce erano cambiate, indecifrabili tutti e due. Sì, qualcosa c'è, a me non la raccontate, pensò. Poi, si disse, allora Patrik non c'entra niente, e domani viene qua. Perfetto. Adesso sistemiamo quelle due. "Olga, scusami," chiese a voce alta, "quando devono presentarsi al direttore della troupe? non mi sembra il caso di farlo aspettare inutilmente. Mi sembra anche che le abbia già notate... Non sono a quel tavolo laggiù in fondo?"

"Sì, è lui. Mi ha detto di andare da loro prima della gara, per conoscerle. È vero, è meglio avviarci. Ragazze, andiamo e vediamo cosa succede..."

Accompagnate da Olga, Denisa e AnnCecilie si diressero verso il tavolo dove la troupe era riunita al completo per il pranzo, si sedettero con loro e cominciarono a discutere. Sempre più cordialmente. Da lontano, almeno, l'impressione era questa. Passarono insieme più di mezz'ora, e smisero solo quando un altoparlante avvisò gli equipaggi di prepararsi per la gara. Salutati tutti e tornate al tavolo dove le stavano aspettando, Michal e gli altri non fecero in tempo a chiedere. "Ragazzi, champagne!" esclamò AnnCecilie, "E' fatta! Ci hanno preso tutte e due! Ha detto che anche se non sappiamo fare niente a lui va bene lo stesso, siamo un raggio di sole nei suoi studi vuoti... Poi è venuto al sodo. Ci ha spiegato quello di cui ha bisogno veramente. Ha aggiunto che nel mondo del cinema conta anche la presenza, e non si aspettava due ragazze come noi. Però ci ha detto anche che bisogna lavorare, e il mestiere non è facile. E alla fine ci ha guardato in faccia e ci ha detto: la sera andrete a casa stanche, non crediate che basti andare in giro a farsi vedere"

"Olga," era Pavel a parlare, "che impressione ti hanno fatto?"

"Pensavo peggio. C'era anche la moglie del direttore e mi ha spiegato che tutto il personale dipende da lei. Fanno documentari e riprese come quelle di oggi, oltre alla pubblicità. Ha detto anche che collaborano con altre case di produzione, straniere per lo più... Non me lo aspettavo, ma conosce la ditta dove lavora Janicek. Per concludere, le prendono in prova per tre mesi, poi si vedrà"

"Bel colpo!... E quando dovete andare?" chiese Michal. "Mercoledì. Ci hanno detto che se vogliamo possiamo stare con loro oggi pomeriggio, così cominciamo ad entrare nell'ambiente e capire come è il lavoro"

"Non è una cattiva idea... Questa sera, cosa fate? State qui o tornate a Praga?"

"No, torniamo. Anche loro finiscono oggi, e così questa sera possiamo andare ad un addio al nubilato, sulla Vinohradska..."

"Dove andate voi?" intervenne Dagmar, "Fatemi capire... Vuoi dire che andate ad una di quelle feste con maschio nudo uccello al vento e sul quale puoi mettere le mani dove e come vuoi? E' così?"

"Sì, Dagmar, è così" rispose ridendo AnnCecilie senza degnare di uno sguardo Janicek, "proprio così. Da quello che so non ci sarà uno stripper solo, ma due. Due maschi stratosferici, per la gioia delle signore presenti"

"Vengo anch'io, si può?"

"Non lo so, penso di sì... Vuoi che telefoni?"

"Sì, telefona e sappimi dire..."

"Scusate," le interruppe Pavel, "noi andiamo. Milana, dobbiamo essere al cancello di partenza tra un quarto d'ora. Ragazze, guardate che la troupe si è già alzata, raggiungeteli. Non fatevi licenziare prima ancora di avere cominciato a lavorare"

Si alzarono velocemente. Solo Thomas e Janicek rimasero soli, seduti uno accanto all'altro. "Cosa ne pensi Tom?... hai notato che non mi ha neanche guardato in faccia? E anche la storia dello stripper?... E io chi sono?"

"Io penso che tu stia cominciando a conoscerla solo adesso, lei e la sua amica..."

"Andiamo a vedere la gara..."

"E' meglio. Tu sai l'ordine di partenza?"

"Non ho idea. Sono una ventina di macchine, partono una ogni due minuti, e devono fare quattro giri del circuito, per un'ora circa di gara. Vengono cronometrati i tempi, e il bello saranno i sorpassi, se ci saranno. Ce li vedi?"

"Io vedo solo quello che ha detto la fidanzata di Pavel, loro due a spingere per arrivare primi, in un turbinio di vento e di aria fra i capelli..."

"Ha l'aria di essere una donna notevole..."

"Senz'altro... Guarda, stanno partendo... cerchiamo un posto con qualche curva, o dove si può vedere qualche sorpasso... Vieni, andiamo da Michal e Olga..."

Non erano grandi automobili, di velocità non ne parliamo, ma era divertente e ad ogni macchina gli incitamenti non mancavano. Gli equipaggi facevano del loro meglio, e le riprese della troupe, col supporto delle entusiaste AnnCecilie e Denisa, furono giudicate ottime dal direttore di produzione. Tutto benissimo, e nessuno scese a spingere. Alla fine della corsa, la premiazione. Pavel e Milana con la loro Skoda del trentasei, si qualificarono terzi. Contenti, scesero dal palco con i premi vinti e raggiunsero Michal, Olga e gli altri.

"Gente, che gara!... Lo so, siamo i migliori," disse, ancora eccitato il padre di Michal, "Milana, i premi... guardate..."

"Ragazzi," lo interruppe, ancora vestita col basco, una lunga sciarpa e gli occhialoni, "ci avete portato fortuna. Soprattutto tu, Thomas, è la prima volta che vieni e siamo arrivati terzi. Tieni, questa è per te..." Prese la coccarda celeste del premio e la diede a Thomas. "Tieni, è tua... Puoi metterla su un quadretto, vedi tu, dove ti piace..."

La faccia di Thomas mentre la ringraziava la lasciò perplessa. Anche la risata di Olga e Janicek. Eppure era sicura di non aver detto niente di male...

Capitolo 12

"Ragazzi, stasera mangiamo qui..."
"Come, scusa?" rispose Janicek al padre di Michal, "pensavo che saremmo venuti in villa, da voi..."
"Sì, a dormire siete da me, ma adesso c'è il cocktail e più tardi la cena. Qui all'aperto, sotto il tendone. C'è una festa, un'orchestrina e forse si potrà ballare. Ci divertiremo, sarà una bella serata. Avete qualcosa per coprirvi, un golf, un giubbotto? E' umido e tra poco farà fresco..."
"Sì, grazie," fecero all'unisono Thomas e Janicek, "ci siamo organizzati. Non disturbiamo questa sera per stare da voi? Se volete possiamo tornare a Praga e venir qui di nuovo domani mattina..."
"Nessun disturbo, ragazzi. Non c'è neanche Dagmar e abbiamo una camera libera in più, così potete dormire ognuno nella propria stanza."
Già, Dagmar, pensò Janicek. Appena finita la premiazione, la troupe aveva raccolto tutte le attrezzature, congedato Denisa e AnnCecilie confermando loro l'appuntamento di mercoledì, e loro due si erano precipitate in macchina con Dagmar al seguito per tornare a Praga a vedere due deficienti con l'uccello al vento che ballavano intorno a un tavolo. Pazienza per Dagmar, e anche per Denisa, ma di AnnCecilie gli scocciava. Aveva ragione Thomas, cominciava a conoscerla solo adesso. E Tom... era di fianco a lui, sempre vicino... Non riusciva a capire cosa avesse in mente. Peggio, non sapeva neanche quello che aveva nella sua, di menti. Di certo gli dava noia Patrik, ma anche Thomas era geloso di AnnCecilie. Ma lui con AnnCecilie ci andava a letto, e Thomas forse no con Patrik, anzi, quasi sicuramente

no. Forse aveva ragione Thomas, ad essere geloso, ma perché? Lui non era il suo uomo, non stavano insieme... E quella scema di Dagmar, che bella coppia, che teneri che siete... Stesse zitta... Bel pasticcio... Di lì a poco ci sarebbe stato il cocktail... Meno male... Ne aveva bisogno... Subito.

"Oh, eccovi, ragazzi." Era Milana, con Michal, Olga e una coppia di signori suoi amici, "Stiamo qui per cena. Lo sapete, vero?"

"Sì, grazie," rispose Thomas, "siamo stati già informati. Ci siamo portati il golf e il giubbotto, li abbiamo in macchina. E' vero che viene un'orchestrina, che ci sarà della musica?"

"Sì, ma non credo che sia del genere che suoni tu. Penso che sia musica leggera, o qualcosa del genere. Forse si balla anche..."

"Speriamo non sia una schifezza, che sappiano suonare..." disse Janicek.

"Da quando in qua capisci qualcosa di musica, fratello? Non distinguevi un campanello da un clacson, e adesso fai il grande appassionato?"

"Vivo con un musicista, sorella..."

"Parli dello stesso che questa mattina hai trascinato giù dal letto per un piede e gli volevi inchiodare l'uccello al muro, con di fianco una coccarda celeste per guarnizione?"

"Adesso capisco..." intervenne Milana, divertita, e aggiunse, subito complice, "non ti preoccupare Thomas, se non ti piace il celeste te ne posso dare tante altre, di coccarde... Del colore che preferisci..."

"Chieda a lui, che colore vuole," rispose Thomas guardando Janicek, e indicandolo col dito, "lo chieda a lui..."

La risposta di Thomas lasciò perplessa Milana, che preferì non indagare, e cambiò argomento. "Finora come è andata la giornata? Vi è piaciuta la gara?"

124

"Sì, bella," disse Janicek. "Si sente ancora l'odore di benzina e dell'olio bruciato... La macchina ha resistito, anche le altre... Non l'avrei detto..."

"Sono macchine molto solide," intervenne Michal, "la tecnologia è quella dell'epoca, ma la costruzione è robusta. Potrebbero essere sfruttate molto di più di quanto non lo siano state oggi, e mio padre le tiene con molta cura. Sono come nuove, o quasi..."

"Anche lei, signora, era molto elegante..."

"Thomas, cosa vuoi dire con questo? Che sono d'epoca e tenuta con molta cura? Se non stai attento questa sera entro in camera tua e ti faccio vedere io, se sono d'epoca o no..."

"No signora, mi scusi, non volevo dire questo, neanche lo pensavo..."

Mentre Thomas balbettava queste parole, arrossendo, tutti ridevano. Tutti, tranne Janicek. "Tom, andiamo al buffet..." gli disse, "vedo che stanno già servendo i cocktail..."

"Ah, bene..." e tutti si avviarono in comitiva verso il tavolo dove i baristi erano già al lavoro. Janicek non aggiunse altro, mise un braccio sulle spalle di Thomas, e se lo portò verso il tendone.

"Fai conquiste," gli disse divertito, piano, quasi nell'orecchio, "non ti bastava Patrik, anche lei, adesso..."

"Per cortesia, smettila, non pensavo di offendere nessuno..."

"No, non l'hai offesa, quella parlava sul serio, di entrare in camera tua. L'ha detto per scherzo, ma secondo me lo pensa veramente..."

"Sei fuori? È la donna del padre di Michal..."

"Sono una coppia molto aperta... "

"Ma cosa stai dicendo? E adesso cosa si fa? Torniamo a Praga... Io quella in camera non la voglio..."

"No, non possiamo tornare a Praga... Ormai abbiamo detto che restiamo qui e dobbiamo restare..."

"E allora? Cambiamo stanza, o se no vengo a dormire con te... C'è una chiave, nella porta?"

"No, non c'è..." Quasi lo baciava... "c'è solo uno scemo qui davanti a me, che ha creduto a quello che gli ho detto..."

"Per cortesia... Certo che ci ho creduto... Non farlo più, mi fai star male..."

"Stare male all'idea che una donna entri di notte nella tua stanza?"

"No, all'idea che... Ma cosa mi fai dire... Chiedimi un Negroni..."

"Vai leggero, eh?"

"Sì. Anche due tartine... Al whisky..."

"Alla tua Tom..."

"Alla tua... Non mi pugnalare in questo modo..."

Ci risiamo, pensò Janicek, Tom, per cortesia, non mi parlare così...

Tra Negroni e tartine arrivò l'ora di cena. Anche l'orchestra. Tre signori e una signora pieni di buona volontà. Salirono su un piccolo palco e cominciarono ad aprire gli strumenti.

"Ma questo è un quartetto d'archi" commentò Thomas, "non è un'orchestrina di musica leggera..."

Si erano seduti ad un lungo tavolo sotto il tendone, insieme ad altri amici di Pavel e Milana, e il palco dei musicisti era davanti a loro, a pochi metri.

"Non si metteranno a suonare musica da camera mentre siamo a pranzo" continuò rivolgendosi a Janicek seduto di fianco a lui, "sarebbe un delitto..."

"Se sapevano che c'eri tu forse non sarebbero neanche venuti"

"Non scherzare, è solo che suonare della musica di questo tipo mentre la gente chiacchiera e mangia vuol dire rovinare tutto... Come fai ad ascoltare un violino mentre bevi un boccale di birra..."

"Dipende anche da chi suona" intervenne Olga, "se suoni tu è un conto, ma questi hanno l'aria di essere qui solo per arrotondare lo stipendio. Tu cosa ne pensi?"

"A giudicare dagli strumenti direi che hai ragione... Stiamo a sentire cosa suonano, e come. Potrebbero avere un repertorio adatto a serate come questa, ma mi sembra difficile riuscire a trovarne uno..."

"Ragazzo, come sei sofisticato" era un signore vicino a Pavel, un suo amico. "Non ti basta sentire un po' di musica? Cosa volevi, che venisse qui l'orchestra del Teatro Nazionale di Praga per suonare quello che piace a te? I ragazzi come voi hanno in mente soltanto la musica pop e rap, di musica non capite un accidente, volete sempre fare quello che volete voi. A noi questi vanno benissimo, anzi, senti come sono bravi, altro che voi..."

"Cosa cazzo sta dicendo?" Janicek era saltato in piedi, con gli occhi fuori dalle orbite. "Si rende conto delle stupidaggini che dice? Intanto, per prima cosa il mio amico qui, Thomas Mayer, è proprio un violinista del Teatro Nazionale e, se dice qualcosa di musica, lei sta zitto e ascolta. In secondo luogo, l'aver fatto un giretto in macchina oggi pomeriggio non le dà nessun diritto di sbeffeggiare e prendere in giro chi non conosce, soltanto perché non ha la sua età. Terzo, lei può benissimo chiedergli scusa e tacere per tutto il resto della serata. Pavel, sono tutti così i tuoi amici?"

Risedutosi al tavolo, Janicek si era messo a guardare dentro il piatto, con una mano alla fronte e, dopo un attimo, si era voltato a guardare Thomas, che gli ricambiò lo sguardo nel silenzio che era caduto sulla tavolata.

"Janicek, il signore non sapeva, non poteva sapere... Anzi, ci ha fatto un complimento parlando del Teatro

Nazionale..." e rivolgendosi a Pavel ed al suo amico, aggiunse: "vorrei che comprendesse, signore. Non tutti quelli con hanno qualche anno meno di lei vanno in giro col cappello all'incontrario ballando sul marciapiede e rotolandosi per terra con la radio a tutto volume. Era questo che Janicek voleva dirle. E, quanto a me, forse ho esagerato nel puntualizzare quello che mi aspettavo, e, se è per questo, chiedo scusa, per me e per il mio amico, ma, vede, stavo parlando con lui, e lui sa chi sono..."

Sotto il tavolo, senza che nessuno lo vedesse, Thomas gli aveva preso la mano, e gliela stava stringendo forte. Una stretta che Janicek restituì, intrecciando le dita con le sue, le due mani strette fra le loro due gambe.

"Non so cosa dire" rispose l'amico di Pavel.

"Lo so io," intervenne Milana, "abbiamo tutti parlato un po' troppo... E poi, Pavel, non credi anche tu che non valga la pena di rovinare la serata per così poco?"

"Assolutamente no, Milana... È che il mio amico qui, è lievemente sbronzo e non si ricorda neanche come si chiama, quindi figurati se sa quello che dice, e Janicek... Be', lui sa di avere accanto un amico molto in gamba, e naturalmente lo difende..."

"Sì, Pavel, molto in gamba. E sai..." disse rivolgendosi a Thomas, "questa sera ci hai insegnato una cosa..."

"Cosa, signora?"

"Coi pregiudizi non si va da nessuna parte. E smettila di rivolgerti a me in quel modo. Nonostante quello che pensa Pavel, non sono tua nonna, e potremmo avere molte cose da dirci". E, guardando prima Janicek e poi lui, aggiunse: "non ti preoccupare Thomas, non ho intenzione di venire in camera tua stanotte, e neanche domani. Dormi tranquillo, anche tu Janicek, tutti e due..."

L'aver cambiato discorso, sulle vecchie signore che

entrano di notte nelle camere dei ragazzi con losche intenzioni, servì a rasserenare l'atmosfera e far dimenticare l'incidente. La musica in realtà era orrenda, ma nessuno ci fece più caso, e un paio di brindisi ad alta gradazione alcoolica chiusero l'incidente.

Janicek si rendeva conto di avere esagerato con la sua reazione. Per fortuna Tom aveva salvato la situazione, insieme a Milana, ma era nervoso, e sapeva perché. Lo sapeva anche Thomas, che più tardi, quando nessuno li ascoltava, gli disse: "grazie per avermi difeso, ma non era il caso di reagire in quel modo. Non c'è solo quello che quel signore ha detto, vero?"

"No, Tom, lo sai benissimo cosa c'è..."

"Non ci pensare, se vuoi ne parliamo dopo, okay? Per adesso godiamoci la serata fra di noi, e cerchiamo di non ascoltare il massacro di quei signori sul palco... Fa niente, tanto nessuno se ne accorge..."

"Tu sì, però..."

"Ci mancherebbe... l'hai detto tu che sono bravo, no?"

"Sì, ma guarda che non lo pensavo veramente, era solo per dargli contro..."

"Traditore... Quando siamo soli facciamo i conti..."

"Cosa state complottando, ragazzi?"

"Niente, Olga," rispose Tom, "sto solo complottando di farlo fuori, così impara a dire quello che dice..."

"Janicek, non te la prendere... Si capisce che eri nervoso, ma cosa hai detto ancora?"

"Niente, Olga, non ha detto niente... Sai, sto pensando a questa notte. Com'è la casa di Michal? Non daremo fastidio? Michal, non daremo noia a tuo padre?"

"Non credo proprio, Thomas," rispose Michal, "questa sera sono sicuro che lo hai conquistato, lui e soprattutto Milana. Vedrai che vorranno vedervi ancora, e magari di suonare qualcosa per loro, in villa.

Non è una brutta casa, e c'è un bel salone con il camino, ci si può organizzare una serata..."

"Se è per quello anche da noi" lo interruppe Olga, "vero, Janicek?... Anche a casa nostra in campagna c'è un bel salone, è più moderno, ma è tutto rivestito di legno, e può venir fuori una bella serata anche lì..."

"C'è il camino?"

"Sì, Tom, c'è il camino anche da noi. Non ti ci ho mai portato, finora, ma è un bel posto... È un cottage grande, e il salone che dice Olga è su due livelli, e fuori si vede il bosco. I miei oramai vivono lì e a Praga ci vengono solo se devono..."

"Sì, è una casa diversa dalla tua, vero Michal?" disse Olga, "ma è bello anche da noi. La casa non è antica come la loro," continuò rivolta a Thomas, "e non ci sono gli stucchi sui soffitti, ma i miei ci stanno bene, e ci stiamo bene anche noi quando andiamo a trovarli"

"Vuoi dire che stasera dormirò in una stanza con gli stucchi sul soffitto, il letto a baldacchino e i tendoni alle pareti?"

"No, Thomas," gli rispose Michal con un sorriso, "solo gli stucchi..."

"Senti, Thomas," Olga continuò il discorso interrotto, "per fare un concertino in casa, quante persone occorrono?"

"Tre o quattro... Un trio o un quartetto sono più che sufficienti. Ci sono musiche splendide scritte per trii o quartetti, e se la sala è grande a sufficienza per accogliere venti o trenta persone verrebbe una bellissima serata..."

Dici che venti o trenta persone è il numero giusto di persone per una serata in casa? Pensavo di più..."

"No, va bene così..." stava continuando, ma fu interrotto da Janicek.

"Tom, come pubblico basto io, chiaro? Non voglio altri che vengano a rompere le palle, come quel tale di

130

prima..."

"Janicek piantala," lo zittì Olga, " per un quartetto chi occorre?"

"Due violini, viola e violoncello"

"Quindi basterebbe cercare un altro violino... Martina suona la viola, e Patrik il violoncello"

"Sì, è così. Si trova senza difficoltà. Sia Patrik che Martina verrebbero volentieri, e si può trovare un bel repertorio per una serata interessante... Anche due o tre..."

"Ah, sì, Patrik a me è molto simpatico" continuò Olga, "ed è anche un bel ragazzo. Non vorrei fare la sfacciata come Dagmar, però un giretto ce lo farei volentieri, anche un paio di week-end. A proposito di Dagmar, hai visto come si è precipitata quando Denisa e AnnCecilie le hanno detto della serata e dell'addio al nubilato con stripper tutto al vento?"

"Ho visto benissimo." Il tono di Janicek era gelido e Olga si rese conto che era meglio cambiare argomento.

"Se siete stanchi e avete voglia di andare a casa, ditelo. E' già piuttosto tardi e comincia a fare freddo"

"In effetti" rispose Thomas, "comincio ad avere freddo e ad essere piuttosto stanco. Cosa ne dici Janci?"

"Non dipende da noi, Tom, siamo ospiti, però io a letto ci andrei volentieri..."

"E' vero, cominciamo a muoverci" disse Michal, "ora che salutiamo tutti, arriviamo alla villa e andiamo a letto ci vuole un'ora, e domani siamo ancora qui". Rivolto a Milana, in conversazione con Pavel ed altri amici, "Milana", le disse, "ce ne andiamo, cosa ne dici? E' tardi, e domani dobbiamo essere qui presto..."

"Si, Michal, sono stanca anch'io... Pavel, ce ne andiamo?"

Più tardi, Thomas era nella stanza che gli avevano dato per passare la notte. E sì, c'erano gli stucchi sul soffitto. La casa era bella, era una villa antica, e a Janicek avevano dato una camera vicino alla sua. Steso sul letto, ancora sopra le coperte, la testa sul cuscino, stava guardando il soffitto, quando sentì bussare alla porta. Senza pensare si alzò per aprire, ma quasi arrivato venne colto da un dubbio improvviso.

"Chi è?" chiese quasi sottovoce, spaventato all'idea che fosse chi non doveva essere...

"Sono Milana, tesoro, non mi riconosci?"

La voce in falsetto di Janicek non lo ingannò, e Thomas aprì la porta che, in effetti, aveva chiuso a chiave.

"Avevi chiuso sul serio, a chiave, eh?" gli disse entrando e chiudendo la porta dietro di lui.

"Sì, è vero. L'ho fatto senza pensarci, però non si sa mai..."

"Hai sonno? Io non riuscivo a dormire..."

"Lasciami indovinare..."

"Non riesco a non pensare al modo in cui mi ha trattato. Mi ha detto in faccia, davanti a tutti che va a vedere quello che va a vedere e di me chi se ne frega, tanto di te faccio quello che voglio quando voglio e tanti saluti"

"Non te la prendere... Dai, vieni qui e siediti". Janicek si sedette sul letto di fianco a lui. Thomas continuò: "non se ne è neppure resa conto... Però, Janicek, non ti ha detto che andava a scoparseli... non è cosa ha fatto o dove è andata, ma come si è comportata, che ha dato fastidio. E' spiaciuto anche a me. Oltretutto, tua sorella e Michal le hanno trovato un lavoro che promette bene, potevano restare per riconoscenza, o se non altro, per opportunità... Almeno, questo è quello che penso io..."

"Lei, la sua amica e quell'altra ancora..."

"Dagmar non doveva niente a nessuno, ha solo

tagliato la corda da un invito per andare a fare qualcosa che le piaceva di più. In effetti poteva stare tranquilla. Denisa forse si è comportata peggio, e AnnCecilie con te ha fatto male. Ma hai visto, Olga e Michal non hanno fatto un gesto, non hanno detto niente. Sembrava quasi che fossero contenti che se ne andassero... Te ne sei accorto?"

"In effetti... L'unico ad essere scocciato ero io... Forse, come dici tu, l'unico che non le conosce ancora bene sono io..."

"E' una donna indipendente, non vive né per te né con te. Non c'è niente di male in questo, basta saperlo, tutto qui..."

"Sì. Però mi scoccia lo stesso..."

"Colpa tua, ti aspetti da lei quello che non può, o che non vuole darti, vedi tu..."

"E allora?"

"E allora niente, è così. Piuttosto, sai, avevo voglia di dirtelo fin da subito..."

"Cosa?"

"Sono molto contento per come mi hai difeso prima, quando quel tale ha cominciato a sproloquiare. Avrei voglia di abbracciarti, ma ho paura che tu possa pensare male, e faresti benissimo..."

"Dai, vieni qui, non fare lo scemo..."

Lo abbracciò, e rimasero così per un po', senza dirsi niente, poi Janicek si alzò e gli disse: "vado, torno nella mia stanza... Buonanotte Tom, buonanotte..."

Come risvegliandosi da un sogno, Thomas gli rispose: "Buonanotte Janci, non ci pensare, non ne vale la pena..." si alzò dal letto e lo accompagnò alla porta.

Questa volta non chiuse a chiave, tornò a letto e spense la luce.

Capitolo 13

C'è un locale, salendo per la Vinohradska, sulla sinistra. C'è una porta, si scendono delle scale e ci si trova in una cantina, coi soffitti a volte, molti ambienti uno dentro l'altro, sempre pieno di rumore, di birra e di gente allegra, che vuole divertirsi e passare una serata in compagnia. In una di queste sale, separata dalle altre e chiusa da una porta, una grande tavolata ospitava una trentina di persone. Tutte donne, almeno per il momento. Sedute una vicina all'altra, Denisa, AnnCecilie e Dagmar commentavano la serata e parlavano tra loro, in attesa dello show degli stripper.

"Ragazze, che bella idea che avete avuto di portarmi qui stasera... Se penso che avrei potuto essere sotto una tenda in campagna a parlare di macchine e a godermi freddo e umidità..."

"E allora perché ci sei andata, Dagmar? Lo sapevi anche prima che era un raduno di auto d'epoca in campagna..."

"Denisa, quando me l'hanno detto sapevo che Patrik oggi non sarebbe venuto, ma non potevo tirarmi indietro e dire che sarei andata solo domani... Era troppo evidente, non credi?"

"Ah, Patrik? Credevo che puntassi a Thomas, non è male neanche lui..."

"Thomas, dici? Sì, non è male, ma se gli stessi dietro forse romperei le scatole a qualcuno. È un'impressione, ma ho l'idea che abbia i suoi giri e io non ne faccia parte... Patrik è libero, e poi mi dice qualcosa in più... Sai com'è, io a letto ce lo vedrei volentieri, bello nudo, sudato, con le mani dappertutto..."

"Dagmar, sei un'ingorda!" la interruppe AnnCecilie,

"però... in effetti ce lo vedrei anch'io, con le mani dappertutto e l'uccello da qualche altra parte, ma ci vedrei anche Thomas, con l'uccello sotto le lenzuola... Tu no, Denisa?"

"Io? a me basterebbero i due stripper, quando arriveranno..."

"Quelli? Ho l'impressione che se li sia prenotati la festeggiata, e possiamo capirla, vero ragazze?" Era Dagmar, che continuò: "certo che a voi oggi è andata di lusso... Avete trovato il lavoro che cercavate e proprio nell'ambiente che volevate... Chissà che bei giri ci sono..."

"Stai pensando a qualche attore porno, vero? Te lo si legge in faccia, a cosa stai pensando" le rispose AnnCecilie, "no cara, non è quel tipo di casa cinematografica, purtroppo... Fanno documentari e spot pubblicitari, ma non si sa mai, magari nello studio di fianco..."

"Speriamo," la interruppe Denisa, "ma credo che quelli per venire con te si facciano pagare. E' gente che lo fa per soldi, come quelli di questa sera. Non ci costruisci niente insieme, non ci fai niente... solo una scopata..."

"Denisa, non ti facevo così filosofa," le rispose Dagmar, "forse stai bevendo troppo, non ti fa bene alla salute..."

"Senti chi parla, comunque hai ragione, per noi è un bel colpo... Secondo me ci apre le porte ad un lavoro a Londra... Se siamo nell'ambiente, a quell'amica di Olga, a quella Barbara, dovrebbe essere più facile trovarci una sistemazione. E poi quando siamo là ci diamo da fare, vero Annie?"

"E a me niente? Pensate anche a me ragazze, vengo anch'io a Londra, arrivo subito..."

"Tu hai Patrik, no? Taci e accontentati... Quanti ne vuoi da portare a letto?..."

"E tu? Non hai Janicek? Anzi, tu Janicek ce l'hai per

davvero, e io con Patrik devo ancora darmi da fare, e non è detto che ci riesca... Tu invece con Janicek puoi dirlo benissimo, vero? Te lo scopi quando vuoi, no?"

"Sì, a lui faccio fare quello che voglio, me lo gestisco come piace a me, tanto lui è sempre contento... Due carezze, gli do le tette da giocare e via..."

"Da come ti guardava stasera non ho avuto questa impressione. Quando hai detto che venivamo qua e sei venuta via quasi senza salutarlo... non credo che gli bastino due tette da giocare... Tu cosa ne pensi, Dagmar?"

"Assolutamente d'accordo, Denisa. Secondo me, a lui delle tue tette non gliene frega più niente. Non dico che abbia in mente qualcos'altro, AnnCecilie, ma anch'io penso che questa sera si sia rotto qualcosa..."

"Tu dici? No, me lo aggiusto quando voglio e comunque, se non ci riesco, ne trovo un altro, anzi ce l'ho già, vero Denisa?"

"Io non so niente, non voglio sapere... Non vedo non sento e non parlo... Anzi ci vedo benissimo, guarda chi sta entrando..."

Nella sala erano entrati due ragazzi vestiti con una specie di uniforme, guanti e berretti compresi, uno biondo coi capelli rasati alla marine, e uno moro coi capelli lunghi fin quasi alle spalle. Dopo un primo attimo di silenzio, ci fu un coro di esclamazioni accompagnate dai relativi fischi di approvazione, che si placarono appena la musica cominciò a riempire la sala. Iniziarono. Prima il berretto, i guanti... Continuando a ballare intorno al tavolo, si tolsero lentamente la giacca, le cravatte, le camicie, un bottone alla volta... I loro gesti erano studiati, le loro mosse anche... Tutto per il divertimento delle signore. Dopo due giri intorno al tavolo, con un boato di approvazione, si strapparono i pantaloni, tenuti insieme solo da qualche striscia di velcro.

Nell'atmosfera sempre più eccitata, vestiti ormai solo di un minuscolo perizoma, tornarono a ballare intorno al tavolo, sempre più vicini alle donne sedute, tutte voltate per godersi lo spettacolo, con le mani che si allungavano e che, accidenti, non riuscivano mai ad arrivare dove volevano. La musica era alta, la bolgia indescrivibile, l'allegria tantissima, e il vino scorreva a fiumi. I corpi dei due stripper erano due sculture, lucide, vibranti. Qualche goccia di sudore scendeva dal petto di uno dei due. Le loro braccia rifinite con lo scalpello, le gambe piene e ben tornite. Lo stripper biondo era completamente glabro, senza un pelo in vista. Nel moro, poco sotto l'ombelico, cominciava una peluria che si infittiva man mano che scendeva verso lo slip. In tutti e due i muscoli formavano una tartaruga che scendeva verso il ventre, obbligando quasi lo sguardo a convergere su quei pezzettini di stoffa, gonfi da esplodere... Sempre ballando, si avvicinarono alla festeggiata e le indicarono i cordini dei perizomi, coi piccoli nodi che li tenevano chiusi. Tra gli incitamenti e le urla di approvazione, venne sciolto prima un nodo e poi l'altro. I due perizomi si sfilarono, poco alla volta, sapientemente, ed i due stripper continuarono a ballare sempre intorno al tavolo, con tutto ben in vista. Con indescrivibile gioia delle signore presenti, assatanate, con le mani che cercavano di agguantare qualunque cosa si avvicinasse, o venisse a portata di mano. Tutto al limite, ma mai oltre. In fondo, era quello che volevano, divertirsi e basta. Dal vino erano passate ai liquori, e l'allegria, come l'eccitazione, erano alle stelle. Un successo. Finito lo show, rivestiti e salutati i ballerini, la serata era conclusa. Uscite dal locale, sul marciapiede, mentre aspettavano il taxi per tornare a casa, AnnCecilie si rivolse a Denisa e a Dagmar, "Ragazze, che serata! Avete visto che meraviglia... Poterne maneggiare un paio così, non per soldi, ma perché ti vogliono... Qui bisogna darsi da fare, cosa aspettiamo..."

"Aspettiamo il taxi, cara," le disse Dagmar, "e vedi di non saltare addosso al tassista quando arriva, potrebbe non capire..."

"Pensa se capisce benissimo," fece Denisa, "e sai la faccia di Janicek se lo viene a sapere..."

"Già, tu dici che si è scocciato per questa sera?"

"Non per questa sera," le rispose Denisa, "ma per come lo hai trattato per questa sera..."

"Tu dici? Boh, sai cosa ne penso? Chi se ne frega... Io voglio andare a Londra e diventare una star, ecco cosa voglio... Con tutti gli uomini più belli ai miei piedi, che mi adorano..."

"Nient'altro, cara? Ecco... È il vostro taxi... È arrivato... Date un passaggio anche a me? Ho l'impressione di avere bevuto un bicchierino in più e non vorrei sentirmi poco bene..."

"Sì, Dagmar, vieni con noi," le rispose Denisa, "non hai bevuto un bicchierino in più, ma tutta la bottiglia... È meglio che ti accompagniamo e ti portiamo fino in casa, se no domani ti trovano che dormi sulle scale. Dai, monta in macchina..."

Mentre a Praga succedeva questo, in campagna tutto taceva. A Janicek aveva fatto bene parlare con Thomas, ed era andato a letto tranquillo, sapendo di averlo vicino, nell'altra stanza, come a casa. Thomas anche, Janicek lo aveva accettato per quello che era, compreso il fatto che per lui non era solo un amico, ma qualcosa di più importante. E non lo aveva allontanato per questo, anzi se lo teneva vicino... Chissà...

Il mattino arrivò in fretta, la colazione anche, e Olga ad un certo punto chiese a Thomas: "a che ora abbiamo appuntamento con Patrik al raduno?"

"Verso le undici... Deve passare da Martina e forse va

a prendere anche Dagmar... Qual è il programma della giornata?"

"Oggi c'è il concorso d'eleganza, e poi la giornata è libera per le contrattazioni" gli rispose Michal, "c'è chi vuol vendere, comperare... Ci sono i memorabilia, i pezzi di ricambio. C'è un piccolo mercato, con le tende e la gente che viene a curiosare. E' divertente anche oggi, vedrai..."

"Si mangia là?"

"Sì, Thomas, si mangia là. Se Dagmar ci lascia qualcosa. A proposito, si sa quando viene, se viene da sola o con quelle altre? Janicek, tu sai qualcosa?"

"No, e non me ne frega niente. Dagmar dovrebbe venire, ma loro non lo so, non credo e non me ne può importare di meno."

"Visto il modo in cui si sono comportate ieri," disse Olga, "potresti aver ragione. Anncecilie ti ha trattato come una scarpa da buttare, e anche con noi non ha scherzato... Potevano fermarsi e dire almeno grazie per il lavoro che le abbiamo trovato..."

"Sono fatte così, Olga," le disse Michal, "quel che è peggio è che secondo me Denisa si sarebbe fermata, magari anche a cena, ma è stata trascinata via dalle altre due... Pazienza per Dagmar, ma per AnnCecilie... Ha ragione Janicek... Tu cosa ne pensi, Thomas?"

"Michal, sai bene cosa ne penso. Vorrei che lui, non so come dire, la vedesse con altri occhi, tutto qui..."

"Sì, Thomas..." era Milana che si era inserita nella conversazione, "dovrebbe vederla con altri occhi... Lo penso anch'io... Scusa Janicek, non sono fatti nostri, ma siamo in famiglia, e certe cose qui si possono dire... Dà retta al tuo amico, Janicek, cerca di vederla con altri occhi..."

"Lo so che Thomas ha ragione," le rispose Janicek, "lo so. Ma non è facile, non so nemmeno io..."

"Janicek," gli rispose Milana, "al momento giusto tutto sarà più facile... Avrai le parole giuste e non ci saranno problemi... Guardala con altri occhi, tutto qui..."

"Sì, devo dare retta a Tom, devo ascoltare lui... Hai ragione anche tu, Milana, verrà il momento giusto, e sarà più facile..."

"Va bene, basta parlare di queste cose..." era Olga, cui non era sfuggito l'imbarazzo del fratello, "si sa niente di Dagmar? Proviamo a telefonare?"

"Prova..." le rispose Michal...

"Non risponde," disse Olga, "sarà in bagno..."

"O dorme ancora..." concluse Michal, "è tardi, meglio muoverci. Dobbiamo preparare la macchina, pulirla di nuovo, sistemare due o tre cose... E tra un po' arrivano gli amici di Thomas... Thomas, pensi di telefonare?"

"Non c'è bisogno, se hanno dei problemi chiamano loro..."

Più tardi, al raduno, mentre stavano pulendo la macchina da presentare al concorso, squillò il telefono di Olga, che ascoltò e poi ci parlottò dentro brevemente.

"Era Dagmar", spiegò. "Ha detto che ieri sera ha bevuto troppo, che ha un mal di testa del genere non so come mi chiamo, e oggi non si sente di venire. Chiede scusa e saluta tutti..."

"Chissà cosa ne han fatte ieri sera..." commentò Michal, "ha detto niente di Denisa e AnnCecilie?"

"Non vengono, tutte e due hanno degli impegni oggi pomeriggio..."

"Che novità" disse Janicek, acido.

"Non te la prendere... Dai, aiutami a pulire questo faro..."

"Sì, Tom... okay... Dammi lo straccio..."

Quando arrivarono Patrik e Martina il faro era

141

lucidissimo, e anche l'altro, e tutta la macchina era perfetta e pronta per la passerella.

Dopo i ciao cari e i convenevoli di rito, Martina venne subito presa in consegna da Olga e da Milana, curiose di conoscerla meglio e di sapere qualcosa di più sulla vita dei musicisti nell'orchestra, Thomas per primo.

Patrik e Michal, rimasti soli, cominciarono a parlare di macchine. "Com'è la giornata, oggi? Cosa c'è in programma?" Chiese Patrik, curiosando attorno all'automobile appena lucidata da Janicek e Thomas.

"Niente di speciale," rispose Michal, "c'è una presentazione, le macchine sfilano davanti alla giuria, spiegano che auto sono, di che anno eccetera. Non partono da zero, le auto vengono viste ed esaminate dai giudici prima del concorso... Ecco, li vedi laggiù, stanno finendo adesso. Danno dei punteggi a tutto, dagli interni al motore, alla carrozzeria. Alla fine c'è la premiazione. Niente di straordinario, è una cosa alla buona, quasi in famiglia... È una scusa per passare una giornata insieme e curiosare nel mercatino dei memorabilia per vedere se c'è qualcosa di interessante. Tutto qui."

"Non è male. Dovrebbe essere una bella giornata. Siamo solo noi o aspettiamo qualcun altro?"

"No, siamo al completo. Dagmar è a casa ubriaca persa. Denisa ed AnnCecilie avevano altri impegni"

"Chissà cosa ne hanno fatte ieri sera... Magari se ne sono portate a casa uno, di quegli stripper..."

"Lo pensi anche tu? Capaci... Ma non dire niente a Janicek, è un tasto da non toccare..."

La passerella stava per cominciare ed il prato si stava animando con l'arrivo degli equipaggi e delle auto, in fila per il passaggio davanti alla giuria. Patrik e Michal furono raggiunti dagli altri, pronti a tifare per Pavel e Milana. Olga parlava animatamente con Martina, Janicek e Thomas le seguivano, più tranquilli, contenti di stare insieme, osservando e commentando automobili ed equipaggi, facendo pronostici sull'andamento della giornata. Il tempo si era messo al bello ed il cielo era quello delle giornate d'autunno, quando l'aria rinfresca, e le nuvole si sfilacciano sui boschi e sui prati stesi sotto di loro. Le macchine venivano chiamate, sfilavano lentamente davanti al palco ed al pubblico, giravano, tornavano al parcheggio. Incantato dalla vista delle auto, Janicek le osservava, senza dire una parola. Ad un certo punto si voltò verso Thomas, di fianco a lui. "Sai, Tom, mi viene in mente quella poesia che mi hai detto una sera di qualche giorno fa..."

"Ecco, molto meglio di una coccarda celeste inchiodata al muro sul mio uccello, non credi?"

"Come sei pignolo... Se vuoi ne chiedo a Milana una rossa, bella grande, con le spighe intorno..."

Gli piaceva parlare con Tom. Scherzare con lui gli aveva fatto dimenticare la serata di ieri ed il trattamento di AnnCecilie. Era l'intimità che provava con lui, gli riempiva il cuore, e gli rendeva bello ogni momento che passavano insieme. Aveva voglia di restare solo con lui, con lui e basta, ma fu raggiunto da Olga e dagli altri, in comitiva.

"Cosa c'è, Olga?" le chiese Janicek, sperando che se andassero al più presto.

"Tra due macchine passa Pavel, prepariamoci ad applaudire"

"Signorsì sissignora" rispose Thomas, "pensi che abbiano qualche speranza di piazzarsi anche oggi?"

"Non credo," rispose per lei Michal, "hanno già avuto un premio ieri. E' probabile che oggi facciano contento qualcun altro..."

"Niente public, eh? Facciamo vincere tutti così sono contenti e la volta dopo sono qui ancora..."

"Come hai fatto a indovinare, Janicek?"

Finito il passaggio delle auto, il gruppetto si ricompattò, con l'arrivo di Pavel e Milana, ancora eccitati e divertiti dall'andamento della giornata.

"Cosa ne pensate, ragazzi? Porto a casa qualcosa anche oggi?"

I no riempirono le orecchie di Pavel. Lontano dall'infastidirlo, lo divertirono. Anche lui non si aspettava niente dalla giornata, ma averli visti così uniti gli faceva piacere. Era una bella compagnia, e sia a lui che a Milana averli intorno altre volte li avrebbe fatti contenti. Anche la serata col quartetto musicale... Ne aveva parlato con Milana la sera prima, e l'idea era piaciuta. Si trattava solo di organizzarsi, decidere quando, e tre musicisti su quattro erano già lì... Decidere... Non era l'unico, in famiglia, a dover decidere... Era ora, che si decidesse... Non erano pensieri da farsi venire una domenica a mezzogiorno, in campagna, ad un raduno di auto d'epoca, ma Michal cosa aspettava... Era una vita che stava insieme ad Olga, e lui oramai le si era affezionato come ad una figlia. Era piena di qualità, una brava ragazza, aveva due bellissimi occhi azzurri e, guardandola da uomo, tutte le sue cose al punto giusto. Suo figlio non aveva avuto un grande esempio in casa, ma sia a lui che a sua madre all'epoca andava bene così, e quando si erano separati avevano fatto in modo che quasi non se ne accorgesse, per quanto possibile. Era un discorso da affrontare, doveva solo pensare al come e quando. Magari anche oggi... Perché no, avrebbe potuto chiedergli se per portare Olga in municipio gli sarebbe piaciuta la Skoda rossa... Parlarne con Milana... anche... Lo avrebbe fatto senz'altro, per sentirsi rispondere che prima di Michal, su quella Skoda dovevano salirci loro due... Aveva ragione anche lei... Forse la cosa migliore è vendere la Skoda e tanti saluti, pensò. Però si potrebbe cominciare a tastare il terreno...

Approfittando del fatto che Olga era rimasta leggermente isolata dagli altri, che avevano adocchiato i preparativi al tavolo del buffet e ci si stavano avvicinando, andò da lei e le chiese come stesse passando la mattinata.

"Bene, grazie, l'atmosfera è diversa da ieri sera. Anche ieri è stato bello, ma certe cose avrebbero potuto andare meglio..."

"Tu non pensi alle macchine, vero?"

"No, Pavel, ti ricordi ieri sera a pranzo... Ti ricordi come era nervoso Janicek..."

"Sì, mi ricordo, e se è come credo io aveva tutte le ragioni per esserlo..."

"Pensi ad AnnCecilie?"

"Certo, e a chi altri? Dopo che tu e Michal le avete fatto il favore del lavoro con la casa di produzione, avrebbe anche potuto fermarsi a dire grazie... Ma non è solo per quello che tuo fratello era tanto nervoso, vero?"

"No, hai visto come lo ha trattato? Non lo ha neanche salutato, per correre a quella festa... Povero Janicek... Per fortuna ha vicino Thomas, che gli vuole davvero bene, ma non è la stessa cosa..."

"Magari è di più, Olga, non sottovalutare un amicizia. Ti può dare di più di una relazione, qualche volta. Sai, non tutti i rapporti sono come fra te e Michal. Lui, anzi, tutti e due siete molto fortunati ad esservi trovati, state bene insieme, si vede..."

"E' vero, è un guaio..." rispose Olga ridendo, ma la loro conversazione fu interrotta alla vista di Patrik che aveva messo un braccio sulle spalle di Thomas, e di Janicek che immediatamente li aveva raggiunti, gli aveva strappato Thomas, lo aveva preso per il gomito e si era allontanato trascinandoselo dietro,

145

mettendogli lui il suo, di braccio, sulle spalle e sussurrandogli qualcosa all'orecchio, in modo, sembrava, piuttosto perentorio.

"Però," fece Pavel ridendo e rivolgendosi ad Olga, "questa sì che è una presa di possesso..."

"Tom," gli stava abbaiando sottovoce Janicek, "se ti fai mettere ancora un braccio addosso da lui, l'uccello al muro te lo attacco per davvero. Senza coccarde e senza nastri. Chiaro?"

Capitolo 14

"E se tu stai ancora con AnnCecilie l'uccello al muro te lo attacco io, chiaro? E adesso cosa facciamo?" gli rispose Tom, "li prendiamo tutti e due, ci facciamo un bel quadretto e ce lo guardiamo la sera tenendoci per mano davanti al caminetto?" proseguì, con il braccio stretto attorno alla sua vita. Poi lo guardò dritto negli occhi. Janicek cominciò a sciogliersi di nuovo e si rese conto di essere a rischio. L'idea del quadretto lo aveva preso dentro, muovendogli qualcosa, e la voce e lo sguardo avevano fatto il resto. Sì staccò da Tom lentamente, e gli disse, "cosa ne dici di un giro al buffet? Comincio ad avere fame..."

"Andiamo"

Ignaro di chiodi e martelli che volavano, Patrik osservò perplesso la scena di loro due che se andavano abbracciati parlottando sottovoce, chiedendosi se c'era qualcosa che dovesse sapere, o se più semplicemente avessero qualcosa da dirsi che riguardava solo loro... Anzi, sicuramente, ce n'erano molte di cose, che riguardavano solo loro. Forse Martina aveva ragione ad avere qualche perplessità su Thomas e, come diceva lei, talvolta le verità più nascoste sono quelle che uno ha davanti agli occhi... Certo, e per lui, in quella verità, non c'era posto. Non che lo volesse. Thomas era un amico e un collega, più bravo di lui, ma era finita lì, non lo interessava per altre cose. Fermo a metà strada fra le auto ed il tendone del buffet, si girò a cercare Martina, che stava arrivando insieme a Milana. Olga e Pavel, fermi più lontano, osservavano in silenzio.

"Cosa fai qui da solo?" gli chiese Martina appena lo raggiunse. Patrik stava per rispondere, ma decise che no, gliene avrebbe forse parlato quando sarebbero stati soli, in macchina, mentre tornavano.

"Sai, stavo parlando con Milana," continuò, "sta pensando di organizzare una serata musicale nella villa di Pavel, con un quartetto d'archi, per i loro invitati. Hanno un bel salone dove c'è posto per una trentina di persone più il palco per la musica, ci ha chiesto se saremmo interessati..."

"Proprio così," intervenne Milana, "stavo pensando ad una serata dedicata alla musica, qualcosa di privato, per pochi eletti. Voi non l'avete vista, ma la villa ha delle belle sale, e c'è un salone che sarebbe perfetto per questo evento..."

"Milana," le rispose Patrik, "se la villa è antica, forse il salone è nato proprio per questo. Sono sicuro che l'ambiente è quello giusto, e altroché, se sarebbe bello..."

"Martina mi ha detto che occorrono due violini, una viola e un violoncello. Contando Thomas, mancherebbe solo un altro violino, ma non ci sono difficoltà a trovarne uno, vero Martina?"

"No, signora," le rispose Patrik, "non ci sono difficoltà. Ma è sicura che Thomas ne abbia voglia? Lui è uno scalino sopra di noi, può darsi che non accetti. Quanto a me, ne sarei felicissimo, anche tu Martina, vero?"

"Certo Patrik, le ho già detto di sì anche per te, tanto sapevo che lo avresti detto..."

"Signora... Sì, Milana, verrei volentieri a suonare per voi, ma è meglio che chieda a Thomas..."

E a Janicek, pensava. Sperava di non aver rotto le scatole a nessuno... Forse era meglio far capire al più presto a Janicek che lui non era un rivale, Thomas era solo un amico e un collega. Doveva trovare il modo di dirglielo senza fargli capire quello che pensava. Forse poteva parlarne con Martina, o inventarsi una ragazza, o fargli arrivare all'orecchio che si era innamorato di

148

chissà chi, magari di Dagmar... Visto il tipo, forse ci sarebbe anche stata. Sì, correre ai ripari, subito.

"A cosa stai pensando, Patrik?" le chiese Olga, che nel frattempo li aveva raggiunti ed era curiosa di avere qualche informazione in più di quello che era successo con suo fratello e Thomas.

"Sto pensando che sono contento," le rispose, "Milana mi ha detto che vuole organizzare una serata musicale anche con me allo strumento, e mi fa un piacere che non ti immagini..."

"E' la tua giornata, Patrik. Insieme a mio fratello stiamo pensando di fare la stessa cosa nel cottage dei miei. Li abbiamo sentiti questa mattina e sono d'accordo. Anche noi abbiamo il posto adatto. Lo abbiamo già accennato a Thomas, e a lui l'idea piace..."

"Anche a tuo fratello? Con me? Ma sei sicura? Sai, poco fa non mi era sembrato..."

"Ho visto, non ti preoccupare. Janicek considera Thomas una sua proprietà personale... Non è né geloso né possessivo, neanche un po'... Se tu accetti la cosa e fai in modo che lo sappia, non ci sono problemi..."

"E Thomas cosa ne pensa?"

"A lui va bene così, è molto possessivo anche lui... Si sono trovati, non so cosa dirti..."

"Basta sapere, Olga, io sono l'ultimo che vuol dare fastidio al prossimo... Glielo dici tu, a tuo fratello, che non glielo rubo, il suo amico, che mi è simpatico anche lui, e che li vedo volentieri, tutti e due insieme, quando vogliono loro, per carità..."

"Va bene, ma non esagerare, non c'è niente di nascosto, niente da non poter dire..."

"E quella sua ragazza? Pensi che sia contenta anche lei di una serata di questo tipo? La musica che suoniamo può non piacere a tutti, forse lei preferisce un altro tipo di musica..."

"Penso anch'io che preferisca un altro tipo di musica, ma non è importante... Anche se non viene fa niente..."

"E tu ami la musica, Olga? Per caso suoni qualche strumento?"

"Certo che amo la musica, Patrik, e sì, da bambina pigiavo i tasti sul pianoforte. Poi ho smesso, e adesso il piano è nella casa dei miei, in campagna. Ma non sono ai vostri livelli. Di mestiere io faccio l'architetto, come Michal."

"E Janicek?"

"I miei ci hanno provato, ma non c'è stato niente da fare. Adesso, con Thomas, si è avvicinato alla musica classica, comincia a piacergli, ma penso che sia perché ce l'ha in casa..."

"Magari non è così, Olga, magari gli piace davvero. Sono solo le circostanze che lo hanno aiutato. Quando hai dentro l'amore per qualcosa, o qualcuno, prima o poi viene fuori. E' solo una questione di circostanze, di tempo, poi esce..."

"Penso che tu abbia ragione, Patrik..."

"Ragione a che proposito?" Era Michal, che li aveva raggiunti e che si era inserito nel discorso, "di cosa stavate parlando, voglio sapere..."

"Stavamo parlando di una cosa seria, Michal," gli rispose Olga, "parlavamo d'amore..."

"Capisco, stavi parlando di me..."

"Non fare lo scemo, Michal. Stavamo dicendo che quando hai qualcosa dentro, prima o poi esce. Può essere amore per qualcosa, o per qualcuno, ma viene fuori, sempre. Non si riesce a mettere da parte quello che hai dentro, mai..."

"E' vero, Olga. Hai ragione Patrik, quando hai qualcosa dentro, prima o poi viene fuori, più lo tieni nascosto dentro e alla fine più forte esplode... È una di quelle cose che alla fine dei nostri giorni ci fanno dire di avere vissuto..."

"Proprio così, Michal," rispose Patrik, "quello che hai dentro viene fuori sempre, anche per me... Comunque, stavamo parlando di cose più tranquille. Pensavamo a Janicek e al suo amore per la musica. Olga è dell'idea che se gli è venuto fuori solo adesso è perché ce l'ha in casa... Io non la penso così... L'aveva dentro, e Thomas ha tolto il tappo, come dire..."

"Thomas ha un'influenza straordinaria su mio fratello, non solo per la musica, Patrik. Lo capisco quando è così geloso di Thomas. Lo aiuta a pensare, a vedere con altri occhi chi lo circonda, a valutare meglio le persone intorno a lui..."

"Credo di aver capito... Anche tu lo hai molto in simpatia, gli sei affezionata..."

"E' il mio secondo fratello, il minore, mi ha preso il cuore..."

"Ehi, ragazza, e io chi sono?" le fece Michal bonariamente.

"Tu sei l'uomo della mia vita, è un 'altra cosa..."

"E me lo dici così? Tu sei l'uomo della mia vita, quindi sta lì tranquillo e non rompere le palle, è l'altro che mi ha preso il cuore..."

"Ma se anche tu sei affezionato a lui come se fosse tuo fratello piccolo, dì la verità..."

"Hai ragione, ci ha preso tutti e due... sai che non siamo mai andati a sentirlo in teatro? Patrik, tu pensi che si possa fare?"

"Ma certo che si può, anche questa sera stessa. Perché non gli fate una sorpresa e venite a sentirci? Stasera suoniamo tutti e tre. Se volete telefono e chiedo se riescono a procurarmi due biglietti, vi va?"

"Ce la fai tre? Lo diciamo a Janicek, ti va?"

"Posso provare. Prima è meglio chiederglielo, non

credi? magari ha già altri impegni..."

"Spero di no," rispose Olga, "comunque vediamo." Ciò detto si diresse verso il fratello, seduto insieme a Thomas ad uno dei tavoli sotto il tendone, davanti a un piatto di gulasch fumante che aspettava solo di essere divorato. Poco dopo tornò, e dalla faccia sua e da quella di Thomas seduto vicino a lui, capirono che la risposta era negativa.

"Non può. Deve andare da AnnCecilie. Le ha telefonato prima e stasera lo aspetta a casa sua. Pazienza, due ce la fai? Michal ed io verremmo volentieri."

"Okay, lasciami telefonare."

Allontanatosi per potere parlare in tranquillità, tornò poco dopo. "Trovati! Due biglietti di platea..." E guardando Martina che li aveva raggiunti, "lei non lo sa ancora, ma siete suoi ospiti, li ho messi sul suo conto..."

"No, poverina... Dicci quanto ti dobbiamo, non vogliamo approfittare della situazione..."

"Siete nostri ospiti... C'erano dei biglietti omaggio a disposizione dell'orchestra, e questi erano proprio gli ultimi due... Spero che possiate divertirvi. Vedrete, è un bel programma..."

"Sì," aggiunse Martina, "c'è la Carmen... Vi piacerà"

La giornata si avviava alla conclusione. Dopo essere passati tutti al buffet, ed avere raggiunto Thomas e Janicek al tavolo sotto il tendone, i discorsi erano già tutti per il prossimo raduno, e per la serata in villa. Il cachet offerto a Patrik e a Martina valse a Milana baci ed abbracci che fecero ingelosire Pavel, il quale ribatté che quei soldi erano i suoi, e che dovevano ringraziare lui, e non lei. Detto fatto, Patrik e Martina si lanciarono su Pavel, abbracciando anche lui e ringraziandolo calorosamente. Le lamentele di Thomas per l'averlo escluso da qualunque discorso finanziario vennero zittite da Milana con un "taci, tu fai parte della famiglia." Ma il suo sorriso fece contento Thomas. In cuor suo, sapeva già che non avrebbe mai voluto niente da loro. È vero, si sentiva parte della famiglia. Altroché, se si sentiva parte della famiglia, pensava, guardando Janicek...

Anche in macchina, mentre tornavano, "mi spiace che tu non venga stasera..."

"Spiace anche a me Tom, avevo già preso l'appuntamento. Non insistere. Ho già abbastanza confusione nella testa di mio, non ti ci mettere anche tu..."

"Immagino, Janci, lo so..."

Ecco, così era peggio, ma il vedere AnnCecilie quella sera pensava lo avrebbe aiutato a rimettere ordine nel cervello. E' vero, ieri si era comportata male, ma oggi al telefono era stata gentile. Gli aveva detto che lo aspettava e si sarebbero divertiti insieme, loro due da soli. Il problema era che lui avrebbe preferito andare a sentire Tom, con Michal e sua sorella. Per fortuna Tom si era messo tranquillo e guardava i boschi fuori dal finestrino. Non aveva detto più niente, è vero, ma non aveva l'aria triste e rabbuiata che temeva. Arrivati a casa, aveva avuto appena il tempo di cambiarsi, prendere il violino ed andare in teatro, e, a peggiorare le cose, lo aveva salutato con un "suonerò per te", al quale aveva risposto con un "va' via", e meno male che era uscito. Si sdraiò sul divano e dopo un po' si spogliò e andò sotto la doccia. Era sicuro che stare sotto l'acqua gli sarebbe servito, così come mangiare qualcosa prima di uscire.

L'atmosfera nella macchina di Patrik e Martina era decisamente diversa. Felici delle due serate e del cachet promesso da Pavel, avevano la testa che turbinava. Per la musica la scelta fu immediata. "Cosa ne dici di Eine kleine Nachtmusik?" gli chiese Martina.

"Certo, poi cerchiamo qualcos'altro da metterci insieme..." Decisero che la cosa migliore era proporre a Thomas la loro idea e sentire cosa ne pensava lui. Oltretutto non sapevano se conosceva la parte e, se no, se avesse voglia di impararla. Già, lui...

"Martina, ti sei accorta di oggi, quello che è successo?"

"Cosa? Ne sono successe tante..."

"Forse tu non hai visto, ma poco prima di pranzo, mentre ci avviavamo al buffet, ho messo un braccio sulla spalla di Thomas e Janicek me lo ha strappato e se lo è portato via, come se avessi cercato di rubarglielo..."

"Forse è proprio quello che ha pensato, Patrik..."

"Tu dici?"

"Sì. Thomas, da quando è qui, non ha mai parlato di uscire con qualcuna o di qualche sua amica rimasta a Londra. I suoi discorsi, al di là della musica, sono solo di Janicek. Lui qui lui là. Mai della sua ragazza, eppure sappiamo che ce l'ha, AnnCecilie. In più è anche una bella ragazza e lui mai una considerazione. Non ci vuole molto..."

"Può essere... Come dici tu, qualche volta le verità più nascoste sono quelle che uno ha davanti agli occhi..."

"Sì, comunque non sono fatti nostri. Contenti loro, contenti tutti."

"Stasera non viene a teatro. Va da lei. Vediamo la faccia di Thomas, cosa ne dici?"

"Vediamo. Speriamo che ad Olga e Michal la serata piaccia. Con quello che ci hanno promesso non possiamo deluderli. Quanto a Thomas, va a capire..."

La serata era stata un successo, e gli applausi erano durati a lungo, compresi quelli di Olga e Michal. Come d'accordo, dovevano vedersi all'uscita degli artisti, per andare a bere una birra tutti insieme. E "...Janicek, cosa ci fai qui?"

"Olga, avevo voglia di bere qualcosa con voi, allora le ho detto che avevo mal di testa. Tanto lei ha sempre qualcosa da fare, e via io, era già al telefono... Thomas è già uscito?"

"Non ancora, lo stiamo aspettando... Ah, eccolo. Ci sono tutti e tre."

Alla vista di Janicek, Thomas non fece neanche finta di dissimulare la sua contentezza, e il suo sorriso gli entrò dritto nel cuore, e anche più giù. Lì era meglio non indagare.

"Oh, ci sei anche tu... non ti aspettavo... "e poi, guardandolo negli occhi, "tutto a posto?"

"Si, tutto a posto. Volevo prendere una birra con voi, e così vi ho raggiunto. Se non mi vuoi vado a casa, ci vediamo là..."

"Certo, scemo, prendiamo una birra insieme agli altri, poi andiamo a casa e così ci vediamo là..."

Si avviarono, tutti contenti, ma due felici. In birreria Patrik fece attenzione a dove sedersi, trovò posto fra Martina ed Olga, e stette attento a come comportarsi con Thomas. Meglio non rischiare. Martina aveva ragione. Non c'era altro motivo per cui Janicek dovesse trovarsi lì. Li osservava non visto mentre parlavano tra loro, e la complicità che traspariva dal loro comportamento ne era la conferma. Niente di male, fatti loro, come diceva lei.

La serata non andò per le lunghe. La giornata all'aria aperta ed il concerto avevano stancato tutti, e così, poco dopo, si salutarono e si avviarono verso casa. Patrik accompagnò Martina, Olga e Michal a casa di Michal, Thomas e Janicek a casa loro.

Thomas si spogliò in fretta e si mise i bermuda con i quali dormiva di solito. Sul letto, in camera sua, con la luce accesa sul comodino, stava leggendo il programma del raduno, che si era portato a casa per ricordo. Si sentiva stanco... Però, che giornata....

Janicek era venuto a prenderlo al teatro... Era una sua vittoria - certo che lo era - nei confronti di AnnCecilie e della sua amica. Sentiva Janicek trafficare in soggiorno, ma non ci faceva caso anzi, meglio, la cucina faceva paura ed andava sistemata ancora dalla mattina precedente, quando erano partiti di gran carriera per andare a prendere Olga. Ad un certo punto, senza bussare, Janicek entrò in camera sua. Anche lui già in pigiama e pronto per la notte.

"Ti sei finito la bottiglia della slivoviz? Si sente da qui che hai bevuto..." gli chiese Thomas.

"No, solo un bicchierino, ne ho portato uno anche per te. Dormi?"

"Sta a sentire. Sono qui con la luce accesa, sto leggendo il programma del raduno di oggi e sto parlando con te che mi hai portato la slivoviz a letto... No, non sto dormendo..."

"Cosa ne so, ho visto la luce accesa e sono entrato a vedere se dormivi..."

"E' vero, di solito dormo con un lampione in faccia, ma non se ne accorge nessuno... Janicek, fuori il rospo... Cosa è successo?"

"Niente, non è successo niente..."

"Sì... Come no..."

Janicek aveva appoggiato il bicchiere sul comodino e si era seduto di fianco a lui, sul letto. Lo prese e se lo bevve tutto d'un fiato.

"Tanto tu non ne avevi voglia, così l'ho bevuto io... Ti spiace?"

"Neanche un po', figurati". Prese il cuscino e glielo tirò in testa. "Ti spiace?" Janicek non rispose, lo scavalcò e si sdraio sul letto, dall'altra parte, appoggiandogli quasi la testa sulla spalla.

"Fuori il rospo. Cosa è successo?"

"Niente... Quando sono arrivato ha continuato a parlare con Denisa del nuovo lavoro... come se nemmeno fossi lì. Mercoledì qui, mercoledì là, cosa mi metto, cosa ti metti. Quando finalmente mi ha visto, ha cominciato a chiedermi, cosa ne pensi se io, se io, se io... Sono venuto via, e lei era ancora al telefono... Hai ragione Tom, quella di me se ne frega, di me non gliene importa un accidente di niente... Se ne frega... Un accidente..."

"Vede le cose in modo diverso da te, lo sai. Non è cattiva, pensa a se stessa. E questa storia del lavoro la prende molto, è scatenata. Non sei in cima ai suoi pensieri, tutto qui."

"E in cima ai tuoi, di pensieri, ci sono?... Ci sono?..."

"Sì, lo sai benissimo. Adesso hai bevuto, sta qui tranquillo cinque minuti con me... Se vuoi leggiamo insieme il programma, poi vai a dormire, okay?"

Troppo tardi. Si stava già addormentando, mezzo nudo, fuori dalle coperte, con la testa appoggiata sulla sua spalla. Visto che era inutile svegliarlo o cercare di spostarlo, prese le coperte e gliele avvolse intorno, e ci si avvolse insieme a lui. Gli sistemò il cuscino, spense la luce. Quando Janicek si svegliò, verso le tre di notte, si rese conto di dove si era addormentato, sì alzò stando attento a non svegliare Tom, gli rimise a posto le coperte e tornò in camera sua.

Capitolo 15

"Va meglio?"

"Per cortesia Tom, non urlare in quel modo..."

"Più piano di così ti scrivo un biglietto... Si può sapere cosa hai bevuto ieri sera mentre ero in camera?"

"Due bicchierini, il mio e quello che ti ho portato... e un altro prima, da solo, forse due..."

"Sì, due bottiglie... sai, non russi..."

"Davvero? mi sono addormentato..."

"Vuoi il caffè? Ti basta una caffettiera o ne vuoi due?"

"Una... Dimmi, mentre dormivo ti sei approfittato di me, hai allungato le mani, hai fatto cose da non dire?"

"L'idea era quella, ma mi sono addormentato... Non eri così sexy, sei vecchio... Oramai non servi più a niente..."

"Parla per te... Lo sai che la settimana prossima è il mio compleanno?"

"Sì, quando esattamente?"

"Venerdì non questo, il prossimo..."

"Festa, eh?"

"Di solito ci pensa Olga... Cosa ne dici se facciamo qualcosa qui in casa? Compriamo da mangiare, invitiamo un po' di gente, ti andrebbe?"

"Sì, va bene... se non ho la serata libera la chiedo, anzi, controllo e se no la chiedo stamattina stessa..."

"Te la danno?"

"Credo di sì, mancano dieci giorni e un sostituto lo trovano... Peccato che ieri tu non sia venuto... È stata una bella rappresentazione, mi ha fatto i complimenti anche il direttore..."

"Ti ha invitato a cena?"

"No, non quei complimenti... Gli avrei detto di no, lo sai... Potresti venire a sentirmi in teatro, un biglietto te

159

lo trovo..."

"Certo che vengo... Ogni sera va bene. Se hai il biglietto mi organizzo col lavoro ed esco prima..."

"E AnnCecilie?"

"Lasciala perdere... Oramai pensa di essere una star di Hollywood, per noi mortali non c'è posto..."

"Janci..."

"Cosa?"

"No, niente... Bella l'idea di Milana per la serata col quartetto... Hai visto come erano contenti Patrik e Martina?..."

"Ho visto sì... Per me si sono messi a cantare in macchina per tutto il viaggio di ritorno... Ieri sera erano senza voce..."

"Vero, hai ragione... Hanno bisogno tutti e due di guadagnare, e Milana è stata molto generosa..."

"Ci facciamo dare una percentuale?"

"Poveracci... Sai che faccia farebbero? Capaci di dire di sì..."

"Li invitiamo venerdì alla festa?"

"Okay, oggi li vedo e glielo dico. Dovrebbero essere in orchestra tutti e due... Senti, bel maschio, non avrai qualche idea su Martina, o magari su Patrik?"

"Meriteresti..."

"Non dirmi così, ti prego... Già oggi sarà una giornata difficile. C'è un nuovo direttore e ce ne sarà per tutti... Spero non mi faccia a pezzi". Finì il caffé e ad occhi bassi concluse: "Vorrei tornare a casa vivo..."

"No Tom, ti prego... se muori come faccio con le spese?" La battuta era diventata un tuffo al cuore. Mai avuta prima, l'idea di perderlo, o che si facesse male lo aveva colpito, gli aveva mosso il sangue prima di rendersene conto... "Se vuoi ti chiamo più tardi per sapere come è andata"

"Oh sì... Verso la una andiamo in pausa, sarei contento..."

Sarò imbecille, pensava Janicek in macchina mentre andava al lavoro. Aveva detto che avrebbe avuto una giornata difficile al lavoro, e lui si era spaventato come se stesse andando sotto un tram. Anche ieri sera, con AnnCecilie e la sua amica... Voleva solo andarsene e aspettare Thomas all'uscita del teatro. Non aveva voglia neanche di scoparla, non gliene importava un accidente... Era così, inutile nasconderselo... Una giornata al lavoro lo avrebbe aiutato a non pensare... Alla una avrebbe chiamato Tom, solo per sentire come andava...

Più tardi, pensò che con AnnCecilie si era comportato male. Se ne era andato mentre lei gli spiegava i suoi progetti per il lavoro, i suoi sogni... Avrebbe potuto ascoltarla, darle retta... Forse si era offesa...

"Ciao, ti disturbo?... No... Sì... Volevo solo sapere cosa hai fatto poi ieri sera dopo che sono andato via... Non era una gran giornata sai, ero stanco... Ah, sì? ... Tutto bene... A presto..."

Ecco fatto... La più inutile delle telefonate... Quasi non se ne è accorta... Per me non si è accorta neanche che ero arrivato... Ha ragione Thomas, e anche Olga... Mi tiene solo per scopare... Che meraviglia... Ma non si è mai innamorata? Non le è mai battuto il cuore per uno che la facesse sorridere, o non le è mai capitato di aver voglia di star vicino a qualcuno solo per il piacere di stare con lui?... Quanto manca alla una?... Se le dicessi buona fortuna e va per la tua strada?... Tanto c'è già, per la sua strada...

"Janicek, dove hai il cervello? Sei qui con noi?" era il suo capo che lo riportava nel mondo dei vivi. "Ricordati, oggi pomeriggio devi andare da quello delle salse del barbecue. Senti cosa dice e fatti venire in mente qualcosa, come con quelli del cioccolato. Con loro è andata bene, cerca qualcosa anche per lui, chiaro? E un'altra cosa... anche se sei innamorato non è il caso di avere la testa nelle nuvole tutto il giorno. Lo vedi stasera, il tuo grande amore..."

Perfetto. Il boss ha centrato il problema... E adesso?... Adesso aspetto la una e telefono... E chi se ne frega di tutto e di tutti, non devo dire niente a nessuno... Arriverà la una...

Finalmente, alla una, "Ciao Tom, e allora?"

"Tutto bene, okay... Ho chiesto per venerdì prossimo e sono libero. Possiamo organizzare, se vuoi..."

"E col direttore?"

"Sono intero. Sono sopravvissuto, non mi ha invitato a pranzo e ho tutti i pezzi attaccati..."

"Tutti?"

"Sì. Tutti. Anche quelli che mi vuoi attaccare al muro"

"Bene, tienilo da conto, non si sa mai..."

"Janicek, ti prego, non dirmi queste cose... Sai che se mi parli così mi si muove qualcosa dentro, e sono guai..."

"Esagerato... Lo sai anche tu, quella parete è vuota, e qualcosa di appeso ci starebbe bene... A Martina e Patrik hai detto qualcosa? Pensi che vengano?"

"Non li ho ancora visti, quando sono qui glielo dico... Per me vengono anche sui gomiti, pronto a scommettere..."

"Sempre per via del cachet di Milana?"

"No, per me..."

"Sì certo... Senti, oggi sono in giro e devo andare a vedere il cliente delle salse del barbecue... Se ti passo a prendere alle sei e mezzo va bene? Prendiamo una birra..."

"Sei e mezzo perfetto. Ce la fai a farti dare un campione di salse? Ce le mangiamo stasera coi wurstel, se vuoi..."

"Okay, chiedo. Alle sei e mezzo. A dopo Tom."

"A dopo... Grazie, grazie di tutto..."

Perfetto. I wurstel... Sono morto, pensava Janicek

chiudendo la comunicazione. E mi ha anche ringraziato... Cosa gli dico, che mi fa venire in mente, della salsa che cola da un wurstel, bello grosso, e che mi metto in bocca... E me lo mangio tutto... Ti mangio, Tom... Cosa gli dico...

Da tutt'altra parte, con tutt'altro per il cervello, Denisa e AnnCecilie erano sedute una di fronte all'altra al ristorante, ansiose per i tanto attesi colloqui di mercoledì e infervorate a discutere di quello che si aspettavano dai loro nuovi impieghi, se mai fossero riuscite a farsi assumere...

"Ce la faremo, Denisa?" le chiedeva AnnCecilie, "Otterremo il lavoro?"

"Io penso di sì, secondo me abbiamo fatto buona impressione, altrimenti non ci avrebbero confermato l'appuntamento. Avrebbero detto di doverci pensare e, nel caso, ci avrebbero contattato loro. Invece ci aspettano e ci hanno già parlato di riprese in esterni e del film che devono cominciare a girare con quella casa di produzione americana."

"E' vero, hanno parlato di un film in costume, ambientato nel settecento o giù di lì. Tu dici che è fatta, Denisa?"

"Sì, sono sicura. Per noi è importante firmare un contratto, poi una volta dentro vedremo. Impareremo a muoverci in quell'ambiente. Ce la faremo..."

"Speriamo. Mi piacerebbe conoscere qualche attore, sai, uno di quelli che quando lo vedi ti viene la bava alla bocca e gli dici prendimi, fa di me quello che vuoi..."

"Sì, a te dice vammi a prendere il giornale, cosa vuoi che ti dica... Ti sei vista?"

"Sì, mi vedo tutte le mattine, ho i miei numeri..."

"Certo cara, comincia a contare ma guarda che li finisci in fretta... A me basterebbe avere il lavoro, in modo da non pesare su nessuno, io e il bambino. E se poi trovo uno straccio di marito che è disposto anche a fargli da padre, mi basterebbe. Un uomo che mi voglia bene, e non si spaventi se mi vede al mattino senza trucco... Tu no? non pensi ad una possibilità del genere?"

"No cara, non ci penso proprio. Voglio avere intorno gente famosa, frequentare il bel mondo. Gente ricca, i giornali..."

"Sì... Cronaca nera, crolli finanziari, su un atollo del Pacifico... Ti ci vedo, che trascini un baule di soldi sulla sabbia, e intanto sorridi al fotografo... Con le tette al vento, così la foto viene meglio..."

"Esagerata, mi basta una foto davanti alla banca col mio nome scritto sopra..."

"Torna sulla terra, AnnCecilie, capita a poche, e sempre alle altre..."

"Be' sì, però la voglia di far carriera ce l'ho. Voglio sfondare nel mondo del cinema. Affiliamo le unghie, Denisa, diamoci da fare... Ti va un bicchierino?"

"Sì, ci vuole, poi paghiamo e andiamocene. Abbiamo un sacco di cose da fare, oggi..."

Come nelle previsioni di Denisa, i colloqui di mercoledì andarono bene e il loro contratto fu confermato. Denisa poteva iniziare subito, AnnCecilie doveva rispettare le due settimane di preavviso dove lavorava, ma poi subito sul campo. Leo, il regista, la aspettava, c'era molto da fare. L'assistenza a quella troupe di americani andava organizzata nel migliore dei modi, era una grossa opportunità e non andava sprecata. Denisa si rivelò un ottimo acquisto. Veloce e organizzata, cominciò subito a darsi da fare. La sua bellezza passò in secondo piano, e per lei fu un sollievo arrivare in ufficio senza trucco e coi suoi magnifici capelli rossi raccolti in una modesta coda di cavallo. E il lavoro le piaceva, e non la spaventava. Ma non poteva pensarci prima, si diceva... Per dare retta ad AnnCecilie si era lasciata andare ad una vita che, lo capiva adesso, non era la sua. Colpa anche del suo ex, che la vedeva solo come un trofeo da portare in giro, sempre truccata e pettinata come una star. E ci aveva fatto un figlio. Meno male che il bambino era dai nonni... Se continuava così, poteva portarselo a casa e tenerlo con lei. Magari... Con questi programmi, e questi pensieri, da subito aveva cominciato ad arrivare in anticipo sul lavoro, a ad essere sempre di buona lena. Il fatto non era passato inosservato a Jirina, la moglie del direttore, responsabile del personale. Speriamo che anche l'altra sia così, pensava, tra pochi giorni è qui, vedremo. Se è così, è un bel colpo. Vedremo. Per adesso...

"Denisa..."

"Sì, signora?"

"Ti piace venire a lavorare qui?"

"Ho paura a dirlo ma sì, mi piace, mi piace molto. Spero che alla fine dei tre mesi di prova il lavoro mi venga confermato e che possa restare..."

"Vedremo, cara, quello che si potrà fare. Nell'attesa, avresti voglia di dare una mano a me, con la gestione della casa di produzione e delle attività dei dipendenti?... È un lavoro con qualche responsabilità in più di quello che fai adesso, occorre più attenzione, ma secondo me hai le capacità per farlo, e io ho bisogno di uno che mi dia una mano subito... Ti andrebbe? porteresti anche a casa qualche soldo in più..."

"Sarei contentissima, signora... Quando devo cominciare?"

"Subito, cara, vieni con me..."

"Eccomi. Grazie, grazie infinite"

Bella e cara. Ottimo acquisto, pensava la signora. Le ricordava un po' lei quando era ragazza. Non era stata bella come lei, lo riconosceva, ma anche lei era una rossa alta, slanciata. Avevano avuto quasi la stessa storia... Anche lei aveva avuto un figlio da uno che la aveva mollata senza darle un soldo, aveva trovato lavoro qui dove lavorava ancora, e qui aveva trovato il suo uomo, che la amava ancora e le portava le rose a casa una volta alla settimana. Forza ragazza, vieni a lavorare con me... Ti porterò fortuna...

A proposito di fortuna, in quei giorni uno sicuramente fortunato era Thomas. Janicek non era più andato a casa di AnnCecilie. E quanto ad AnnCecilie... Al telefono con Janicek, gli diceva dei suoi sforzi per capire il cambiamento di Denisa e non si dilungava in spiegazioni sui suoi nuovi giri. Per il lavoro... Certo, per il lavoro... Risultato, Janicek passava tutte le serate con Thomas, lo andava a prendere a teatro quando usciva, alla fine delle rappresentazioni, bevevano qualcosa, stavano insieme. Anche questo fine settimana. Erano andati a vedere il Castello, il Ponte Carlo, il mercatino sotto Piazza Venceslao e sabato sera erano con Olga e Michal in una birreria sulla Vinohradska, dove erano già andati un paio di volte.

"Allora," disse ad un certo momento Olga, "cosa hai in mente per il tuo compleanno, Janicek?"

"Niente di speciale, non ti disturbare... Mi bastano i fuochi d'artificio al Castello, la banda sotto casa, il Presidente della Repubblica che mi dice bravo, auguri..."

"Soltanto?... E poi?"

"Una macchina nuova, qualche vestito, un viaggio sulla luna, poca roba..."

"Sulla luna ci sei già, vedi di scendere subito... Thomas diceva che vorreste organizzare qualcosa da voi, invitare un po' di amici..."

"Sì, fatemi capire che mi volete bene, che sono

importante... esagerate..."
Michal lo guardò bene in faccia. "Ti va bene un biglietto del metrò?"
Olga rincarò la dose. "Ottima idea, Michal... Un biglietto del tram per uno, ti va? Però non esagerare ad andare avanti e indietro per tutta Praga... Usali uno alla volta, non finirli tutti subito... Thomas, tu ci stai?"
"No, Janicek ha paura del tram, e poi per lui forse è un po' troppo... Ci vuole qualcosa di più modesto, se no si monta la testa, Olga... Lo conosci..."
"Vero... A cosa pensi Thomas?"
"La verità? Penso che lo coprirei d'oro, se potessi, ecco cosa penso... Vorrei regalargli solo il meglio che si può avere sulla terra... Solo il meglio..."
"No, non vale..." disse Michal, "così ci fai piangere tutti, mascalzone..."
"Un regalo te lo faccio... Una sorpresa, lasciami pensare..."
Janicek stava per saltargli addosso e mangiarselo. Avrebbe potuto, sua sorella e Michal non avrebbero detto niente, ma poi lo avrebbe abbracciato fino a strozzarlo, e sarebbe stata un'ottima idea, e non sapeva perché non lo aveva ancora fatto... Thomas lo aveva guardato con quegli occhi che lo perforavano ogni volta che aveva in mente di dirgli quel qualcosa... Per fortuna, non veniva mai detto, ma lui, dentro di sé, sapeva. Non c'erano parole, per certe cose, no, non ce n'erano...
"E da mangiare? Cosa compriamo?" fece Olga. "Inizierei con delle tartine, per mettere tranquilli tutti subito... Facciamo girare quelle, qualcos'altro, e del gulasch come piatto forte..."
"Anche i wurstel con sopra le salse del barbecue," aggiunse Thomas, "Janicek ne ha portate a casa da un suo cliente ed erano buone... Potremmo fare un bel vassoio coi wurstel tagliati a fette, con sopra le salse,

e dell'insalata tutto intorno. Ti andrebbe, Janicek?"
Anche i wurstel tagliati a fette... Belli grossi... Chissà
che male... Con sopra la salsa... Possibile che solo a
lui venissero in mente certe cose, e che solo a
Thomas venissero in mente di dirle, quelle cose?... Si
rendeva conto? Con l'insalatina tutta intorno, riccia,
scommetto... Povero me...

"Un'ottima idea, Thomas", condivise Olga, "gli
antipasti, poi i wurstel, il gulasch e per finire vi
andrebbero delle palacinke dolci, piccoline, e la torta
con le candeline... Perfetto. Cosa ne dici Janicek?"

"Come vuoi..." Perfetto, ci mancavano solo le
palacinke. Meno male che non ha pensato a due
bignè salati, l'insalatina riccia e le palacinke bene
arrotolate in mezzo, per il lungo... E la salsa sopra, in
cima...

"Janci, si può sapere cos'hai nella testa?" Era Thomas
che lo osservava ridendo, fissandolo negli occhi, "non
ti vanno le palacinke? Sono buonissime, a me
piacciono molto... sono sicuro che piacerebbero anche
a te..."

Questo mi ha letto dentro, pensò Janicek, ricambiando
perplesso il suo sguardo. Non volendo approfondire,
preferì cambiare argomento.

"Quando mi fai venire a teatro? Mi avevi promesso
che mi portavi una sera, invece hai portato mia sorella
e Michal, e mi hai lasciato a casa..."

"Ti andrebbe martedì? E' lo stesso programma di Olga
e Michal quando sono venuti. A voi è piaciuto, no?"

"Sì, il tempo è volato. Sì, Thomas, portalo con te tutte
le sere... Istruisci un po' questo caprone..."

"Cercherò... E per il suo compleanno? Se gli compro
un libro, non con le parole, troppo impegnativo... Con
le figure, così comincia a imparare e si fa una
cultura..."

"E' un idea, Thomas... Non dirgli niente... Facciamogli

una sorpresa..."

"Sì, una sorpresa..."

La voce di Thomas lo abbracciava. Possibile che se ne accorgesse solo lui... Quando gli parlava in quel modo gli girava la testa, partiva qualcosa e gli si muoveva tutto dentro... A casa bevo, pensò, tutta la bottiglia. Anche il vetro.

Oramai era tardi, ed erano fra gli ultimi clienti rimasti. Sulla strada si salutarono, con l'accordo di sentirsi il giorno dopo. Olga sarebbe passata da loro per vedere cosa mancava per venerdì, e organizzarsi per portare il necessario da casa sua.

Mentre tornavano a casa, nell'aria frizzante della sera, loro due da soli per la strada, all'improvviso Janicek mise il suo braccio sopra le spalle di Thomas, lo guardò bene in faccia e gli disse: "Tu e i tuoi wurstel... La pianti di volermi tagliare l'uccello a fette?"

"Eh?... Ma sei scemo?" gli rispose Thomas con una risata, ricambiando l'abbraccio.

Capitolo 16

I velluti rossi e le porte di legno scuro del teatro Nazionale sfoggiavano la loro antica eleganza e davano a Janicek, già mentre entrava, l'idea che quel lusso riguardasse solo lui, lui e il suo Thomas. Sentiva qualcosa che diceva guardatemi, sono qui per lui, questa serata è per noi... Sapeva che non era vero, ma a lui andava bene così, gli piaceva pensarlo e godersi ogni momento di questa sera speciale. In ufficio gli avevano chiesto se, uscito di lì, andava a sposarsi. Si era limitato a sorridere, e adesso era seduto ad una poltrona di platea, abbastanza avanti, dove poteva vedere bene la rappresentazione. Thomas no, era nella buca dell'orchestra. Però poteva sentirlo. Di fianco aveva una coppia di signori molto anziani, così in ordine, così affiatati che gli avevano fatto sognare un futuro uguale anche per lui, ma non con AnnCecilie, no... no davvero. Era arrivato prima ed aveva aspettato Thomas all'ingresso degli artisti, e lui gli aveva detto sei uno schianto, non firmare autografi. Applaudi solo quando gli altri hanno già cominciato, e non smettere più. Ci vediamo quando esco, fa il bravo e non prendere caramelle dagli sconosciuti. E lui non le aveva prese, anche se si era accorto di essere osservato da qualcuno, che forse gliele avrebbe anche offerte, le caramelle...

"Anche lei ama l'Opera, signore?" Era la sua vicina, che gli rivolgeva la parola con quell'aria gentile e affabile delle signore anziane quando parlano a ragazzi che potrebbero essere i loro nipoti...

"Sì, grazie signora. Sono qui per sentire un mio amico che suona nell'orchestra"

"Ah, allora non mi sbagliavo. Lo conosci bene, questo

171

tuo amico?"

"Sì, signora, viviamo insieme..."

"Allora lo conosci bene davvero... Questo tuo amico è fortunato, a vivere insieme ad un bel ragazzo come te. Conosci l'opera di questa sera?"

"Ho sentito qualcosa quando provava in casa, ma solo la sua parte. Mi piace quando suona, mi parla dentro... È una cosa strana, non la musica di stasera, ma quando suona ogni tanto si intristisce, come se qualcosa lo ferisse, e mi sento triste anch'io... Poi mi passa, però mi prende..."

"E' come hai detto tu. Agli artisti succede, suonano una musica che li colpisce più di un'altra, li prende, li porta via. E portano via anche te... Se non lo sai tu, che ci vivi insieme..."

"Sì, è proprio così, signora..." Ma è lui, non la musica, pensava, che ti prende, ti ruba il cuore e se lo porta via... Le luci si spensero, si alzò il sipario, la gente cominciò ad applaudire, e la musica iniziò. Anche se non lo vedeva, sentiva solo il suo Tom e si ripeteva la sua promessa, suonerò solo per te... Ma non potevano far suonare solo lui, da solo, sul palcoscenico? Cosa c'entravano tutti gli altri? Chi li voleva? E tutta questa gente? Non potevano stare a casa loro?...

Sì comportò da bravo ragazzo. Non staccò gli occhi dal palcoscenico per tutta la sera, applaudì solo quando gli altri avevano cominciato e fu attento ad essere sempre l'ultimo a smettere. Durante l'intervallo rimase seduto al suo posto, sperando di vederlo, senza curarsi degli sguardi che gli arrivavano, e alla fine del concerto, salutati i signori vicino a lui, promesso che avrebbe portato i loro complimenti al suo amico, si precipitò all'uscita degli artisti, dove Thomas era lì ad aspettarlo.

"E allora? Ti è piaciuto?"

Di nuovo vicino a lui, gli rispose, con un'aria di sufficienza che non ingannava nemmeno le colonne del portico. "Sì... mi è piaciuto. Ti porto anche i complimenti dei signori vicini a me. Sai cos'hanno detto? Che sei molto fortunato a vivere insieme a me..."

"Che cosa? È evidente che non ti conoscono, sbruffone... Lo hanno detto davvero?"

"Sì"

"E tu cos'hai risposto?"

"Niente. È vero, cosa dovevo dire?"

"Che sei tu il fortunato, a vivere insieme a me. Questo ti costerà una birra, anzi, del vino... E dimmi la verità, ti è piaciuto?"

"Sì, molto, Tom, moltissimo..."

"Ecco... Adesso andiamocene, ho freddo, mi manca il fiato..."

A casa, dopo il vino, mentre Janicek preparava la slivoviz per celebrare la conclusione della serata, Tom gli disse: "Sai, questa sera eri bellissimo. Se non fossi già innamorato di te mi sarei innamorato subito. Eri anche pettinato..."

Janicek lo guardò, senza parlare, con la bottiglia in mano. Thomas proseguì. "E' stata dura, eh?"

"Dura cosa?"

"Cercare di pettinarsi..."

"Bevi e affogaci... La prossima volta vengo in pigiama e con le ciabatte..." E, finiti i bicchierini, riempiendoli di nuovo, "adesso," disse, "bevi anche questo, poi va in camera tua e chiuditi dentro... E non uscire. Chiaro?"

Poco dopo, augurata la buona notte l'uno all'altro, dopo ancora qualche complimento e una pacca sulle spalle, Thomas entrò in camera sua e chiuse la porta. Anche Janicek entrò nella sua stanza. Si appoggiò prima alla porta chiusa, e poi al muro che lo divideva da lui, il capo chino, la testa sulla parete... Andò a letto e rimase a lungo abbracciato al cuscino, fino a quando si addormentò.

Mancavano pochi giorni al suo compleanno. Olga era venuta un paio di volte per controllare ed aiutare coi preparativi. Aspettavano una trentina di persone, e la casa sarebbe stata al limite della capienza. Il menù era stabilito, piatti posate e bicchieri erano arrivati Thomas aveva appeso dei festoni sui muri, e un bel cartello con la scritta Happy Birthday era stato appiccicato dove avrebbe dovuto esserci il famoso quadretto. AnnCecilie, pur lasciandosi cadere dall'alto, aveva promesso di venire, ed anche Denisa aveva accettato volentieri. Sarebbe andata dal bambino il giorno dopo pur di stare con loro venerdì. Tutto pronto. Parlando con Thomas su come sarebbe andata la serata, Janicek la sera prima non resistette, e venne al nocciolo di quello che gli stava più a cuore.

"Cosa mi regali domani?"

"Lo sai... il biglietto del tram..."

"No, per davvero..."

"E' una sorpresa, se no che regalo è..."

"Dai, una piccola anticipazione me la puoi dare, no?"

"No... Piuttosto dimmi, domani pomeriggio sei in ufficio e poi vieni qui direttamente?"

"Sì, sono in ufficio tutto il giorno, ho detto che venivo via prima perché avevo gente in casa per la mia festa..."

"Allora sanno che è il tuo compleanno..."

"Sì. Lo sanno. Verso le quattro beviamo qualcosa, e dopo vengo a casa. Tu a che ora arrivi?"

"Verso le sei... Prima non ce la faccio. Tanto gli altri cominciano ad arrivare verso le sette, sette e mezzo, faccio in tempo..."

"Dai, cosa mi regali?..."

"Ti ho detto che è una sorpresa... Non rompere..."

L'ufficio dove lavorava Janicek era al primo piano di

una vecchia casa affacciata su una piazzetta di Mala Strana, con un piccolo giardino e delle viuzze che si perdevano fra le case del quartiere, e qualche turista incuriosito in cerca di scorci meno abituali di quelli conosciuti. Alle quattro avevano portato dei vassoi col vino e le tartine offerti da Janicek. Tutti avevano un bicchiere in mano e conversavano, contenti per l'aria di festa e la mezz'ora di pausa, boss compreso, al quale non dispiaceva ogni tanto bere un bicchiere di vino e stare in compagnia. Appoggiato vicino a una finestra stava conversando con una segretaria, quando, lontano, sentì il rullio di un tamburo. Girandosi, guardò incuriosito giù nella piazzetta. "Cosa diavolo?..." mormorò fra sé, aprendo la finestra. La segretaria seguì il suo sguardo, osservando anche lei quello che accadeva di sotto, nella stradina.

Un tamburino. Una redingote grigia dal colletto rigido, i pantaloni con la banda, il kepi sulla testa e il tamburo a tracolla. Camminava lentamente. Arrivava da una delle viuzze e si dirigeva verso la piazzetta, a passo da parata, lo sguardo in avanti, fisso. La poca gente intorno lo guardò incuriosita. Cominciarono a scattare delle foto. Sulle spalle il tamburino aveva uno zainetto con un altoparlante da cui usciva della musica. Il boss aprì la finestra per sentire meglio, ed anche gli altri aprirono le finestre, e si affacciarono per vedere. Anche Janicek, dalla finestra accanto. Il tamburino si avvicinò e la musica diventò più forte. Una canzoncina di Natale che accompagnava col tamburo. Janicek lo riconobbe immediatamente, bellissimo, i capelli sugli occhi, i lineamenti fini. Era il suo fanciullo indifeso, il ragazzo che doveva lottare contro avversari più grandi di lui, giù, da solo, senza di lui... Si sentì morire dentro, si sciolse per la commozione. I suoi colleghi e il boss guardavano, ascoltavano, commentavano... Thomas si avvicinò, qualcuno per la strada cominciò a seguirlo. Ecco la sorpresa, Janicek si disse... Ecco perché voleva sapere se oggi sarebbe stato in ufficio. Lo guardò venire verso di lui... Com'era bello. La musica era diventata più chiara e cominciò a canticchiare le parole, sottovoce, da solo, ipnotizzato dal rullo del tamburo che Tom continuava a percuotere con le bacchette... Ipnotizzato da lui, attaccato alla mezza finestra rimasta chiusa, le mani sui vetri, gli occhi su di lui, solo su di lui...

"Come they told me pa rum pum pum pum
A new born King to see pa rum pum pum pum
Our finest gifts we bring pa rum pum pum pum..."

Sapeva che quella musica era per lui, che quelle parole erano per lui, che quel re era lui, che quei regali erano per lui...

"I am a poor boy too pa rum pum pum pum
I have no gifts to bring pa rum pum pum pum
Shall I play for him pa rum pum pum pum
On my drum?
I played my drum for him pa rum pum pum pum
I played my best for him pa rum pum pum pum..."

Incantato, in silenzio, senza nessuno attorno, lo guardò attraversare la piazza, e scomparire lentamente dietro l'angolo.

I suoi colleghi, uno alla volta, chiusero le finestre e cominciarono a commentare il piccolo spettacolo cui avevano assistito. Bello, divertente, si dicevano... qualche film... nessuno sa niente?... Finché il boss non vide Janicek, in silenzio, la fronte appoggiata alla finestra, a guardare fuori, ad aspettarlo ancora. Gli si avvicinò e gli chiese: "Janicek, scusa, ma quello non è il tuo coinquilino, quel musicista che mi hai presentato per il contratto del cioccolato? Non è quel violinista?"

"Sì, è lui"

"Ne sai niente di come mai è qui?"

"No, penso che sia per il mio compleanno. Aveva

detto che mi avrebbe fatto una sorpresa, ma non so..."
Rispose Janicek, senza voltarsi, sempre appoggiato
alla finestra, lo sguardo perso nella piazzetta...
"E' un bel regalo... Niente male... Niente male,
Janicek, complimenti..." Si guardò in giro, e visto che
non c'era nessuno intorno, proseguì, senza farsi
notare dagli altri, "Gli vuoi bene, vero?... molto, eh?"
Janicek staccò la fronte dalla finestra, si voltò piano
verso di lui. "Come, scusi?"
"Ho visto come lo guardavi, non mi dire che tra voi non
c'è niente..."
"No, guardi..."
"Non devi dirmi niente... Va a casa e digli che mi è
piaciuto. Auguri Janicek, buon compleanno, va da lui,
corri..."
A Janicek girava la testa, si appoggiò alla finestra.
Non riusciva a connettere. Se ne rese conto. Era così
evidente, più agli altri che a se stesso... Anche al suo
capo... Riprese fiato, cercò di dissimulare l'agitazione,
e il turbinio di pensieri che tutti insieme cominciavano
ad affollarsi nella mente. Respirò ancora, cercando di
non farsi notare. Lo ringraziò, salutò gli altri
confermando l'invito a casa per qualcuno di loro, più
tardi. Uscì dall'ufficio e si diresse verso la macchina.
Mise, senza rendersene conto, i piedi dove li aveva
messi Thomas, fece gli stessi passi, la stessa strada,
marciò come aveva fatto lui... Il capo lo guardava dalla
finestra, lo vide camminare in mezzo alla strada prima,
e poi nella piazzetta... Gli stessi passi, la stessa
strada... Scosse la testa, pensando che c'era dentro
fino al collo, e da Janicek non se lo sarebbe mai
aspettato. Comunque, bravo ragazzo era prima, e lo
era adesso. Qui il suo posto c'è sempre...
In macchina, con la testa in subbuglio, Janicek era
riuscito a tornare a casa senza investire nessuno ed
evitando di poco un tram che si ostinava a stare sulle

rotaie, come se non avesse altro posto dove andare. Aperta la porta, cercò Thomas, ma non c'era nessuno da ammazzare. La testa gli girava ancora. Si sedette sul divano, si versò da bere, poi si versò da bere ancora, e lo aspettò...

Dopo un tempo infinito sentì la chiave nella porta ed entrò Thomas, affannato per le scale e la corsa per tornare a casa il prima possibile.

"Si può sapere dov'eri? E' un'ora che ti aspetto..."

"Sono andato a restituire il costume alla sartoria teatrale..."

"Tu... mi hai coperto di ridicolo... Il capo ti ha riconosciuto... mi ha chiesto cosa fai per vivere, se vai in giro così tutti i giorni..."

"Volevo farti una sorpresa, hai detto tu che volevi la banda, e io... volevo solo farti contento..."

"E ti è venuto in mente il tamburo? Non potevi trovare qualcos'altro?"

Janicek lo guardava dritto negli occhi, arrabbiatissimo, così vicino che sentiva il calore del suo viso... Thomas pensò di avere esagerato, di avere rovinato tutto. Si sentì morire. Con un filo di voce, riuscì a rispondere, "Non ti arrabbiare, ti prego... Per te farei tutto quello che vuoi... non ti arrabbiare ti prego... quello che vuoi... Scusami..."

"Insomma, si può sapere cosa vuoi da me?"

Thomas non rispose. Stava in silenzio, gli occhi bassi, i capelli sulla fronte. appoggiato al muro. Respirava appena...

"Cos'è che vuoi? E' questo che vuoi?" prosegui Janicek quasi gridando. Poi lo prese per le spalle, finì di sbatterlo contro il muro, premette su di lui con tutta la forza. La sua testa era vicinissima a quella di Thomas, le sue labbra anche. Lo baciò. Lo baciò con un bacio violento, il corpo contro il suo, il petto sul suo petto, le gambe addosso alle sue, il ventre in fiamme

che voleva entrare nel suo. Gli prese le mani, gli allargò le braccia come a crocifiggerlo, inchiodarlo alla parete. Con le dita incrociate alle sue, avvicinò le mani verso la sua testa, gliele lasciò, gliela strinse. Staccò appena le labbra, gli disse piano, ancora, è questo che vuoi? Riaccostò le labbra, si perse in lui mentre Thomas lo abbracciava stringendolo sempre più forte. Janicek gli premeva contro, le labbra contro le sue, i denti, la lingua avvinghiata alla sua... Respirava con la sua bocca, si scioglieva dentro di lui... Rimasero così, a lungo. Lentamente, Janicek fece scivolare le mani fino a stringerli il collo. Sentiva la sua pelle morbida, le vene che pulsavano, lui che vibrava, stretto a lui, inchiodato a lui, gli occhi chiusi... In quel momento capì che Thomas era completamente suo. Totalmente, perdutamente suo... Se avesse stretto le mani fino a strozzarlo, fino a toglierli il respiro per sempre, lo avrebbe lasciato fare, non si sarebbe ribellato. Avrebbe accettato da lui qualunque cosa, era suo, tutto suo, assolutamente suo... Togliendogli le mani dal collo e abbracciandogli la testa, appoggiando la guancia alla sua, gli mormorò, piano, dolcemente, è questo che vuoi? Thomas non rispose, riaccostò le labbra alle sue, e lo baciò ancora, tenendolo stretto con le braccia, loro due, due anime e un corpo solo. Si staccarono lentamente, piano, di poco, solo le teste, per potersi guardare negli occhi. Quelli di Thomas erano un prato nel sole. Janicek ci si perse, riavvicinò la testa alla sua, e rimasero così ancora, con Thomas inchiodato alla parete. Poi lo aiutò a staccarsi, tenendolo sempre abbracciato. Lo baciò ancora. Tutto se stesso, la sua anima, il suo spirito, la sua vita...
Lo riappoggiò al muro. Sapeva, lo sapeva... non si sarebbe più staccato da lui, sarebbe andata avanti così per sempre. Niente e nessun altro fra di loro... Loro due e basta, loro due... Thomas gli mormorò

stammi vicino... Abbracciati, appoggiati al muro, le mani di Janicek fra i capelli di Thomas, le mani di Thomas nei capelli di Janicek, e poi ancora, gli occhi negli occhi, le labbra sulle labbra, a respirare uno nella bocca dell'altro, un solo respiro, due cuori che battevano insieme, un sangue solo... Lentamente staccarono le labbra, tenendosi le mani, uno contro l'altro, due ventri in fiamme che premevano... Sapevano cosa sarebbe successo... adesso... ora... Sapevano che loro vita era cambiata, tutto sarebbe stato diverso, niente più come prima. Tenendosi sempre abbracciati, si guardarono a lungo negli occhi, senza dirsi niente. Abbassato lo sguardo, Thomas riuscì a mormorare "ti ho comprato un golf..." Janicek lo baciò di nuovo. "E' nell'armadio..." aggiunse, sempre sottovoce. Si avviarono verso la camera di Thomas e, arrivati all'armadio, si lasciarono cadere sul letto, uno sopra l'altro. Con una mano Janicek gli afferrò una gamba, e cominciò a salire verso la cintura, verso la lampo dei jeans, schiacciandogli il suo membro, cercando di strapparglielo attraverso i pantaloni. Gli sbottonò i jeans, gli infilò una mano sotto la camicia, e poi anche l'altra mano. Salì verso il suo petto, i suoi muscoli, gli girò intorno. La sua pelle era liscia, calda. Era di fuoco, erano di fuoco, bruciavano. Si rotolarono nel letto. Thomas si avventò sopra di lui, strappandogli la camicia dai pantaloni, sfilandogli con violenza il golf dalla testa. Gli sbottonò la camicia quasi strappando i bottoni, appoggiò la testa sul petto, e salì con le labbra appoggiate a lui, fino a mordergli un capezzolo. Janicek gli prese la testa fra le mani e la strinse a lui, fino a volerla fare entrare dentro di sé, a dargli tutto quello che voleva. Col fiato caldo, il respiro affannoso, si piegò fino a baciargli i capelli, e poi lo tirò su verso di lui, con Thomas che non si staccava dal suo petto, che continuava a mordergli il capezzolo, tirandoglielo, portandoselo via, mentre Janicek lo avvicinava di nuovo alle sue labbra, gli affondava la lingua nella bocca, e poi di nuovo sul suo collo, fino al petto, anche lui a strappargli a morsi la sua carne, i suoi capezzoli, la sua vita... Finì di toglierli la camicia, lo abbracciò, gli passò le mani sulla schiena, sulle spalle. Sentiva il suo sudore sotto le braccia, gli si avvinghiò, lo morse sul collo, sulle spalle, sulle braccia. Thomas gemeva con gli occhi chiusi, ricambiando l'abbraccio, stringendolo con tutte le forze. Finì di sfilargli la camicia, lo morse delicatamente sul collo, scivolò con le labbra e la lingua sulle sue spalle, sulle braccia, e di nuovo sul suo petto, fino a morderlo di muovo. Janicek gemette di piacere, lo spinse sotto di lui, e con le mani a premere la sua pancia, liscia e tonica, con i muscoli che si contraevano, e poi più giù. Gli infilò la mano sotto i pantaloni, sotto i boxer, dove tutto bruciava, fino a toccare i suoi peli, a tirarglieli, a strapparglieli. Thomas non si muoveva più, rimaneva immobile, con gli occhi chiusi, il respiro pesante, abbracciato a lui. E scese ancora, fino a prendergli il suo membro, durissimo, caldo, pulsante, a stringerlo, a schiacciargli i testicoli. La guancia appoggiata alla sua, respiro contro respiro. Lo baciò sugli occhi, gli alzò il ciuffo con la sua mano, se lo guardò. Rimasero così, la mano di Janicek fra i capelli di Thomas, e Thomas steso sotto di lui, le mani sulla sua schiena, accarezzandolo, imparando a conoscerlo, i suoi muscoli, il suo odore, il sudore, il membro che premeva... Tom scese con le mani infilandogliele sotto la cintura, sotto le mutande. Janicek si slacciò i jeans, continuando a rimanergli steso sopra, e lui fece scendere le mani sulle sue natiche, premendole su di sé. Cominciò a sfilargli i pantaloni, e le mutande, tutti insieme, liberandogli il membro, rigidissimo, che

Janicek appoggiò sopra il suo, togliendogli i boxer, abbassandoglieli, fino a quando non si toccarono, non si unirono, membro contro membro, peli contro peli, gambe contro gambe, ventre contro ventre. Il loro respiro era sempre più affannoso, le mani dell'uno sulla pelle e sui muscoli dell'altro, a rubare uno il corpo dell'altro, conoscersi sempre di più, dappertutto... Le mani di Thomas scesero sulle gambe di Janicek, a scoprirle, a farle sue. I pantaloni di entrambi erano scesi a mezza gamba, e avevano ancora le scarpe. Si sfilarono scarpe, calze, jeans e mutande, per poi sdraiarsi di nuovo uno accanto all'altro, uno sull'altro, per concedersi, per darsi. Janicek si riaccostò alla bocca di Thomas, le loro gambe si intrecciarono, si rotolarono ancora sul letto, fino a quando Thomas, lentamente, cominciò a scivolare con le labbra dal petto di Janicek verso il basso, sempre più giù, mordendogli la pelle sempre più tesa, fino ad affondare la testa, giù nei suoi peli, baciandoli, mordendo il suo membro, leccandoglielo... Finché se lo mise tutto in bocca, ingoiandolo, succhiandolo, mangiandoselo, roteandogli la lingua intorno, e su e giù, e ancora su e ancora giù, fino a quando Janicek gli esplose in bocca, inondandogli col suo seme il volto e le labbra, le sue stesse mani fra i capelli di Tom, il suo stesso ventre. Thomas restò su di lui, si appoggiò con la testa al suo collo, e si fermò lì, abbracciato a lui, stretto fra le sue braccia. Janicek lo girò, e tenendolo avvinghiato a sé con un braccio, gli prese il membro con l'altra mano fino a quando Tom gli esplose fra le dita, coprendogli la mano, tutto... Mentre il seme di Thomas continuava ad uscire dal suo corpo, Janicek gli girò la testa e lo baciò, togliendogli il fiato, trattenendogli la lingua coi denti, senza permettergli di ritirarla. Rimasero così... Staccarono le labbra l'uno dall'altro, stando stretti, abbracciati, sopra le coperte del letto... Erano ancora così quando, finalmente, si resero conto del tempo passato. Si alzarono e si precipitarono in bagno per lavarsi e mettersi in ordine prima che arrivassero Olga, Michal, e tutti gli invitati.

Capitolo 17

Insieme tutti e due, sotto la doccia, si divisero lo stesso getto d'acqua, lo stesso sapone, uno lavò l'altro, eccitandosi, baciandosi ancora sotto l'acqua calda che scivolava sulle loro spalle, sui petti, sul ventre, dappertutto. Pronti a ricominciare, uno esplorava con le mani il corpo dell'altro, lo abbracciava di nuovo, si stringevano ancora, senza curarsi del tempo che passava, di niente, di nessuno. Finché Thomas non si accorse che suonavano alla porta.

"Sono qua..."

"Come, Tom?"

"Sono arrivati. Suonano alla porta. Vado a vedere..."

Nudo com'era, trovò un asciugamano vicino al lavandino, se lo mise intorno ai fianchi e andò ad aprire, lasciando una scia d'acqua sul pavimento.

"Sì, chi è?"

"Sono Olga, Thomas. Aprici"

"Non posso. Ero sotto la doccia, sono nudo come un verme..."

"Fammi aprire da Janicek..."

"Sotto la doccia ci è entrato lui, adesso... Dammi un minuto, mi metto qualcosa..."

"Okay, fa in fretta. Tra un po' arrivano tutti..."

"Arrivo..."

Thomas andò in camera, si asciugò in qualche modo, si rivestì in fretta, prese i vestiti di Janicek e glieli portò di corsa in bagno, fece finta di mettere a posto il letto, chiuse la porta della stanza ed andò ad aprire ad Olga e Michal, che stavano aspettando.

"Ma quanto ci hai messo... Non potevate prepararvi prima?"

"Siamo appena arrivati, tutti e due. Io sono riuscito ad andare in bagno per primo, e lui è rimasto fuori... Adesso arriva..."

"Che lago c'è per terra? E' esondata la Moldava? Dalla strada non sembrava... Torna in camera e finisci di vestirti, anzi è meglio che ti cambi... Mettiti qualcosa di più decente, cambia la camicia, torna in bagno e asciugati i capelli, pettinati. Sei ancora bagnato..."

"Sì... In bagno vado quando esce lui..."

"In quel momento anche Janicek usciva dal bagno, rivestito in qualche modo, ancora umido, con la testa bagnata.

"Non potevi lavarti prima? Sapevi che arrivavamo..."

"Ho fatto tardi in ufficio, ho dovuto offrire da bere, non riuscivo più a venire via..."

"Eccone un altro, cambiati, fa' qualcosa... Io intanto asciugo per terra..."

Olga si mise a rimediare ai danni della Moldava, e dopo pochi minuti Tom uscì dalla sua stanza, con una camicia pulita, ancora con la testa bagnata.

"Va in bagno e asciugati. Muoviti."

Dopo poco ne uscì, nello stesso momento in cui Janicek usciva dalla sua camera, anche lui con una camicia pulita, anche lui, come Thomas, con un turbinio nella testa, incapace di pensare, ancora ansante anche se, come Tom, cercava di nasconderlo. Tutti e due avevano l'aria di avere bisogno di un po' di tempo di recupero, di prendere fiato e rilassarsi, di calmarsi.

"Cosa avete fatto?" chiese Olga mentre Michal continuava a mettere a posto quello che avevano portato, metteva nel centro del tavolo le tartine, i wurstel tagliati a fette, i bicchieri. "Avete fatto a gara a chi arrivava per ultimo? Mi sembra che abbiate ancora il fiatone..."

"No, ho fatto tardi in teatro, non mi lasciavano più

186

venire via, e mi sono precipitato..."

"Va bene, primedonne," lo interruppe Michal, "forza, al lavoro. Janicek, finisci di sistemare i bicchieri, prendi i tovaglioli... Thomas, metti il gulasch sul fuoco. Lo accendiamo dopo... Olga, guarda se è tutto in ordine. Fra cinque minuti sono qui." E poi, guardando in faccia Janicek, ancora ansante, ancora agitato, "Janicek, non è che devi dirmi qualcosa?"

Gli venne un accidente. A lui e a Thomas. Cercando di dissimulare il rimestio che provava dentro, tentando di placare il respiro ancora pesante, col cuore in gola, gli rispose: "No, cosa ti devo chiedere? C'è qualcosa che non va?"

"Auguri Janicek, buon compleanno... Non mi chiedi cosa ti abbiamo portato di regalo?"

A lui e a Thomas si riattivò la circolazione e ripresero a respirare tutti e due.

"E' vero..." rispose. "Cosa mi avete portato?"

"Ecco, tieni, con tanti auguri Da Olga e da me."

Ciò detto, dalla tasca della giacca tolse una busta, ben chiusa, sigillata, dall'aria pienotta, e gliela consegnò. Janicek la prese, la soppesò sotto lo sguardo indagatore di Thomas, in piedi accanto a lui.

"Posso aprire?"

"Certo" rispose Olga, avvicinandosi a loro, "apri"

Janicek aveva ripreso, come Thomas, il colorito normale. Anche il respiro si stava placando. Aprì la busta, sempre con Thomas vicino.

"Cosa cavolo?... Una piantina di Praga e due biglietti del tram?"

"Sì, auguri fratello... cento di questi giorni..."

Janicek rimase allibito al centro della stanza. Guardò la busta, poi Thomas. Michal gli diede una pacca sulla spalla. "Auguri, ragazzo..." Olga, ridendo per lo scherzo e la faccia di Janicek, era andata a prendere la borsa e tornò da lui con due pacchettini.

"Dimenticavo, se vuoi, abbiamo anche questi. Questo è il mio, e questo e di Michal. Tanti auguri, fratellino, puoi aprirli"

Janicek si precipitò. C'era una cintura da parte di Olga, e un portafoglio, da Michal. Gli tornò il sorriso. Thomas gli appoggiò una mano sul collo, sulla spalla...

"Grazie, non dovevate... Avete fatto benissimo. Tutto qui?"

"E i biglietti dove li metti?" gli rispose Olga. In quel momento Thomas si riebbe e si ricordò del suo regalo.

"Anch'io ho un regalo per te. E' nell'armadio. Vado a prenderlo."

Andò in camera e tornò con un pacchetto, legato con un nastro dorato, che mise nelle mani di Janicek, sfiorandole con le sue.

"Auguri... Un milione di questi giorni..." Lo guardò negli occhi. Gli sorrise.

Janicek gli mise una mano sulla guancia, e lo baciò sull'altra. Lo sguardo che si scambiarono era quello delle promesse scambiate senza esser dette, dei per sempre e per davvero.

"Dai, apri," fece Olga, "vediamo che cos'è"

Janicek aprì il pacchetto. Un golf di cashmere, blu come la notte, i loro segreti, come le tempeste nei loro cuori...

"E' splendido" disse con un filo di voce. "Grazie, Tom, grazie ancora."

Gli mise un braccio intorno al collo e se lo strinse, quasi a strozzarlo. Poi lo baciò sui capelli, ancora umidi, cercando di non far trapelare la commozione.

"Ehi, fratello, a lui baci e abbracci, e a noi niente? D'accordo che lui è più bello, ma noi chi siamo?" gli disse Olga, un po' divertita, e un po' stupita della evidente tenerezza del fratello verso Thomas. Sentendosi scoperto, Janicek rimase così, perplesso, guardando la sorella, fino a quando Thomas prese il controllo della situazione, e alleggerì l'atmosfera dicendo: "facciamo così. Se non ti piace, questo rimane sempre il tuo regalo, e me lo metto io. D'accordo?" Janicek si riprese, gli tolse il braccio dal collo e gli rispose: "Non pensarci nemmeno. Tu va in giro in mutande. Questo è mio, è mio e basta..."

E si infilò immediatamente il golf, aiutato da Tom, che intanto pensava, anch'io sono tuo, tuo e basta... E tu sei mio... Stringimi amore, stringimi...

Il tempo di buttare via la carta dei pacchetti, e mettere via cintura e portafoglio, che cominciarono ad arrivare tutti gli invitati. Dagmar, alla quale fu proibito di avvicinarsi al buffet, i colleghi di Janicek, altri amici di Olga e Janicek, Martina con un amico, Patrik tutto solo per la gioia di Dagmar, Denisa e, naturalmente, AnnCecilie. La casa era piena e l'atmosfera fu subito di festa. Dopo un primo giro di saluti a tutti gli altri invitati, Thomas si avvicinò ad AnnCecilie.

"Ciao AnnCecilie, sei bellissima... Fatti vedere..." le disse sorridendo. Alla vista di entrambi, l'uno vicino all'altra, Janicek annaspò, e capì. La sua scelta era stata fatta, e mai come in questo momento si sentiva sicuro di quello che provava, di come tutto era per Tom e solo per Tom. Non le dava noia vederla, capiva di provare ancora dell'affetto per lei, ma era lontana, lontanissima dalla sua vita. Era finita. Via. C'era solo lui, c'erano solo loro due.

"Ciao AnnCecilie, vedo che cambiar lavoro ti fa bene," le disse, senza trasporto, e a Denisa che aveva salutato gli altri ospiti e stava unendosi a loro, "fatti vedere... sei un'altra, vero Tom?" proseguì rivolgendosi a lui. E poi, di nuovo verso di lei, "sei trasformata, sei diversa... Sembri bella, figurati..."

"Ha ragione," confermò Thomas sorridendo, "sono i complimenti di Janicek... Posso dire anch'io che sei più bella di prima?"

"Se non la smettete vi salto addosso, a tutti e due, e non rispondo più di me", rispose Denisa, contenta dei complimenti, "a tutti e due, vi salto addosso, e di AnnCecilie chi se ne frega..."

"Verissimo, di AnnCecilie chi se ne frega..." le rispose Janicek prendendola sottobraccio, senza guardare un Thomas divertito, che riuscì appena a trattenere il sorriso... Certo cara, di te chi se ne frega, pensò Thomas, che si limitò a dire: "vi lasciamo soli, vado a prendervi da bere. AnnCecilie, cara, mi fai compagnia?"

Janicek e Denisa li seguirono verso il tavolo, e Tom fece gli onori di casa cercando si salvare, scherzosamente, la caraffa dell'aranciata dalle sgrinfie di Dagmar, che li aveva raggiunti. La serata prometteva bene. Il vino sostituì presto i succhi di frutta, l'allegria aumentò, Dagmar si mise all'inseguimento di Patrik, e poco dopo cominciarono a girare i vassoi con i famosi wurstel tagliati a fette e le salse del barbecue versate sopra. E poi le tartine, i panini dolci, tutto preso d'assalto con entusiasmo. E altre bottiglie di vino... Thomas e Janicek rimasero vicini, a guardare la festa, l'animazione del loro soggiorno, contenti, complici. Ad un certo punto Janicek mise un braccio intorno alla vita di Tom, e gli sussurrò di nuovo all'orecchio: "appena se ne vanno..."

La loro intimità fu interrotta da Olga, con un bicchiere di spumante in mano e Dagmar al seguito, per fare due chiacchiere con loro.

"Thomas, hai messo tu il cartello di Happy Birthday sulla parete?"

"Sì, Olga. Ti piace?"

"Confessa, l'hai messo lì perché avevi paura che Janicek ci mettesse il famoso quadretto"

"Quale quadretto?... Oh, quel quadretto?..."

"Quale quadretto?" intervenne Dagmar, "voglio sapere..."

"Niente di speciale", le rispose Olga, "voleva solo tagliar l'uccello a Thomas e appenderlo alla parete, tutto qui..."

"Uh, che male", rispose Dagmar ridendo, "ma già che c'era, non era meglio spogliarlo e appendercelo tutto? Scommetto che nudo sei un gran bel vedere, vali il viaggio..."

Thomas non sapeva cosa rispondere e si limitò a sorriderle. Janicek rispose per lui. "No, ho cambiato idea... è stato bravo, non glielo taglio più... Tu pensa a spogliare Patrik, che secondo me tra un po' ci riesci... Accontentati. Tom è mio, giù le zampe..."

Seguendo il consiglio, Dagmar tornò immediatamente a caccia di Patrik. Olga si rivolse a loro, "okay, bei maschi, tra un po' cominciamo a far girare il gulasch, cosa ne dite? Dovrebbe essere caldo abbastanza..." e poi, al fratello, "Janicek, ho notato che non hai quasi rivolto la parola ad AnnCecilie. Fammi felice, dimmi. C'è qualcosa che non va?"

"Sì... Ti sei accorta che non ha nemmeno notato il golf che mi ha regalato Tom?"

"Sai benissimo che quella nota solo quello che regalano a lei. Te la sei scelta tu, deciditi. Guarda che se la molli, neanche se ne accorge. Lunedì comincia a lavorare nei nuovi studi, e magari cambia vita anche lei... E' il momento giusto... Hai visto Denisa, come è cambiata?"

"Davvero" rispose Thomas. E a Janicek, "vieni, andiamo a far due chiacchiere. Non possiamo non parlar con loro per tutta la serata, sentiamo cosa dicono..."

Mentre si avviavano verso di loro, che facevano salotto al centro dell'attenzione degli altri invitati, Olga

191

rimase perplessa e si fermò a pensare per un attimo. Andiamo, non possiamo, è mio, giù le zampe... Parlano come se stessero insieme... mah?

"Allora, vogliamo sapere tutto... Denisa, cosa è successo? Già eri bella prima, ma adesso sembra che tu abbia qualcosa dentro, sei diversa... Vero, Janci?"

"Verissimo, sei uno schianto sul serio. Qualcosa è successo, non puoi dire di no..."

"Vero, ragazzi, vero per davvero... L'idea stessa di avere un lavoro, di stare con qualcuno che non pensa solo a portarmi a letto, mi ha mosso qualcosa dentro. Non voglio dire che sono felice, ma a momenti quasi... E c'è di più, in pratica sono già stata promossa. Sono l'assistente della direttrice, devo aiutarla nella gestione del personale e nell'amministrazione. Quando mi ha detto vieni con me, a momenti mi mettevo a piangere..."

"Un momento", la interruppe Janicek, "vuoi dire che ti occupi tu del personale?"

"Beh, praticamente sì..."

"Quindi, quando lunedì AnnCecilie viene a lavorare, tu sei la sua principale..."

"Sì è vero, non ci avevo pensato... Fantastico... AnnCecilie, sei alle mie dipendenze..."

"Non ci pensare neanche, brutta bestia. Anzi, già che ci sei, aumentami lo stipendio..."

"Vedremo" le rispose ridendo, e facendosi cadere dall'alto, "in fondo tu sei solo l'assistente del direttore artistico, roba da poco..."

"Non è affatto roba da poco. E poi, non vedo l'ora, anche con Denisa fra i piedi... Sai," continuò, rivolta a Thomas, "dobbiamo cominciare subito con l'assistenza a una grossa troupe americana, che viene qui per girare un film ambientato nel medioevo, o giù di lì, con la gente in costume, i cavalli..."

"Cavoli, bello, anche solo venire a vedere. Pensi che

si possa?"

"Non lo so, non ho ancora cominciato a lavorare per loro..."

"Col tuo fascino, sono sicuro che in quarto d'ora avrai il permesso... non ti andrebbe, Janci?"

"Sì, e al lavoro quando andiamo?"

"Magari girano al sabato, alla domenica... Devono fare in fretta, i set in esterni costano cari, forse lavorano tutti i giorni... Ne sai niente, Denisa?"

"Penso anch'io che lavoreranno tutti i giorni. Sì, credo che si possa fare. Domani vado dal bambino intanto che posso, e lo dirò anche a lui, magari gli piacerà vedere qualche bel cavaliere, a cavallo del suo destriero..."

L'arrivo del gulasch fece dimenticare a tutti cavalli e cavalieri. Thomas, approfittando della disattenzione generale, prese la mano di Janicek e se la portò alla bocca, baciandola, tenendola per un momento schiacciata sulle sue labbra e sul suo viso. Lui lo guardò negli occhi, contento di quell'attimo di intimità solo loro, in mezzo alla bolgia, senza che nessuno ci facesse caso. Il gulasch finì in un attimo. Dagmar era al settimo cielo, ed il vino riprese a girare. Anche la slivoviz, necessaria, a detta di tutti per digerire meglio la carne, così pesante... Poi arrivarono le palacinke, piccole, per fortuna, notò, Janicek, senza i bignè salati e la salsa in cima. Sparirono in fretta, anche loro. La serata proseguì con Patrik che flirtava sempre più apertamente con Dagmar, e Martina, che finalmente si era scongelata e girava allegra col bicchiere in una mano e le tartine nell'altra. Michal, insieme ad Olga, faceva da padrone di casa, lasciando a Janicek e a Thomas il piacere di conversare con gli invitati senza i problemi dell'ospitalità. Anche lui si era accorto che non si erano staccati un momento in tutta la serata, e anche di un'altra cosa, di cui non sapeva se parlare ad

Olga, dopo, da soli.

Venne il momento della torta, con le candeline di rito e le bottiglie di champagne, offerte da Michal. Finiti di scartare i regali, accese le candeline, tutti a cantare Happy Birthday, bicchieri in mano e fette di dolce nei piatti. Alle tre di notte anche gli ultimi invitati erano andati via, lasciandoli soli, con Olga e Michal che li aiutavano a fare ordine, almeno per riuscire ad andare a letto senza scavalcare piatti e bicchieri.

"Ti ha detto niente AnnCecilie?" chiese Olga al fratello.

"No, cosa mi doveva dire?"

"Non so, ci vediamo domani, cosa fai domenica..."

"No, ha detto che è presissima per lunedì, e che ci sentiamo..."

"E tu?"

"Non me ne può fregar di meno. Le ho detto va bene... Olga, adesso lascia stare, andate a letto... Ci pensiamo noi domani, ho voglia di andare a dormire..."

Gli occhi di Thomas si illuminarono. Non vedeva l'ora di stare di nuovo da solo con lui, e non gli importava niente di quello che c'era in soggiorno. Gli importava la camera da letto. Anche il soggiorno, ma da soli.

"Sì, Olga. Lasciate stare. Ci pensiamo noi domani. Adesso è tardi, sono stanco anch'io..."

Tutto sommato, anche ad Olga faceva piacere piantare lì. Era stanca e aveva voglia di andare a casa sua. Si salutarono, con la promessa di sentirsi il giorno dopo, e se andarono. Finalmente soli, Tom e Janci si guardarono un secondo, un secondo solo. Janicek prese Thomas per un braccio, lo trascinò in camera, lo buttò sul letto, si gettò sopra di lui. "E adesso i conti" fece per dire, ma non finì la frase. Tom lo aveva agguantato, gli aveva piantato la lingua in bocca e continuando a baciarlo si era rotolato intorno a lui, finendogli sopra. Staccatosi dalle sue labbra, a cavalcioni sopra di lui, non fece in tempo a dirgli "che bel golf, vediamo cosa c'è sotto", che cominciò a spogliarlo, di furia, con Olga e Michal ancora sulle scale. Via il golf, via la camicia, gli pizzicò i capezzoli, li morse fino a strapparglieli, con Janicek che gemeva di piacere sotto di lui. Cominciò a spogliarsi e appena a torso nudo, fu afferrato da Janicek. Lo ribaltò sul letto, prese a morderlo, a leccarlo da tutte le parti, e a baciarlo fino a toglierli il respiro, con la lingua affondata nella sua bocca, e gli slacciava i pantaloni, con Thomas che faceva lo stesso con i suoi. Scarpe e calze via, jeans, e mutande anche, in un attimo. Nudi di nuovo, l'uno sull'altro, le mani dappertutto, a stringersi, a conoscersi ancora, le loro teste sempre più giù, fra le gambe dell'uno e dell'altro, a mangiarsi, le facce affondate nei ventri. Janicek cominciò a succhiare il membro di Thomas, girandoci intorno con la lingua, facendolo quasi urlare di piacere. Gli strinse i testicoli con le mani, gli tirò i peli fino a strapparglieli, lui che lo teneva per la testa, che ansava di piacere. Salì con la lingua sul ventre, sul petto, a baciarlo di nuovo, a fargli sentire il sapore del suo membro, a lavorare con le mani dove prima aveva la bocca. Si riabbassò, continuò, e Tom gli esplose in faccia, col suo seme che andava dappertutto. Pochi attimi, per riprendersi. Tom gli pulì il viso, le mani, le portò alla sua bocca, gliele baciò. Poi si adagiò su di lui, scese, gli affondò il viso nel ventre. Janicek sentiva il sangue che si muoveva, sentiva la bocca di Tom, caldissima, intorno a lui, le mani che gli stringevano le cosce, i muscoli, la pelle. Si staccò da lui. C'era la luce accesa sul comodino. La spense. Si buttò addosso a Tom, lo girò sulla schiena. Tom gli si dette, completamente, sotto i suoi colpi, fino a quando non sentì il seme caldo di Janci che gli colava sulla schiena. Rimase così, sotto di lui, a sentirlo respirare su di lui, di fianco al suo orecchio, fino a quando Janicek lo girò e appoggiò il viso sul suo, con tutto il corpo che premeva su di lui. Rimasero così l'uno sull'altro, abbracciati, fino a quando cominciarono ad avere freddo. Si misero sotto le coperte, e si addormentarono, con la testa di Thomas appoggiata sul petto di Janicek.

Capitolo 18

Mentre Janicek spegneva la luce, Michal stava accompagnando Olga a casa, e commentavano la serata, gli amici, il cibo e tutto il resto.

"Michal, hai notato come è cambiata Denisa? Ha alleggerito il trucco, non aveva niente di vistoso... Anche i capelli, sono più raccolti. Non so come dirti, mi piace di più, la guardi più volentieri..."

"Dì pure che non ha più l'aria da battona..."

"Sì, è così... Evidentemente la sua vita non le piaceva, e questo lavoro è stato il passo che le mancava. Nella sua testa era già tutto pronto, e a cambiare ci ha messo due giorni. Due giorni veri. Dieci a uno, appena è sicura del posto molla AnnCecilie, va a vivere da sola e si porta il bambino qui a Praga. Speriamo che ci riesca, se lo merita."

"E AnnCecilie, poverina?"

"Quella? Ha in mente di andare a Hollywood..."

"Capace di riuscirci, secondo me ha preso la strada giusta..."

"Sì, il Viale del Tramonto, all'angolo con qualche altro viale..."

"Sei perfida. Non è cattiva, è autonoma. Se non stesse con tuo fratello la troveresti simpaticissima..."

"Non esagerare. Sopportabile. Visto l'andamento della serata direi che ci siamo. Se non era per Thomas che gli ha detto andiamo da lei, non puoi ignorarla per tutta la sera, mio fratello a momenti neanche la salutava. Così si fa, bravo Janicek, anzi, Janci, come lo chiama lui..."

"Stanno diventando molto affiatati..."

"Ho notato. Si vede che vivendo insieme ci si abitua l'uno all'altro, e andando molto d'accordo si finisce

"Michal, scusa..."

"Dimmi Olga"

"D'accordo che abbiamo deciso di vivere insieme per un po', di fare un periodo di prova, che vengo a vivere da te..."

"Sì, e allora?"

"Allora ti spiacerebbe lasciarmi la mano? Mi è diventata viola e non sento più le dita. E poi siamo quasi arrivati..."

Arrivati in casa si addormentarono, vicini, contenti di quello che si erano detti, sereni, in una casa molto più ordinata di un'altra casa, non lontana, dove anche lì c'era una coppia che dormiva, vicini, sereni, molto più contenti di quello che avevano fatto di quello che non si erano detti... E venne l'ora del risveglio...

"Ciao Tom..."

"Ciao Janci..."

"Hai freddo?"

"Tanto, stammi vicino..."

"Così?" e abbracciò Tom, stringendolo al petto, appoggiandogli delicatamente la testa sulla sua.

"Sì, così va bene..."

Abbracciati sotto le coperte, si resero conto che d'ora in poi tutto sarebbe stato diverso. Soprattutto, volevano restare nudi, stretti, abbracciati l'uno all'altro, per sempre. A loro sarebbe bastato quello, almeno per il momento... E ricominciarono, piano, dolcemente, delicatamente. Volevano solo carezzarsi, conoscere i loro corpi, stare vicini, sentire l'uno il calore dell'altro.

Janicek si stese sopra Tom, gli prese le mani con le sue, si appoggiò alla testa di Tom.

"Hai la barba lunga..."

"Anche tu Janci, pungi..."

"Ti piace?"

"Sì..."

Passarono così qualche momento, senza dirsi niente,

poi i respiri divennero più pesanti. Cominciarono a cercarsi, si lasciarono andare. Più lentamente, questa volta, più dolcemente, concedendosi, abbandonandosi l'uno all'altro, perdendosi insieme. Non più solo i loro corpi, ma i loro spiriti si fondevano, si univano, scoprivano di essere insieme, si amavano.

"E adesso?" chiese Janicek, quando, placati gli ardori, erano di nuovo tranquilli, sotto le coperte.

"Penso che dovremmo alzarci, e mettere a posto di là. Sai se arriva tua sorella e ci trova a letto insieme..."

"Sì, come ieri sotto la doccia... Secondo te si è accorta di qualcosa?"

"No, penso di no... Non si è accorto di niente nessuno... E poi avrei voglia di urlarlo, di aprire la finestra e dirlo a tutti, che ti amo, ti amo da morire... Come faccio a stare zitto..."

"Tom, come facciamo?..."

"Ci penseremo, Janci... Ci penseremo... Stammi vicino..."

"Sono qui... Forza, andiamo di là. Chissà cosa troviamo..."

Baciò ancora Tom, buttarono le coperte ai piedi del letto, si alzarono ed entrarono in soggiorno.

Era peggio di un incubo. Tornarono in camera, si vestirono in qualche modo, indossarono due felpe perché avevano freddo. Spostando una catasta di piatti e bicchieri liberarono la macchina del caffè, riuscirono a creare un piccolo spazio per mettere i piatti della colazione. Scaldarono le palacinke avanzate, trovarono del formaggio, due fette di torta. Divorarono tutto in fretta. A fare la doccia ci andarono insieme, e all'inizio del pomeriggio, erano di nuovo esseri umani presentabili. Cominciarono a lavorare. Non finiremo mai, si dicevano, ogni tanto, guardando i resti del loro soggiorno. Ma continuarono. Era casa loro, sarebbe tornata solo loro. Si sentivano ancora più vicini. Piatti, bicchieri, e loro due... Verso le cinque telefonò Olga, annunciando che sarebbe passata da loro con Michal, e poco più tardi arrivarono. La casa era quasi in ordine. La lavapiatti stava ancora rantolando dalla fatica. Però ci si poteva muovere. Anche sedere, sui divani e sulle sedie.

"Siete stati bravissimi. E' già tutto a posto. E pensare che siamo venuti per darvi una mano..."

"Sì, alle sei di sera, sorella... Non potevi venire prima?"

"Abbiamo pensato che forse disturbavamo..."

Le occhiate di Thomas e di Janicek non sfuggirono a Michal, che pensò, meglio adesso, vero ragazzi?

"Comunque" proseguì Olga, "volevamo dirvi una cosa..."

"Sì, cosa?" le chiese Thomas.

"Michal e io stiamo pensando di provare a vivere insieme, per qualche tempo..."

"Era ora, tra un po' perdi i pezzi..."

"Janicek! E' il modo di parlare a tua sorella?" lo apostrofò Michal. "Se dici che lei perde i pezzi, io cosa sono, un collage?"

Tutti si misero a ridere, anche Janicek, che, tornato serio, proseguì: "l'hai detto alla mamma?"

"Non ancora. Lei è sempre così dannatamente formale. Come sai, è bravissima a farsi i fatti suoi, ma quando decide di mettere il becco è un bulldozer, bisogna fare solo quello che vuole lei. Poi lascia perdere, ma intanto ha rovinato tutto..."

"Sì, meno male che vive in campagna..." Janicek ebbe un sussulto. Se rompe le palle anche a me, pensò, prendo Tom e andiamo a vivere a Londra, in Australia, al Polo Sud... Che non si metta in mezzo fra me e lui, che non osi, mai...

"Cos'hai, Janicek? Ti è venuta una faccia..."

"Niente, Olga. Che non sfracelli le palle. A nessuno.

Mai"

"Adesso esageri. In fondo a lei basta essere ben lavati, eleganti, apparire bene in società, portare bene lo smoking. Tutto qui. Puoi fare quello che vuoi, è importante salvare la forma..."

"E allora?"

"Allora ne ho già parlato con Michal. Per adesso non le diciamo niente, poi vedremo. Non ho nessuna voglia che mi dica fai questo, fai quello. La conosci. Lo fa per te, però è un massacro. Per fortuna conosce bene Michal e i suoi..."

"Olga, scusa...", la interruppe Michal, "con me tua madre è sempre stata molto gentile, non si è mai messa in mezzo a noi due, ti ha sempre lasciato fare..."

"Sì, è vero, probabilmente quest'ansia ci è rimasta da quando eravamo ragazzini, e non c'era niente che le andasse bene, vero Janicek? Ti ricordi come ci martellava per ogni stupidaggine, come non ci lasciava vivere? Non potevamo mai fare quello che volevamo..."

"Sarà stata un po' severa" le rispose Michal, "ma a me non sembra così invadente come la descrivi... E' vero, ama le apparenze, ma è finita lì. Non esagerare... E faremo in modo che non si metta in mezzo, contenta?"

"Sì, grazie Michal, sei un tesoro"

Nessuno se ne era accorto, ma Janicek stava urlando col pensiero, aiuta anche me Michal, ti prego, aiutaci, non ci lasciare soli, e si era avvicinato a Tom, seduto sul divano di fianco a lui, fino ad essergli quasi addosso, a prendergli la mano per proteggerlo da sua madre, dal cielo sulla testa, dalla vendetta degli dei. Dall'invidia, dall'odio del mondo verso di loro... Finché Thomas riportò il discorso sull'annuncio di Olga.

"E' una bella notizia", disse, "bisogna fare un brindisi. C'è una bottiglia di champagne di ieri sera, ancora da aprire. E' in frigo, con le tartine, la torta e i wurstel. Festeggiamo qui, vi va? Vado a prendere il violino e vi suono qualcosa... Janci, tu prendi la slivoviz, poi apriamo lo champagne..."

Questo è mio cognato, pensò Michal. Olga, non l'hai ancora capito? Bravi ragazzi, tutti e due, non sarà facile, ma vi darò una mano...

Passarono la serata in famiglia. Due coppie, una ufficiale, e una clandestina, una solida, tranquilla, affiatata, e una col fuoco che bruciava dentro, pronta a lottare per trovare il proprio posto nel mondo, per vivere in pace, accettati da tutti, alla luce del sole.

Anche a Thomas, mentre suonava il violino, era venuto un dubbio sottile, un'ansia, quasi un malore. Le parole di Janci e sua sorella lo avevano reso inquieto, ma mai avrebbe rinunciato a lui, mai. Qualunque cosa, ma sempre con lui, e intuiva che lo stesso era per Janicek. Avrebbero lottato insieme contro chi voleva far loro del male, contro chi avrebbe voluto separarli, contro il mondo, se fosse stato necessario...

"E' un bel pezzo, Thomas, bravissimo!" disse Olga alla fine, battendo le mani, "mi sembra molto conosciuto. Cosa ci hai suonato?"

"E' una trascrizione dalle Nozze di Figaro, è il Voi che sapete. E' un'aria cantata da Cherubino, il paggio del Conte, e io l'ho suonata sul violino. Vi è piaciuta?"

"Sì, molto, grazie", gli rispose Michal. "Doveva essere impegnativa. Eri molto concentrato, mi sono accorto..."

"In realtà avevo in mente anche dell'altro..."

"Dai, a noi puoi dirlo" disse Michal, "si capiva che ti girava qualcosa nella testa..."

"Pensavo... Siamo sempre in guerra, e avere vicino qualcuno che ti ama ti aiuta a non morire..."

"Sì, Thomas, avere qualcuno al tuo fianco è sempre un grosso aiuto..."

"Io non voglio morire... Al mondo c'è sempre chi ti

vuole male e cerca di dividerti... Ti fa odiare da chi ami, sta dietro a lui solo per allontanarlo da te, per farti vedere che per lui tu non sei niente... Io ci muoio..."

"Thomas, c'è tanto male, ma c'è anche tanto amore... Sì, ci sono persone cattive, fanno il male solo per il gusto di farlo... Ma molti altri sono vicini a chi a bisogno di loro, li amano, li proteggono. E' il gioco della vita, Thomas... Quando non sei solo, è facile anche combattere le guerre..."

"Sì, Michal, ma ho paura... Ho paura che la gente si diverta a ferirmi, a ferire chi amo... Penso che il destino abbia per noi delle porte sotto le quali dobbiamo passare... Tremo al pensiero di non farcela, Michal, ho paura che la mia felicità diventi cenere e non resti nulla tranne il dolore..."

"Thomas, caro", intervenne Olga, mentre Janicek lo guardava quasi con le lacrime agli occhi, "il tuo amore non diventerà mai cenere, sarà per sempre. Non c'è male al mondo che possa abbattere un amore, qualunque amore, Thomas. Credo anch'io, come dici tu, che ci siano delle porte sotto le quali dobbiamo passare, ma le passiamo, e al di là di quelle porte il cielo è più sereno, e il sole splende ancora..."

"Vorrei che fosse così... Non so... Vorrei non aver paura, ecco..."

"Thomas caro, non avere paura. Non si sbaglia mai ad amare qualcuno..."

"E' che ogni tanto mi tremano le gambe, tutto qui..."

Janicek, che non aveva detto una parola, e aveva seguito il discorso pensando alle ire di sua madre, si sentì rincuorato dalle parole della sorella. Appoggiò una mano sulla gamba di Thomas che, finito il pezzo, si era seduto accanto a lui sul divano, e gli disse: "Olga ha ragione, Tom... e poi, con queste cosce che ti ritrovi, come fanno a tremarti le gambe? Sei proprio scemo, ecco cosa sei..."

"Hai ragione... Volete che vi suoni ancora qualcosa?"

"Il pezzo di prima, Thomas" gli rispose Michal, "mi è piaciuto molto... Una trascrizione, hai detto?"

"Sì. È quando suoni un pezzo con uno strumento che non è quello per cui è stato scritto, come in questo caso. Invece di essere cantato, è suonato col violino..."

La serata proseguì, con le paure di Thomas svanite grazie alla musica, alla compagnia, all'affetto di Olga e alle pacche sulle spalle di Michal. Anche Janicek si sentiva pronto alla guerra, e le sue paure, meno dichiarate, si sciolsero con la vicinanza di Tom. Non riusciva a stargli lontano più di un metro, era sempre dietro a lui. Dopo il caffè e la slivoviz Olga e Michal salutarono e se ne andarono. In macchina, mentre tornavano a casa, Olga gli disse: "Hai sentito Tom... Ha paura che gli cada il mondo addosso..."

"E' un artista, Olga. Sta male anche per uno sguardo di traverso. Ci soffre, ci piange..."

"Speriamo che mio fratello non lo urti, non gli faccia del male..."

"Olga, sono sicuro che non gli farà mai del male, non lo ferirà mai... Hai visto come gli stava vicino quando parlava delle sue paure..."

"Sì, ho visto... Ma ha sentito come suona? Ti entra nell'anima..."

"Sì, Olga, ti entra nell'anima..."

In casa, Tom e Janci finirono di mettere a posto. Domani era lunedì, e la vita continuava. Al lavoro, per tutti e due...

"Sai che domani dobbiamo alzarci presto..."

"Tom, come faremo a stare lontani tutta la giornata..."

"Non lo so Janci, non lo so..."

Si spogliarono ed andarono a letto. Lo stesso letto, le stesse coperte...

"Va bene Tom? Non ho il pigiama, va bene lo stesso?"

"Sì. Vieni qui. Stammi vicino... Non è che hai in mente qualcosa?... "
"Ma anche tu sei senza pigiama..."
"Sì, Janci... Non ho niente... Stammi vicino..."
"Sono vicino abbastanza?..."
Tom spense la luce...

Capitolo 19

"Oh, bene arrivate!..." La direttrice della casa di produzione era al lavoro da quasi un'ora, indaffarata nell'attesa della troupe dagli Stati Uniti, ed aveva accolto con sollievo l'arrivo in anticipo sia di Denisa, cui ormai era abituata, che di AnnCecilie, giunta insieme a lei e piena di entusiasmo per l'inizio della nuova attività.

"AnnCecilie, benvenuta, grazie per esser venuta qui così presto. In un'altra occasione ti avrei fatto conoscere tutti, fatto vedere la scrivania, l'ufficio, e ti avrei spiegato quello che devi fare. Siamo di corsa. Imparerai tutto sul campo. Buon lavoro..."

"Grazie, signora, non vedo l'ora..."

"Vieni, ti faccio vedere dov'è il tuo posto qui in studio, dove puoi mettere le tue cose... Anzi, Denisa, portacela tu e tornate qua subito. Oggi è una giornata campale, dobbiamo preparare qui e esser pronti nello stesso momento a portare in esterno i macchinari e l'occorrente per le riprese. Abbiamo già due location a disposizione, ma non sappiamo ancora cosa vogliono, se vogliono vedere gli studi, cosa hanno in mente, dove vogliono andare... Dobbiamo essere pronti a tutto. Capaci di dire, bel posto, che bella Praga, noi facciamo un giro ci vediamo fra tre giorni, oppure siamo arrivati e tra un'ora giriamo. Vai, e torna. A proposito qui ci diamo del tu, e io mi chiamo Jirina"

"Fantastico. Sono già pronta. Io sono AnnCecilie"

"Lo so come ti chiami. Hai portato la foto? Dammela. Ti preparo il pass. Torna a prenderlo, Denisa, poi la porti tu da mio marito?..."

Molto bene, pensava Jirina, mentre le osservava correre via come due ragazzine, contente ed eccitate per quello che le aspettava. Sarà un'impressione, ma anche questa è una che non si spaventa a lavorare. La conoscerò meglio con calma, oggi è una giornataccia. Si arrangerà. E' capace anche di sopravvivere...

"Dai, vieni... Hai visto che confusione? Queste sono tutte le apparecchiature per gli esterni, i generatori per l'energia elettrica, i riflettori, i microfoni. Questi altri sono gli impianti di registrazione, le cineprese, i ponteggi per le luci, le giraffe, i dolly, i parasole, i diffusori per la luce, i filtri. Là fuori ci sono le roulottes con i camerini da esterni per gli attori, i camion della regia, e tutta la logistica su gomma..."

"Cos'è?"

"E' la roba che ci portiamo dietro quando andiamo a girare in esterni. Non ti ricordi al raduno delle auto d'epoca?"

"Sì, ma non era niente in confronto a quello che vedo qui..."

"Sì, sono più grossi di quello che pensavo anch'io. Ho l'idea che abbiamo fatto un bel colpo... Sembravano due gatti e guarda qui, che capannoni, che studi. Questi non fanno solo documentari. Ce lo hanno fatto credere per non farci montare la testa, ma che dagli Stati Uniti abbiano chiesto a loro di collaborare deve farci pensare..."

"Hollywood, arrivo!... Vieni anche tu Denisa?"

"Vai avanti tu... Mi sa tanto che sto bene anche qui... Ah, ecco il marito di Jirina, il direttore artistico, il regista. Tutta la parte artistica è sua. Tu dipendi direttamente da lui, ho visto il tuo dossier in amministrazione. Non serve dirtelo, è un colpaccio... Vieni che te lo presento, ma te lo ricorderai..."

Fatti i pochi passi che ancora mancavano a raggiungere l'indaffaratissima troupe, in mezzo a bauli, sedie, tralicci, riflettori, chilometri di cavi, Denisa raggiunse il Direttore.

"Ecco, Leo, ti ricordi AnnCecilie, oggi comincia a lavorare per te..."

"Ti sembra che me la dimentichi?" E, rivolto a lei, "sei ancora più bella di come ti ricordavo. Ti presento agli altri. Ragazzi, questa è AnnCecilie, lavora con noi... AnnCecilie, questi con la bava alla bocca e la lingua per terra sono i tuoi nuovi colleghi. Sono sicuro che ti troveranno simpaticissima. Alex te lo ricordi, era al raduno due settimane fa. E' il mio aiuto. E adesso al lavoro..."

Lasciata sola AnnCecilie coi suoi nuovi colleghi, Denisa tornò di gran carriera negli uffici, dove Jirina era immersa tra le varie montagne di fogli e documenti, e si sedette di fonte a lei.

"Vedi, questa è l'era digitale. La carta è destinata a scomparire, sarà tutto su chiavetta..."

"Sì, Jirina, hai notato come tutte queste chiavette assomiglino a dei mucchi di carte? Se una non sta attenta, è capace di confondersi..."

"Denisa, sei sempre di buon umore... Anche la tua amica è così?"

"Sì. Abbastanza. Non vedeva l'ora di venire a lavorare qui. Secondo me il lavoro della regia, l'assistenza sul set, le piacerà moltissimo. E poi ha un talento per le public, riesce a essere garbata con tutti, si ricorda di tutti..." Soprattutto dei maschi, dalla vita in giù, pensava, ma non era il caso di dirlo. E poteva capitarle quello che era successo a lei. Magari cambiava, o trovava quello giusto. Per lei Janicek era un ragazzino, se lo girava come voleva, doveva piantarla di trattarlo in quel modo...

"Hai detto che ha un talento per le public? Aspetta un attimo..." Prese il telefono, "Leo, senti, Denisa qui dice che AnnCecilie è brava con le public... Mandiamo lei all'Hilton a prendere la troupe, cosa ne dici?"

"Un'ottima idea. Ci aspettano alla una. Le diamo una macchina e la spediamo..."

Il resto della mattinata volò. Jirina disse a Denisa di andare anche lei. Loro due erano la migliore accoppiata a disposizione, e Alex fu incaricato di accompagnarle.

Dissimulando l'eccitazione, nell'atrio dell'albergo, si presentarono alla troupe con la quale avrebbero dovuto collaborare. Non erano ancora al completo, altri sarebbero arrivati nel giro di pochi giorni. I tecnici, i responsabili degli allestimenti, gli scenografi, c'erano già tutti. Attori, truccatori, parrucchieri e quelli che ancora mancavano sarebbero arrivati a giorni.

Solo a vederli erano uno spettacolo. Come spesso accade alla gente di quel mondo, riuscivano a farsi notare solo camminando per la strada, figuriamoci tutti insieme nell'atrio di un albergo. Denisa e AnnCecilie si presentarono e subito si diedero da fare a risolvere tutti i loro problemi, isterie da primedonne comprese. Guadagnandosi qualche sorriso, e addirittura un paio di grazie. Quando chiesero quali fossero i tempi cui pensavano per l'inizio dei lavori, fu loro risposto che la produzione aveva premura e avrebbero avuto piacere di iniziare il più presto possibile. "E' tutto pronto," risposero insieme Denisa e AnnCecilie, "in studio vi stanno aspettando. Quando volete..." Lieti di non indugiare, si avviarono, sui pulmini e sulle limousine che accortamente Denisa aveva fatto arrivare dagli studi, e le seguirono fino in sede, dove furono accolti da Jirina e Leo. Invitati negli uffici chiesero subito delle location individuate per loro, già scelte ed approvate in un viaggio precedente. Per gli interni furono fatti loro rivedere i video con i palazzi in città a suo tempo selezionati. Anche gli studi furono esaminati con cura. Finita la visita, in comitiva si diressero appena fuori città. Controllarono di nuovo alcune vecchie strade di campagna, fra i boschi, e alcuni antichi villaggi boemi, con gli adattamenti previsti dalle sceneggiature. Furono contenti, e AnnCecilie fu sempre attenta a non sbilanciarsi, a non dire mai una parola a sproposito. Sembrò addirittura vecchia del mestiere. "Brava AnnCecilie", le sussurrò ad un certo punto Leo, "continua così, vai bene. Parla poco, ascolta e riferisci". La giornata volò e alla sera la troupe volle a cena Jirina e Leo, ma anche Denisa e AnnCecilie. Che accettarono con entusiasmo. Una, soprattutto.

I giorni seguenti se ne andarono tra l'allestimento dei set, la stesura dei programmi, l'arrivo del resto della troupe. L'arrivo degli attori fu vissuto con vera ansia da AnnCecilie, che si aspettava arrivassero grandi star internazionali. Non era così, si trattava di un film per ragazzi, e il cast non era stratosferico. Fra gli attori di certo qualcuno si faceva notare per la prestanza, e la bellezza, ma come le disse Jirina, era logico. I cavalieri e gli eroi sono sempre belli. Ma lo sanno anche loro, di essere belli, e quindi, cara, non farti illusioni... Vedremo, aveva risposto fra sé AnnCecilie. Se voglio andare a Londra, o a Hollywood, pensò, forse mi conviene puntare ai registi, o ai produttori. A chi ha potere, insomma. Però... Un paio di quei cavalieri valevano il viaggio, come si dice, e se le fosse capitata l'occasione, non si sarebbe tirata indietro nemmeno di un centimetro... Parlandone con Denisa, si era sentita ripetere che quelli al massimo la mandavano a prendere il giornale o, se proprio le fosse andata bene, non sarebbe stata neanche l'avventura, ma solo la scopata di una sera. Contenta lei... Certo, contentissima, perché no, le rispose. Al di là di questi progetti, il lavoro correva. Giravano in esterni, in un piccolo villaggio appena fuori Praga, e cominciava a fare freddo. Per la troupe andava bene, la sceneggiatura prevedeva proprio quello e le luci di scena scaldavano il set di qualche grado. AnnCecilie faceva carriera. Non le pesava alzarsi presto al mattino, correre dappertutto, aiutare tutti. Come Denisa, si era scoperta efficiente e organizzata, e Jirina ne era rimasta soddisfatta, anche se, osservandola conversare con la troupe degli americani, aveva il sospetto che non si sarebbe fermata a lungo con loro, come invece era sicura sarebbe successo per Denisa.

"Jirina, posso chiederti una cosa?" era proprio lei che l'aveva raggiunta in un momento di calma delle riprese.

"Dimmi, Denisa..."

"Due miei amici avrebbero piacere di venire a vedere il set, come si lavora in questo ambiente. Solo per curiosità, per venirci a trovare..."

"Cercano lavoro qui?"

"Non credo. Uno è un musicista, e suona con l'orchestra del Teatro Nazionale, e l'altro è un pubblicitario cui piace il suo lavoro. E' solo curiosità, vedere come funzionano qui le cose..."

"Va bene, falli venire, possono stare con noi, se stanno tranquilli e guardano soltanto..."

"Grazie Jirina. Sabato andrebbe bene? Noi lavoriamo e loro hanno il giorno libero"

"Sì, diglielo..."

"Grazie ancora. Li avviso..." Non dirò niente ad AnnCecilie, pensava, le faccio una sorpresa. Mi sembra che non veda Janicek da un po', e si sentano solo per telefono...

Che AnnCecilie e Janicek non si vedessero da un po', e si sentissero solo per telefono, e neanche tanto, era vero. Janicek e Thomas erano presissimi l'uno dell'altro, e le giornate per loro volavano. Si sentivano quattro volte al giorno. Tutte le sere Janicek andava a prenderlo all'uscita del teatro. Nel giro di pochi giorni nessuno ci aveva fatto più caso, e sia Martina che Patrik vedendolo lo salutavano senza sorprendersi della sua presenza. Una volta sola gli chiesero se quell'idea della serata in campagna col padre Di Michal procedeva. Penso di sì, chiederò ad Olga, vi saprò dire, aveva risposto. Le telefonate ad AnnCecilie erano svogliate e quasi formali, e a lei non poteva importare di meno, presa com'era dal suo lavoro. Passata una settimana dal compleanno di Janicek, e dall'inizio della loro nuova vita, erano rimasti chiusi in casa per tutto il week end, scatenati a prendersi l'uno con l'altro, a cercarsi, a stare vicini. Era una smania, una necessità, quella di stare uno a contatto dell'altro, sempre, in ogni momento, soli loro due, senza neppure rispondere al telefono, o facendola cortissima, e solo se dovevano. E passato qualche giorno ancora, dopo una telefonata di AnnCecilie, liquidata con poche frasi quasi di circostanza, Thomas affrontò il problema.

"Janci, dobbiamo prendere una decisione..."

"Cosa vuoi dire..."

"Quello che sai benissimo. Devi dirle ciao. Non occorre che tu le dica che stiamo insieme, che sei il mio uomo, che scopiamo tutte le sere, che ti amo da morire. Salutala e basta. Che vada per la sua strada. Guarda che io già non sopporterei di vederti uscire con lei, figurati sapere che ci vai a letto. Parlo per davvero. Bisogna dirle ciao, Janci. Ciao cara, qui per te non c'è più posto..."

"Sì. È che non le ho detto niente perché non ho più nemmeno voglia di vederla. Le telefoniamo e glielo diciamo insieme, vuoi?"

"Va bene, la prossima volta che chiama glielo diciamo, e tanti saluti..."

La telefonata di Denisa, un paio di giorni dopo questa loro conversazione, capitò a proposito.

215

"Va bene così. Andiamo, e glielo diciamo. Tanto lei sarà presa dalle sue cose da fare e al massimo ci dirà bravi buona fortuna. E poi sarà divertente vedere girare un film, coi cavalli, i costumi, i ciac si gira, buona la prima, e così via. Passiamo la giornata insieme, mangiamo con la troupe, gli attori, non ti va?"
"Basta che non ci facciano mangiare con i cavalli, nella stalla..."
L'aria di sabato mattina era fresca e frizzante. L'autunno avanzava e presto sarebbe stato Natale. Il cielo si confondeva con le brume e le nebbie che si alzavano dai campi, sfumava i paesaggi, le case, gli alberi in lontananza. Seguendo le indicazioni di Denisa, Janicek e Thomas erano usciti da Praga e seguendo strade e stradine poco frequentate, erano arrivati ad un piccolo villaggio in mezzo a un bosco, dove il tempo sembrava si fosse fermato a cinquecento anni prima. Non era stato difficile individuare il luogo delle riprese, per i camion, le macchine parcheggiate, l'animazione che si sentiva in lontananza.
"Deve essere qui..."
"Sì, Janci, lasciamo qui l'auto e andiamo a piedi. Denisa ha detto che non dobbiamo dare fastidio... Sai che film..."
"Che film cosa?"
"Se passiamo in mezzo a loro mentre stanno girando la scena di qualche torneo... Parcheggiamo tra un cavallo e l'altro... Permesso, scusi... La macchina va bene qui? Ci sparano... Anzi, ci mettono alla gogna, come nel medioevo, nella piazza del villaggio... Ci spalmano di pece..."
"Tu staresti bene, con la faccia tutta nera, le penne di gallina sul cervello..."
"Scendi dall'auto e andiamo. Due cose, Janicek. Una, non dobbiamo dare fastidio, e due, più importante,

dobbiamo fare il discorsetto ad AnnCecilie..."

"Certo. L'importante è che tu mi stia vicino, Tom..."

"Sì... Se vuoi ti sto in braccio tutto il giorno... Adesso andiamo... Lo sai che senza la pece addosso e le penne di gallina in faccia sei bellissimo? Se qualcuno allunga le mani lo mangio vivo... Ricorda il discorsetto, ti senti pronto?"

"Sì... Ma... Guarda là!..."

Erano arrivati sul set. Nessuno faceva caso a loro. Passando tra camion, casse di materiale, roulottes e chilometri di cavi, avevano quasi raggiunto il posto dove stavano preparando la scena da girare. Stando attenti a non intralciare nessuno, si fermarono per guardare le tende, i cavalli, i tecnici che urlavano...

"Guarda cosa?"

"Là, appoggiati alla roulotte... Insieme a quello là, quel biondo con gli stivali... È un attore... E' lei... Guarda come si baciano... le sta mettendo la lingua in bocca..."

In quel momento sentirono urlare "Fine pausa! Signori sul set, per cortesia!" I due si staccarono, lui si avviò verso il set lasciandole le mani a fatica e Thomas riconobbe AnnCecilie.

"Non male... Lei sì che sa sfruttare le pause... Adesso è più facile, non credi?"

"Sì, non vedo l'ora. Prima cerchiamo Denisa, la salutiamo, e poi sistemiamo la faccenda con la nostra amata..."

Rimasero fermi, a guardare la scena che si stava preparando, l'attore biondo sul set vicino ad un cavallo, un tecnico che gli controllava le luci sulla faccia, le comparse che prendevano posto, e Janicek che pensava, ecco perché non si è più fatta viva... Sono molto presa dal lavoro... Sì, anima e corpo... Soprattutto il corpo. Si vede...

Si sentì toccare gentilmente per il gomito. Si voltò,

insieme a Tom e fecero per salutarla, ma Denisa fece loro cenno di star zitti, e sempre a gesti, li invitò a seguirla, più lontano da dove stavano cominciando a girare. Fatti pochi passi, arrivati fino ad un gruppetto di quattro o cinque persone che discutevano sottovoce, disse loro: "volete essere ripresi anche voi?... Non avete gli abiti adatti... Jirina, scusa, ti presento i miei amici, Thomas e Janicek".

"Ciao ragazzi... Come state? Avete visto che confusione?"

"E' bellissimo... Non avevo mai visto niente di così in grande" rispose Janicek, stando attento a non alzare il volume della voce, "e poi pensavo che i film venissero girati solo di sera, o di notte, che gli attori si svegliassero alle tre del pomeriggio o qualcosa del genere. Non credevo che alle dieci del mattino tutto funzionasse in questo modo..."

"No, Jan... Tu sei Janicek, vero? No, si lavora anche al mattino. Dipende dalla luce che cerca il regista, dai tempi a disposizione, da tante altre cose... Qui hanno premura, vogliono fare le cose in fretta..."

"Me ne sono accorto" fece Janicek, con Thomas che lo guardava divertito, "qui hanno tutti molta premura, si danno tutti molto da fare..."

"Mi fa piacere che tu lo abbia notato. Siamo una grande famiglia, e quando possiamo ci diamo una mano... Denisa, fai tu gli onori di casa, poi gli fai veder girare qualche scena... Ragazzi ci vediamo in pausa pranzo... Denisa, se puoi essere qui fra un quarto d'ora..."

"Sì, certo Jirina... Venite con me, vi faccio vedere il set, poi cerchiamo AnnCecilie e le facciamo una sorpresa... Janicek, a cosa stai pensando?"

"Niente, Denisa... Andiamo Tom?" Una grande famiglia... Come no... Ci diamo una mano... Anche il resto... Ecco a cosa pensava Janicek. Seguirono

Denisa per tutto il set, ascoltando le sue spiegazioni, fino a tornare dove erano prima, appena più defilati. Denisa disse loro di rimanere lì, di godersi le scene e stare in silenzio. Sarebbe passata a prenderli poi. Se Vedeva AnnCecilie e lei aveva due minuti l'avrebbe mandata a salutarli, se no ci si vedeva tutti alla mensa. Obbedienti si sedettero su una cassa abbandonata e rimasero a guardare. Doveva trattarsi di un film per ragazzi, nel medioevo, forse nel settecento pensò Thomas. I costumi, l'ambientazione gli davano quell'idea. Guardarono gli attori andare avanti e indietro, a cavallo, una volta, due volte, incontrarsi, tirar fuori le spade, ricominciare, con quell'attore biondo che doveva essere uno dei protagonisti, il cappello, la faccia sempre bene illuminata dai riflettori. Tutto sommato, era anche divertente vedere le comparse che arrivavano e poi facevano finta di scappare, tornare da dietro le case e rifare la scena. Videro AnnCecilie da lontano, che sorpresa li salutò con la mano e fece un gesto del genere ci vediamo poi, riprendendo il suo posto nella troupe, con in mano un blocco per gli appunti. Rimasero ad osservare in silenzio, incuriositi, fino a quando sentirono un tizio gracchiare al megafono: "bene così, signori... Pausa..."

Raggiunsero il gruppetto degli altri, con Denisa e Jirina che si scambiavano le ultime opinioni sull'andamento delle riprese, e si avviarono verso il tendone con il buffet e i tavoli della mensa. Lì videro AnnCecilie, che si diresse verso di loro, salutandoli.

"Che sorpresa ragazzi! Non vi aspettavo..."

"E' stata Denisa. Ci ha invitato..." rispose Thomas, "volevamo farti una sorpresa..."

"Vi è piaciuto? Avete visto che confusione?"

"Sì, bello... Sembra il caos, ma alla fine ti accorgi che tutto funziona" aggiunse. "E' interessante, e anche divertente... E con la troupe degli americani come ti trovi?"

"Benissimo, grazie. Sono tutti molto simpatici..."

"Non ne dubito... Janicek, tu cosa ne pensi?"

"Ne sono sicuro... AnnCecilie, non sapevo che anche tu facessi parte del cast..."

"Cosa vuoi dire?"

"Che ti avessero preso a recitare con loro, che avessi una parte nel film..."

"No, certo che no, io sto dall'altra parte della macchina da presa, faccio assistenza alla regia..."

"Allora vuoi dire che quel bacio a lingua in bocca che ti ho visto dare al soldatone biondo con spada a penzoloni non era un bacio di scena... E io che pensavo..."

AnnCecilie era quasi riuscita ad arrossire. Li guardò bene in faccia, lui e Thomas.

"Senti... Dato che mi hai visto, mi sembra inutile cercare scuse. Mettiamola così. Fra noi non è più come prima, Janicek. Ci sentiamo, ci vediamo, ma ognuno si fa i fatti suoi. D'accordo?"

"Sì, AnnCecilie, d'accordo. Meglio così. Ognuno per la sua strada..."

"Mi fa piacere che non te la prenda, Janicek... Sapevamo tutti e due che tra noi non funzionava più, anzi, non ha mai funzionato... È inutile nascondersi dietro un dito, è dall'inizio che era così..."

"Non ti preoccupare AnnCecilie, va bene anche a me... Ognuno per i fatti suoi... A proposito, bel maschione ti sei scelta, non male..."

Il sorriso ironico di Tom fu ben celato, e Denisa, che per un attimo aveva temuto il peggio, si sentì sollevata dal fatto che nessuno sembrava dispiacersi dell'accaduto. Anzi, sembrava una liberazione per entrambi... Cosa si erano messi insieme a fare... Forza, disse, tutti al buffet. Al tavolo della mensa

Janicek si sedette vicino a Tom, con Denisa accanto a loro, che ogni tanto li guardava perplessa mentre chiacchieravano con tutta la troupe, AnnCecilie e nuova fiamma compresi, seduti poco più in là, di fronte a loro. Janicek amabilmente, Thomas, incollato a lui, più silenzioso, e che, senza farsi notare, ogni tanto fissava Edward con uno sguardo impenetrabile...

Capitolo 20

"Ciao Olga, ti disturbo?"

"No, dimmi Janicek..."

"Ho delle novità... Vuoi che te le dica per telefono o vuoi che ci vediamo?"

"Tutte e due... Belle o brutte?"

"Boh? Per me belle..."

"Ti decidi a parlare?"

"Non sto più insieme ad AnnCecilie..."

"Ahhh, ma allora è bellissimo! Vediamoci..."

"Come bellissimo? Pensavo che ti dispiacesse..."

"Ma sei scemo? Non vedevo l'ora"

"Ah. E non mi chiedi come è successo?"

"Come è successo?"

"Mi ha piantato lei..."

"E cioè?"

"L'ho vista con la lingua in bocca a un altro, e mi ha detto ci sentiamo e ognuno per la sua strada..."

"Oh, scusa. Ti dispiace?"

"Neanche un po'... hai voglia di venire qui a casa? Thomas è all'Opera, e vado a prenderlo alle dieci. Se vieni qui ti spiego e dopo se vuoi vieni con me..."

"Arrivo. Sono in giro con Michal e veniamo verso le sette... Hai da mangiare in casa?"

"Da mangiare sì... Ma ho finito lo champagne..."

"Fratello losco... Vedremo... Arriviamo alle sette... Non piangere"

"Sono tutto una lacrima. Muoviti"

Alle sei e mezzo, mezz'ora prima di quando pensasse Janicek, suonò il campanello e Olga si precipitò in casa, seguita da un Michal divertito che faceva finta di tenerla a freno...

"Voglio sapere!"

"Niente di speciale. Denisa ci ha invitato a vedere le riprese sul set e l'abbiamo vista lingua in bocca con uno degli attori... Mi ha detto tra noi è tanto che non funziona più, dovevi immaginare..."

"E poi?"

"Le ho fatto i complimenti per il bel maschione che si è scelta, e ci siamo goduti la giornata. Denisa ogni tanto ci guardava, con una faccia... Avrà pensato che ho il cuore di pietra..."

"Ha pensato che finalmente ti sei svegliato, che era ora che scendessi dalle nuvole... Thomas cosa dice?"

"Ride ancora. E' andato via che a momenti si dimentica il violino in casa ed è tornato a riprenderlo..."

"Va bene" lo interruppe Michal. Ho vinto la scommessa. Janicek, questo è lo champagne, mettilo in frigo, lo beviamo con Thomas quando torna... Olga, sai cosa devi fare..."

Janicek la guardò. "Cosa devi fare cosa?"

"Le valigie... Come ti avevo detto, Michal ed io pensiamo di vivere insieme per un po'..."

"Sì, certo... Ma cosa c'entra?"

"Non lo sai? Michal aveva scommesso con me che la piantavi entro due settimane, e io gli ho risposto che se aveva ragione andavo a stare da lui subito..."

"Olga..."

"Dimmi Janicek..."

"Lo sai che sei scema, ma tanto?"

Decisero che sarebbero andati insieme a prendere Thomas al Teatro, e che avrebbero aperto la bottiglia una volta tornati a casa con lui. A Janicek venne in mente che Martina e Patrik, qualche giorno prima, avevano chiesto notizie della serata in campagna nella villa di Pavel, se era stato deciso qualcosa, se non se faceva più niente... Michal decise di rimediare in tempi brevi. Occorreva chiedere a Thomas quando avrebbe avuto un venerdì, o un sabato sera liberi, e poi avrebbe agito di conseguenza.

All'uscita del teatro Thomas fu contento di vederli.

"Oh, c'è tutta la famiglia... Che bello..."

"Allora", tagliò corto Olga, "cosa è successo sul set?"

Thomas sorrise. "Non sai? Tuo fratello è andato là per piantarla, e invece lei ha piantato lui. C'è rimasto così male, poverino... Piange ancora..."

"Di gioia, deficiente... Certo che tu una mano potevi darmela..."

"A tagliarti la cotoletta nel piatto, ti davo una mano... Ha fatto tutto lei. Meno male che avevi deciso di mandarla a quel paese. Lei l'aveva capito, ed è stata più veloce. Per me è così. Cosa ne pensi, Olga?"

"Assolutamente d'accordo con te. Torniamo a casa. C'è lo champagne in frigo".

Mentre si avviavano verso l'auto, Thomas pensava, guardando Janicek, quello champagne è per noi, per noi due soltanto... Finalmente siamo liberi, possiamo stare insieme senza nessuno in mezzo a noi...

Pensava a quando erano tornati a casa, la sera prima, quando si erano tuffati uno nelle braccia dell'altro, a ridere insieme, complici, felici, a letto insieme, a darsi l'uno all'altro quasi con violenza, pieni di gioia...

"A cosa pensi Thomas?"

"Come, Michal?"

"Mi sembrava che camminassi sulla luna, che avessi la testa chissà dove..."

"Pensavo che è una bella serata... Fa freddo e forse tra poco nevicherà... Deve essere molto bello, qui, sotto la neve..."

"Sì, è molto bello, se sei vicino a chi ami, vero Thomas?"

"Sì, è molto bello..."

Ecco, pensava Michal, se volevo una conferma l'ho avuta, anche se non ce n'era bisogno... Ragazzaccio, era riuscito a fargli piantare AnnCecilie, anzi, a farlo piantare da AnnCecilie. Maestro...

"Ti va lo champagne? Non preferisci una birra?"

"Mi prendi in giro, Michal? Una serata come questa, una birra?"

"Eh, sì... E dimmi, dovendo scegliere, tra una bottiglia di champagne fra noi quattro, e una birra solo con Janicek, cosa preferiresti? la verità, Thomas..."

"La verità?... Lo champagne solo con Janicek..."

"Thomas..."

Michal lo guardava, alla luce dei lampioni. Era bello, con un berrettino di lana calcato sulla testa, il suo ciuffo di capelli castani che usciva e gli copriva la fronte, il violino sulla spalla, lo sguardo intelligente e innamorato che non si staccava da Janicek, pochi metri più avanti, la bocca appena increspata da un sorriso tutto suo, aperto su un mondo solo per loro due...

"Thomas..."

"Sì?"

"Niente, monta in macchina..."

A casa aprirono lo champagne, riuscirono a metterci insieme qualcosa da mangiare, conversarono ancora su quello che era successo il giorno prima e del concertino da organizzare a casa del padre di Michal. Thomas avrebbe avuto libero non il prossimo sabato, ma quello dopo, e decisero che quello sarebbe stato il giorno. Thomas si incaricò di avvertire il mattino dopo Martina e Patrik, e l'altro violino che forse avevano trovato. Anche il programma, da preparare in tempi brevi. Finché ad Olga cadde lo sguardo sulla parete vuota del soggiorno.

"Avete tolto il cartello di Happy Birthday... E' vero, questa parete è proprio vuota... Ci vorrebbe sul serio qualcosa da appendere... Janicek, sei sempre dell'idea di fare quel famoso quadretto?"

226

"Quale quadretto? Ah, quel quadretto..."

"Sì, proprio quello..."

"Quale? Voglio saperlo anch'io", disse Michal. "Ho capito," proseguì. "Quel quadretto... Quello della coccarda celeste..."

"Lascia perdere", gli rispose Thomas. "Sto pensando di mettere un paio di poster del Teatro. Vorrei incorniciare qualche programma, magari un'opera, e un balletto. Non ci starebbero male. Cosa ne pensi?"

"Ehi, hai proprio paura, eh?"

"Piantala, deficiente, se no ci attacco il tuo..."

Mentre Michal e Olga commentavano l'idea dei due poster, trovandosi d'accordo, e pensando al colore più adatto per le cornici, Thomas e Janicek si scambiarono una lunga occhiata. Senza dirsi niente, capirono di volere restare soli al più presto, con Olga e Michal fuori dalle scatole.

"Facciamo così", concluse Thomas, "se siete d'accordo domattina avviso Patrik e Martina, li invito a cena e decidiamo come organizzarci. Adesso andate a casa, sono stanco, e domani ho prove tutto il giorno"

Il finto sbadiglio di Janicek fu l'invito decisivo alla conclusione della serata. "Grazie dello champagne, dicevo così per dire. Michal, non dovevi disturbarti, non valeva la pena"

"Per tua sorella sì, non vedeva l'ora"

"Non immaginavo ti desse così fastidio..."

"Ti faceva fare quello che voleva lei, ti faceva girare come una trottola..."

"Va bene... Oramai è finita. Va a casa, sono stanco anch'io".

Al mattino l'aria pungeva e Thomas arrivò davanti al Teatro infreddolito e col naso rosso. Il berretto calcato sulla testa, il ciuffo sulla fronte, attraversò la strada e si fermò per qualche minuto a guardare il fiume, e le case sull'altra riva, e l'isoletta in mezzo, con le piante che sfumavano nella nebbia, e i contorni che si confondevano e svanivano fino a sparire nel grigio del cielo e dell'aria intorno a lui. Rimase a lungo, incantato, a osservare il fiume che scorreva sotto il ponte, finché alzò lo sguardo e vide Patrik che lo salutava con la mano, vicino al portico del Teatro, e lo raggiunse.

"Ciao Thomas, cosa stavi guardando dal ponte, così intento? E' un'ora che ti saluto"

"Niente, l'acqua che scorreva..."

"Con questo freddo? Se continua così tra un po' ghiaccia..."

"Esagerato. Senti, volevo dirti, per quella serata, ti va fra due sabati? Ieri sera ho parlato con Michal e se a te va bene, glielo confermiamo subito. Martina è libera?"

"Penso di sì. Ci siamo visti ieri sera, con Dagmar e un suo amico, e parlavamo proprio di questo..."

"Con Dagmar? Mi sembravi ingrassato, ma non volevo dirtelo... Ti sposi?"

"No. E tu quand'è che sposi Janicek?"

"Che scemo che sei... A proposito, vi aspettiamo a cena per organizzare la serata. Dobbiamo stabilire il programma e cominciare le prove. Potremmo anche provare in casa, tanto di giorno non c'è nessuno, e non ci sentono"

"Meno male. Non saprei dove andare. Chiami tu Martina? Io direi anche domani, o al massimo il giorno dopo. Non abbiamo molto tempo, tra poco è Natale, e c'è molto da fare con l'orchestra. Il cachet è sempre lo stesso, vero? Non hanno cambiato idea?"

"Quale cachet? Non hai detto che pagavi tu per venire a suonare da noi?"

Davanti alla smorfia di disperazione di Patrik, Thomas continuò, "no, penso che non ci siano problemi, è tutto confermato... Contento?"

"Sì, ma che freddo... Tra un po' nevica... Forza, entriamo in teatro. Forse c'è anche Martina, l'avvisiamo subito".

Trovata Martina, e visto che poteva, concordarono con lei di vedersi la sera dopo. I tempi erano stretti e ci si doveva muovere. Fu avvisato Michal. Lui non poteva, ma Olga ci sarebbe stata senz'altro. Adesso era in qualche cantiere e l'avrebbe avvisata lui. Durante la pausa pranzo, mentre Thomas era al telefono con Janicek, come oramai di abitudine quando avevano qualche minuto libero, Patrik telefonò a Dagmar, avvertendola della cena del giorno dopo ed avvisandola che non si sarebbero potuti vedere. Niente affatto, ribatté, ci sono anch'io.

"Dille di portarsi il frigorifero", rispose Thomas, sempre al telefono con Janicek, quando fu avvertito da Patrik che anche lei sarebbe stata del giro.

Il frigorifero non lo portò, ma portò del gulasch, messo rapidamente in tavola e che, all'urlo di così poco, venne finito in un lampo dai commensali.

"Dagmar", le disse Olga, mentre gli altri erano impegnati a discutere della serata e della ristrettezza dei tempi, "è tanto che non ci vediamo, come va?"

"Bene, sai, esco con Patrik... E, senti, ho comprato due divani nuovi, e vorrei farli vedere, a te e Michal... Non avreste voglia di venire da me, una di queste sere, voi due soltanto, e mi dite cosa ne pensate?"

"Va bene, Dagmar, volentieri. Facciamo dopodomani per cena, ti va?"

"Benissimo. Non chiedi a Michal?"

"Non c'è bisogno. Glielo dico dopo, a casa..."

"A casa?"

"Non ti ho detto? Viviamo insieme, mi sono trasferita da lui..."

"Complimenti... E non mi dici niente... Com'è successo?"

"Era ora... E poi..."

"E poi cosa?"

"Se te lo dico, ti metti a ridere..."

"Voglio sapere"

"Abbiamo scommesso che se Janicek piantava AnnCecilie entro due settimane andavo a vivere da lui..."

"E?..."

"E lei ha piantato lui..."

"Dimmi tutto..."

"Stasera no, Dagmar" le rispose sottovoce, "non è il caso. Ne parliamo un'altra volta, se vuoi"

"E a lui è spiaciuto?"

"Neanche un po'"

Ci avrei scommesso, pensò Dagmar, osservandolo mentre, seduto sul divano vicino a Thomas, discuteva sul come fare e sul chi invitare, con un braccio appoggiato sulla sua spalla. Certo, che scema, continuava fra sé, è lì davanti al naso, è così evidente... Guarda che aria hanno, sempre appiccicati... Janicek tra un po' se lo mangia, e lui lo lascia fare... Avevo ragione io, fin dal raduno delle macchine, quelli stanno insieme, altro che AnnCecilie...

"Olga..."

"Sì, Dagmar..."

"No, niente. Vi aspetto dopodomani, e mi dirai tutto... Allora, ragazzi, avete deciso?"

"Si, Dagmar" le rispose Janicek, "tu stai in cucina. Anzi no, meglio di no, altrimenti per gli ospiti non resta niente..."

"Che brutta fama che mi stai creando... Sono un passerotto..."

"Un condor..." ribatté Olga, "Mi spieghi come fai a ingoiare tutto quello che mangi, e a non ingrassare? Tu hai un segreto..."

"Natura, cara, tutta natura..." e intanto pensava, segreti io? Olga, o lo sai e non mi dici niente, o non lo sai... Me lo dirai tu, se vuoi... Sarà, ma per me è così. Quelli si scopano tutte le sere... Beati loro, non dovrebbe essere male stare in mezzo a loro due... AnnCecilie, non vorrei dire, ma mi sa, che cosa ti sei persa...

La serata finì a tarda ora, ma tutto riuscì ad essere definito, programma, orari. A momenti anche la lista degli invitati. Denisa, i suoi capi... Anche AnnCecilie con la sua nuova fiamma, se voleva... Oramai non era più un rischio, potevano anche dirglielo. Non loro, però. Thomas si era impuntato, e Janicek pure. Non l'avrebbero mai chiamata, ci pensassero gli altri.

Usciti di casa, sul marciapiede, dopo avere salutato Olga, avviandosi alla macchina con Dagmar e Patrik, a Martina disse, quasi pensando ad alta voce, "hai sentito Thomas? Ha detto ad Olga, io non la chiamo e lui non la chiama, se la volete sono fatti vostri... A noi non importa, se non viene ci fa un piacere... Noi, ci, lui no..."

"Vedo che è chiaro anche per te" le rispose Dagmar, mentre Patrik annuiva, "sono curiosa solo di sapere se sua sorella se ne è accorta..."

"Meglio non indagare" concluse Patrik, "che freddo... Dieci a uno che domani nevica..."

Non l'indomani, ma due giorni dopo nevicò. Cominciò verso sera, col buio, ed i fiocchi, alla luce dei lampioni, si adagiarono piano sulle strade, sui monumenti, sui ponti, sulle piante, nei giardini. Per chi non era abituato alla neve, come Thomas, lo spettacolo era imperdibile, e lo rendeva felice come un bambino, come quando un anno lo avevano portato in Svizzera, e lui si era incantato a guardare la neve che scendeva dalla finestra dell'albergo, e poi era uscito, a cercare di prendere i fiocchi con la lingua, con le mani, e poi, già che c'era, a raccoglierla da terra, fare delle belle palle e tirarle in faccia alle sorelle. Andò in teatro a piedi, godendosi ogni fiocco che cadeva, bagnandosi il berretto, il giaccone, le labbra, tutto.

Uscito da teatro, alla fine del concerto, trovo Janicek che lo stava aspettando, infreddolito, con le spalle ed il berretto bianchi di neve, ma felice anche lui, per la nevicata in anticipo sui tempi.

"Hai il naso rosso, sei qui da tanto?"

"Cinque minuti..."

"La macchina è lontana?"

"Abbastanza..."

"Senti, facciamo due passi... Andiamo sul ponte? Ho voglia di vedere la neve che cade, si vede anche il Castello, le luci... È bellissimo..."

Si avviarono sul ponte, si fermarono quasi a metà. Il traffico si stava diradando, era diventato silenzioso. Le macchine passavano piano, imbiancate anche loro, coi tergicristalli che accumulavano la neve ai lati dei parabrezza. Incantati, si misero a guardare i ponti, fino al Ponte Carlo in lontananza, illuminato, che si rifletteva nel fiume. Janicek aveva appoggiato un braccio sulle spalle di Thomas. Lentamente passò un tram. Bianco e rosso, nel turbinio della neve illuminata dai fari. Janicek aspettò che passasse, poi strinse Tom a sé piano piano, gli passò il braccio dietro la testa e lo baciò sulla bocca, con gli occhi chiusi, incurante di tutto e tutti, sotto la neve che cadeva, sui loro berretti, sui volti bagnati. Non passava nessuno, solo qualche macchina che non badava a loro, due figure scure, confuse nel buio e nella neve che continuava a cadere, bianca, in fiocchi fitti, e spessi...

"Ma quello è Janicek!... E Tom... Ma... Si stanno baciando!... Michal, hai visto?"

"Sì, ho visto, Olga, ho visto..."

Una di quelle poche macchine che passavano adagio,

sopra il ponte, in mezzo alla neve, era quella di Michal e Olga, che tornavano a casa da Mala Strana, dopo la cena nel piccolo appartamento di Dagmar.

"E non dici niente?..."

"Cosa vuoi che ti dica, Olga..."

"Non ho parole..."

"Non ti eri accorta di niente?"

"Certo che no..."

"Ma non hai visto che sono persi uno dell'altro?... "

"Janicek?..."

"Sì. Janicek e Thomas. Sì, Olga, sì..."

"Non ho parole..."

"Non c'è bisogno di dire niente, Olga. Si amano, si vogliono bene. Tutto qui. Succede anche in quel modo, non c'è niente di male... Succede, Olga, può capitare..."

"Andiamo a casa, Michal, mi gira la testa..."

Capitolo 21

"Michal cosa faccio?" furono le prime parole che Olga riuscì a pronunciare dopo essersi ripresa dalla vista del fratello e di Thomas abbracciati sul fiume, che si baciavano dimentichi del mondo intorno a loro. "Mi gira la testa, non so cosa fare..."

"Non te ne eri accorta, Olga? Non hai mai fatto caso a come si guardano, sempre insieme ogni minuto libero? Non hai mai visto gli occhi di Thomas?"

"Non pensavo che fosse per quello... perché gli vuole bene, è un artista... non so cosa dire... E Janicek?"

"Janicek è più perso di lui, Olga... Anche lui... Non vedi come se lo mangia, non hai visto alla festa di compleanno come si scioglieva ogni volta che lo guardava, se lo baciava di nascosto?..."

"No, non mi sembrava più di tanto... gli vuole bene, si comporta così perché è molto possessivo, negli affetti è un accentratore, ma non credevo... Mi fai venire in mente al raduno delle auto d'epoca, a come lo ha strappato dalle mani di Patrik... Forse sì... Ma mio fratello... Non ho mai pensato..."

"Olga, è profondamente innamorato. E Thomas anche. Succede. Anche nelle famiglie per bene, come si diceva una volta. Lascia che la verità sia libera di venire alla luce. Se accetti questa idea, tutto è più facile, anche accettare l'amore di tuo fratello per un uomo..."

A queste parole Olga non rispose subito. Non era facile, come diceva lui. Rimase in silenzio, mentre la macchina procedeva piano, sotto la neve che cadeva a fiocchi sempre più larghi, nel traffico sempre più scarso, il solo rumore del tergicristallo che andava, e accumulava la neve ai lati del vetro. I fari là fuori, ad illuminare il turbinio dei fiocchi. Quasi a casa, ebbe un dubbio. "Voglio essere sicura di quello che provano, mio fratello, e Thomas... Se è così come dici, ho paura che non avranno vita facile, almeno i primi tempi, non credi?

"Non più Olga... Verranno accettati da tutti. Vedrai, non ci saranno difficoltà..."

"Se lo dici tu... E tu cosa ne pensi?"

"Penso che sia un grande amore, Olga, un grande amore per tutti e due..."

"E accetti la cosa?"

"Sì, vedere tuo fratello felice rende felice anche me... E Thomas è un ragazzo straordinario..."

"Oh, certo che è straordinario... Guarda cosa ha combinato nel giro di tre mesi..."

"Qui ti do ragione... Se hai dei dubbi, parla con loro, senti cosa ti dicono, ascoltali... Vedrai, è come ti dico, un grande amore, Olga, un grande amore..."

"Parlerò con loro. Prima uno, e poi l'altro. Sentiamo cosa dicono..."

"Se ci riesci... Non so se riuscirai a tenerli staccati cinque minuti uno dall'altro..."

"Addirittura... Prima uno, poi l'altro, poi tutti e due. Decido io, oh!"

"Ecco, così si fa... Adesso scendi, spala un po' di neve dalla porta del garage, che ti fa bene, e andiamo a casa..."

"Spalala tu. Io devo telefonare..."

"A loro? Adesso?"

"No, domani. Spala"

La neve cadde per tutta la notte e al mattino dopo la città incantava. Nel silenzio, nei contorni sfumati delle case, nel cielo confuso con gli alberi. Era freddo, ma Olga era già al lavoro. Era arrivata presto. La notte era volata nell'attesa di poter telefonare al fratello e sapere cosa c'era, quali erano i suoi sentimenti, la verità.

"Janicek, hai un minuto?"

"Sì, Olga, dimmi..."

"Ti devo parlare..."

"Dimmi..."

"No, non per telefono. Di persona. Quando hai cinque minuti?"

"Hai voglia di venirci a trovare oggi pomeriggio a casa dopo il lavoro?"

"No, voglio parlarti da solo..."

"Oh, è successo qualcosa con Michal?"

"No, voglio parlarti da solo, subito..."

"Adesso sono in ufficio, non posso... Ti va bene a mezzogiorno in pausa pranzo?"

"Va bene. A mezzogiorno fuori dal tuo ufficio..."

"Dodici e trenta. Prima non posso. E' così importante?"

"Abbastanza..."

"Non mi puoi anticipare niente?"

"Preferisco parlarti di persona..."

"Va bene. Dodici e trenta qua davanti..."

Quando Janicek uscì dall'ufficio Olga era già lì ad aspettarlo.

"Ciao. Cosa c'era che non mi potevi dire per telefono?"

"Niente... Bel cappellino che hai... E' lo stesso che avevi ieri sera? Quando sei andato a prendere Thomas a teatro?..."

"Sì, ma cosa vuoi dire?..."

"Niente... Anche quando siete andati sul ponte a vedere la neve che cadeva?"

"Come fai a saperlo?"

"Anche quando lo baciavi lingua in bocca, con lui che ti abbracciava incollato a te?"

"Ah... Ci hai visto?..."

"Sì che ti ho visto, deficiente..."

"Be', adesso sai..."

"Sì che lo so, e anche Michal lo sa, e tutti quelli che vi hanno visto lo sanno... Parla, fratello, cosa c'è fra voi due?..."

Janicek abbassò gli occhi, e la voce si indebolì.

"Indovina... Se ci hai visto, cosa ti viene in mente?"

"Mi viene in mente che voglio sapere tutto, subito... Cosa c'è tra voi due?"

"C'è che gli voglio bene, tanto, che non hai l'idea..."

Mentre diceva queste parole. Gli si inumidirono gli occhi e gli si affievolì ancor di più la voce.

"Tanto, sorella... Non hai idea..." Trattenne due lacrime, ma non ci riuscì... Abbassò lo sguardo. Si girò un poco per non farsi vedere, si asciugò il viso... Rialzò il capo, guardò la sorella...

Olga si addolcì. "Cosa credi, che anch'io non abbia mai voluto bene a qualcuno? Credi che con Michal sia sempre stato facile? Forza, cos'è successo?"

"E' successo che non mi sono mai sentito così amato, Olga, mai. Da nessuna, e anche da nessuno, se vuoi star lì a dire. So che vive per me, che respira per me, che per lui sono molto importante..."

"E tu?"

"E io uguale, Olga. Lo amo tantissimo... Non ho mai provato amore più grande per nessun altro, mai..."

"E AnnCecilie?"

"Quella? Mi teneva solo per portarmi a letto, quando le faceva comodo. Non mi ha mai detto una volta qualcosa, una parola. Non mi ha mai detto di amarmi, non ha mai fatto qualcosa che mi facesse capire di essere importante per lei, di contare qualcosa..."

Almeno se ne è accorto, pensò tra sé Olga. Ma poi...

"Ma scusa, e a letto?"

"Mi piace... Non so cosa dirti, ma è così. Thomas mi piace, a letto con lui mi piace... E' così, Olga, è così..."

"E a lui?

"Anche a lui. Stiamo bene insieme... Mi piace, quando non c'è mi manca e lo voglio..."

"Scusa, e con AnnCecilie com'era?"

"Un'altra cosa. Non riuscivo a provare niente... Era solo andarci insieme, non so come dirti. Fare la firma e andare... Sentire le cazzate che diceva. Non voglio più pensarci, per cortesia, Olga. Se mi fai parlare di lei mi sento sporco, mi sembra di tradire Thomas, e piuttosto muoio..." Riprese a piangere, nell'aria fredda, guardando il cielo grigio sopra di lui, la neve... Si voltò di nuovo verso la sorella.

"Janicek, non dire stupidaggini. Adesso Thomas dov'è?"

"E' impegnato tutto il giorno con le prove e poi con la recita. Mi aspetta stasera all'uscita del teatro."

"Senti, non dire niente di quello che ci siamo detti. Fammi parlare con lui, voglio sapere cosa pensa di questa storia. Fammi capire se ti vuole bene tanto quanto tu vuoi bene a lui, non voglio che tu soffra se ti prende in giro..."

"No, sono sicuro di no..."

"Sono tua sorella, sono dalla tua parte, Janicek. Sai che una cosa del genere in casa creerà un sacco di problemi. Conosci la mamma, e anche nostro padre. Non la prenderanno bene, se lo vengono a sapere..."

"Lo so. Ce ne andremo a Londra, in Australia, non importa..."

"Non esagerare. Fammi capire cosa prova Thomas per te, e dopo vediamo come fare. Questa sera vado io a prenderlo. Tu sta in casa e aspettaci, okay?"

Va bene, sorella, mi fido di te... Digli che gli voglio bene, tanto, che senza di lui mi sento morire... E Michal?... mi ha visto anche lui? Cosa dice?"

"Lui lo aveva intuito. Vuole solo la tua felicità, Janicek, solo quello. Adesso ti va di mangiare un panino insieme? Tra poco dobbiamo tornare al lavoro...

239

Capito? Non una parola con Thomas..."

"Va bene, non una parola... Ma se continui a dire così mi fai stare male..."

In teatro la giornata di Thomas era stata pesante, ma lui non se ne accorse nemmeno. Pensava alla neve che cadeva, alla magia dei tetti imbiancati, alle macchine che passavano piano, e al suo Janci, che sarebbe venuto a prenderlo alla fine della recita, e forse avrebbero ancora fatto due passi sul ponte, come ieri sera, sotto la neve. Al telefono, nel pomeriggio, gli aveva confermato che ci sarebbe stato, di aspettarlo se non trovava posto per la macchina, e di non parlare con gli sconosciuti. Fu sorpreso nel vedere Olga, da sola, che lo aspettava con l'ombrello aperto.

"Olga? E Janicek dov'è?"

"Non c'è, Thomas..."

A Thomas sbiancò immediatamente il volto e gli mancò il fiato. Annaspò, cercando di non farsi capire, e si bloccò, rigido, vicino alla colonna del portico.

"Cosa... Cosa è successo? Dov'è?..."

"Stai tranquillo Thomas, non è successo niente. Sta bene, è a casa che ti aspetta."

A Olga era bastato vederlo trasalire in quel modo per capire che non c'era bisogno di chiedere niente. Aveva ragione Michal. Persi uno dell'altro, completamente.

"Thomas, sono venuta io perché voglio parlare con te, da sola."

"Dimmi, Olga, c'è qualcosa che non va?"

"No, ti ho visto ieri sera sul ponte mentre baciavi Janicek, e voglio sapere se è una cosa seria..."

"Ci hai visti..."

"Sì, Thomas, vi ho visti. Scioglievate la neve tre metri intorno... Thomas, voglio bene a te come a mio fratello, e non voglio che a nessuno dei due capiti qualcosa. Non so come dirti, fidati di me, parlami. Dimmi cosa c'è fra voi due?"

"C'è che se non c'è mi ammazzo. È l'aria che respiro, è il sole, la mia vita. Se non c'è muoio, devo correre da lui..."

"Non fai prima a dire che sei innamorato di lui, Thomas?"

"Sì Olga, tanto. Tantissimo..."

All'improvviso fu assalito da un dubbio atroce. "Non è che sei venuta per dirmi qualcosa? Non è che non mi vuole più? Come mai non c'è?"

E, come era successo prima a Janicek, gli si ruppe la voce, e gli si inumidirono gli occhi. Guardò con aria disperata Olga, che non sapeva più se ridere o piangere anche lei. "No, Thomas caro, no. Ho detto io a Janicek di restare a casa perché volevo parlarti da sola. Volevo capire se anche per te era una cosa seria, come per lui..."

"E..."

"E siete due deficienti, siete. Fila a casa, che ti aspetta..."

"E tu?"

"Io vado da Michal. Ci vediamo domani. Corri che sei tutto bagnato. Aspetta, fatti baciare..."

Non riuscì ad aspettare di essere a casa per avvisare Janicek. Mentre correva per prendere il tram che stava arrivando, in mezzo alla neve che continuava a cadere, tirò fuori di tasca il telefonino e lo chiamò immediatamente. Lui rispose subito.

"E' venuta tua sorella. Ci ha visti..."

"Lo so, lo ha detto anche a me... Cosa ti ha detto?"

"Che siamo due deficienti, e di correre a casa da te..."

"E poi?"

"Che è con noi, anche Michal... A te cosa ha detto?"

"Che sono scemo quasi come te... Dai, corri a casa che ti aspetto... Vuoi che venga alla fermata del metrò?"

"Sì. Sono già sul tram, sono quasi a Mustek. Prendo il metrò e arrivo. Dammi dieci minuti..."

"Sto già uscendo. Muoviti, corri più che puoi... Ti amo tanto..."

"Anch'io... Aspettami..."

Già sulle scale mobili Thomas sapeva che Janicek era già lì ed infatti lo vide, al mezzanino del metrò, mentre era ancora sugli ultimi scalini della scala mobile. Si precipitò da lui, che lo accolse a braccia aperte... Sempre abbracciati, si avviarono per la strada di casa, sollevati per la fine della paura e lo scampato pericolo. Perché era paura quello che avevano provato entrambi, quando Olga aveva iniziato a parlare con loro.

"Allora cosa ti ha detto?" Iniziò Janicek.

"Che voleva essere sicura di quello che provavo per te. Che siamo due deficienti e che vuole bene a tutti e due... Quando ho visto che non c'eri e c'era lei da sola mi sono sentito morire, ho avuto una paura che non ti dico..."

"E' spiaciuto anche a me, stavo male anch'io, ma mi ha chiesto di non dirti niente, voleva parlare con te da sola... Non si era accorta di niente ed è rimasta sorpresa... Voleva sapere..."

"Ha ragione, dovevano dirglielo noi..."

"Ha detto che ci aiutano, lei e Michal, con la mamma... Non sarà facile farglielo accettare..."

"E allora?"

"E allora, se lei non vuole, torniamo a Londra, andiamo in Australia, al Polo Sud... Dove vuoi tu, ma sempre insieme... Dove trovi lavoro tu lo troverò anch'io. Ci arrangeremo, vedrai, ce la faremo..."

A queste parole gli si inumidirono di nuovo gli occhi e stava quasi per piangere. La voce si era affievolita e sembrava parlasse più a sé stesso che a Thomas.

242

Anche lui si commosse e lo strinse ancora più forte a sé. Arrivarono a casa, così, sotto la neve che continuava a cadere, alla luce dei lampioni, i berretti imbiancati, il ciuffo di Thomas, i riccioli di Janicek, bagnati come i loro visi, le loro lacrime.

Non erano gli unici ad essere commossi. Anche Olga, sulla via di casa, non era riuscita a trattenersi, e due lacrime, lentamente, le rotolarono sulle guance. La vista di suo fratello e di Thomas, così innamorati, e così indifesi, l'aveva presa dritto al cuore, e non vedeva l'ora di essere a casa per parlarne con Michal.

"Allora, come è andata?"

"Come dicevi tu, anche peggio..."

"Cioè?"

"Dire innamorati è poco, sono completamente persi uno dell'altro. Mio fratello ha detto che senza di lui si ammazza, e Thomas, quando ha visto che non c'era lui ad aspettarlo, ma io da sola, per poco non sviene. Ha dovuto appoggiarsi ad una colonna del portico e, ti faccio ridere, ha cercato di non farsi capire. Peggio di così dimmi tu..."

"Olga, lo sai anche tu. Avranno bisogno di essere aiutati. Non se ne rendono conto, soprattutto Janicek, ma coi tuoi non sarà facile..."

"Janicek ha detto che piuttosto va a vivere con lui in Australia..."

"E' meno stupido di quel che sembra. A sentire chi c'è stato, pare che ci si viva benissimo e che siano posti splendidi. Se loro vanno laggiù, magari potremmo andarci anche noi, cosa ne dici?"

"Sì, in camera con loro. Sai che faccia farebbero... Però... In una casa vicino, magari sull'oceano..."

"Visto... Per adesso accontentiamoci di far digerire la cosa ai tuoi..."

"Come pensi di fare?"

"Non direi niente, per ora... Presenterei Thomas ai tuoi

e lascerei che si abituino a lui. Col fascino che ha, è capace di conquistarli in tre volte che li vede. Poi non lo so... Per adesso li avviserei che tuo fratello ha piantato AnnCecilie, che l'ha vista a letto con un altro, o qualcosa del genere..."

"Be', a letto no, ma quasi... Lingua in bocca, questo sì. Che lo ha sempre preso in giro, lo ha riempito di corna... Capisco, preparare il terreno per giustificarlo se cambia sponda..."

"Sì, qualcosa del genere... Anche per quello che riguarda la camera da letto... Ma lì bisogna andare molto cauti... Fare in modo che tua madre ci arrivi da sola, senza dirle niente, e farle capire che succede, che è una cosa naturale.... Non per tutti, ma per qualcuno sì... Che si abitui all'idea che a tuo fratello possa capitare..."

"Sì, ma un po' alla volta, non tutto in un colpo. Per una cosa del genere mi preoccupa di più mio padre... A mia madre forse basta dire che è dell'alta società, farglielo vedere sempre in frac o qualcosa del genere, elegante, di bei modi..."

"Qui Thomas non ha problemi. Ha classe da vendere..."

"Sì, ma mio padre... l'unico figlio maschio..."

"Gli daremo quattro o cinque nipotini in un paio di mesi, e si mette tranquillo. Come mio padre, che non vede l'ora di essere nonno..."

"Tu dici"..."

"Altroché. Al raduno delle auto d'epoca mi ha fatto un discorsetto... Ma cosa aspetti... Un'altra come lei non la trovi più... Non devi pensare a quello che è successo fra me e tua madre..."

"Qui è vero... Un'altra come me non la trovi più... Sarà meglio che ti spicci a dirmi qualcosa... A farmi un bel regalo, un pensierino... Basta poco. Venti carati, per farmi capire che fai sul serio..."

"Venti carati per farti capire che faccio sul serio?"

"Sai, ho la testa dura..."

"Questo lo so... Per il momento pensiamo a quei due sotto la neve. Dobbiamo star loro vicino, davvero. Devono capire che possono far conto su di noi, sul serio. Nelle condizioni in cui si ritrovano, se gli starnutisci addosso quelli muoiono... Dobbiamo circondarli col filo spinato..."

"Hai ragione... E fare la guardia col mitra..."

Filo spinato o no, la paura di essere separati, o anche solo che fosse stata ventilata da parte di Olga una ipotesi di questo tipo, aveva fatto passare luna notte agitata a loro due, che avevano dormito per tutto il tempo abbracciati come due bambini come quando fuori c'è il temporale e sono rimasti soli in casa. Anche la luce sul comodino era rimasta accesa, come aveva notato Thomas al mattino, appena sveglio.

"Tom, cosa dici di ieri sera?"

"Dico che ci vuole bene, e dobbiamo fidarci di lei. Voleva solo sapere se i nostri sentimenti erano sinceri, se ci vogliamo bene davvero. Non voleva che uno di noi due soffrisse a causa dell'altro... E' tua sorella, si preoccupa per te, e sono sicuro che vuole bene anche a me..."

"Più a me o a te?"

"Più a me, naturalmente..."

"Il caffè dove lo vuoi? Direttamente sul cervello o in bocca con tutta la caffettiera?"

"Scemo... Sai che dobbiamo pensare al concertino?... Mancano meno di dieci giorni, bisogna correre..."

"Cavoli, è vero... Con questa storia mi ero dimenticato..."

"Anche con la neve... Sai che è stato bello, sul ponte, due giorni fa? Stasera ancora, ti va?"

"Se vuoi, ma non nevica più..."

"Sì, ma sarà bello lo stesso, anche di più. Adesso

siamo una coppia ufficiale, c'è più gusto..."

"Allora tutte le sere... Ma non solo sul ponte, okay? Dappertutto ti basta?... Adesso, col concertino, come pensi di fare?"

"Il secondo violino l'ha trovato Martina, dopo la chiamo. Anche Patrik. Ma non è che Milana voglia farci dormire in due camere separate? Guarda che non se ne parla..."

"Se sarà di quest'idea prendiamo la macchina e torniamo a Praga. Ma non ce ne sarà bisogno. Non ci sarà neanche posto per tutti. E Michal e Olga ci metteranno insieme, vedrai..."

"Non avevo pensato, è vero... passeremo la prima notte insieme fuori casa, ci pensi?"

"Sì, Tom... Oggi chiama Martina e gli altri. Sapete già cosa suonare?"

"Quasi... Sarà meglio darsi una mossa. Se possono li faccio venir qui oggi e decidiamo..."

"Sì. Ma poi se ne vanno, okay?"

"Sì, Janci. Se ne vanno..."

Capitolo 22

"Ciao Olga, devo parlarti..."

Li ha visti anche lei... Non è possibile, pensò, mentre mangiava un panino sotto l'ufficio, durante la pausa pranzo. Michal era per cantieri, e sarebbe rimasta sola tutto il giorno.

"Sì, Dagmar, dimmi... Aspetta che ingoio il panino... Cosa c'è?"

"Ti ricordi la cartomante? Quella da cui siamo andati a Mala Strana, vicino alla Maltézské Namesti?"

Sollevata per aver capito che suo fratello non c'entrava, o così almeno sperava, le rispose, "Sì, mi ricordo. Aveva fatto le carte ma non ricordo bene. Anzi, mi ricordo di non avere capito niente... Cosa c'è?"

"Non ti ricordi che mi aveva detto che mi sarei messa con uno che conoscevo da poco, o che non conoscevo ancora, simpatico?"

"Dagmar, guarda, non ci vuole molto a indovinare una cosa del genere a una di ventisette anni sola, che va a farsi leggere il destino da una cartomante... Non ti ha detto che saresti stata rapita da un alieno, o che saresti diventata un elefante nel giro di tre mesi... Anche se, conoscendoti..."

"Conoscendomi cosa?"

"L'elefante... con quello che mangi... oh, scusa cara l'ho detto apposta, non ti preoccupare... sì, adesso mi ricordo, cosa è successo?, non mi dire che hai trovato uno..."

"Sto con Patrik..."

"Dai, non posso credere... Lui lo sa?"

"Sì che lo sa, scema..."

"E come è successo?"

"Ieri sera, al ristorante"

"Non avevo dubbi..."

"Di cosa?"

"Al ristorante... Ma dimmi, cosa è successo?"

"Ha detto che gli piaccio, che mi vuole bene, eccetera, se poteva salire da me un attimo per parlarmi..."

"E tu?"

"E me lo chiedi? L'ho portato in casa e gli sono saltata addosso..."

"Subito?"

"No, prima abbiamo finito di mangiare"

"Ah, certo... E poi?"

"Sai che a letto è bravissimo? E' molto dolce, molto romantico... Mentre stai con lui ti fa sognare, non so come dirti. Sono felice che non ti dico. Chissà se tutti i musicisti sono così... Chissà se anche Thomas a letto è così..."

Ad Olga mancò il fiato. L'idea di Thomas a letto fra le braccia di suo fratello le era ancora lontana, nonostante i discorsi del giorno prima... Certo che deve essere dolcissimo. Basta guardarlo, pensò, per capire che Janicek fra le sue braccia aveva trovato quell'abbandono, quella complicità che non avrebbe mai avuto da nessun altro, o altra... Con lui avrebbe potuto fare quello che voleva, anche di più. Ne era sicura, Thomas a letto era completamente abbandonato a suo fratello, completamente, totalmente suo...

"Pronto... Ci sei?"

"Come, Dagmar?"

"Non ti sentivo più..."

"Complimenti Dagmar... Lui cosa dice?..."

"Mi sembra contento anche lui, visto che è andato a casa alle due di notte..."

"Però... Non consumarlo tutto in una volta..."

"Scherzerai? Me lo tengo ben stretto... Se vuoi una di

queste sere ci vediamo, ne parliamo..."

"Questo senz'altro. So che oggi si devono vedere da Thomas per il concertino a casa del padre di Michal. Ormai manca poco, e devono prepararsi. Noi possiamo raggiungerli e parlarci un po', cosa ne dici?"

"Senz'altro. Va bene lì alle sei?"

"Sì... Congratulazioni... a stasera..."

Che non le toccasse Thomas e suo fratello... Cosa gliene frega di come è a letto. Non sono fatti suoi... Ma che stupida che sono... E' ovvio che non sa, che lo ha detto tanto per dire. Sta con Patrik... Magari funziona anche. E glielo ha presentato Thomas, pensa... Ha qualcosa, non c'è niente da fare...

Di suo Thomas, invece, da fare aveva moltissimo. Parlando con Martina e con Patrik avevano realizzato di avere poco tempo a disposizione, e di doversi vedere subito, per stabilire il programma ed iniziare le prove. Una telefonata a Michal lo tranquillizzò sul compenso anche per il secondo violino. Il pomeriggio si videro presto e passò anche Michal per conoscere l'ultimo componente del quartetto, rassicurarlo per il suo cachet, e soprattutto, vedere Thomas, e stargli vicino qualche minuto. Aveva ragione Olga... Quando lo vedi ti viene voglia di abbracciarlo. E così fece, quando entrando in casa lo vide già intento ed eccitato, a parlare con gli altri, ad organizzare, a decidere.

"E allora, cosa state combinando?" chiese Michal al gruppetto, dopo avere salutato anche gli altri, "a che punto siete?"

"Abbiamo stabilito il programma" Thomas rispose per tutti, "solo musiche di Mozart. Tre quartetti e Eine kleine Nachtmusik. Pensi che possa andare?"

"Chiedi allo sponsor, cioè a me..."

"Oh, scusa, cosa ne pensi?..."

"Perfetto. Comincia le prove, e guarda che voglio

esser presente alla prova generale..."

"Per lei biglietto gratis, signore, quando vuole... Ma davvero, pensi che così vada bene? Poi aggiungiamo un paio di pezzi per i bis..."

"Penso proprio di sì. In totale quanto durerà?..."

"Di musica dovrebbe essere un'ora e tre quarti, più o meno, ma lasciaci qualche minuto tra un pezzo e l'altro..."

"Sì. Direi di cominciare presto e far girare i rinfreschi alla fine. Parlerò con Milana... Queste prove iniziano o no? Devo tornare in cantiere, non sanno che sono qui... Ci vediamo più tardi, ragazzi..."

Michal lì lasciò soli. In cantiere lo aspettavano ed aveva premura di tornare a controllare degli allestimenti, non poteva permettersi di restare ancora. Come d'accordo, alle sei Olga e Dagmar si trovarono da Thomas, curiose di conoscere il secondo violino e cominciare ad ascoltare qualcosa. Appena arrivate, nonostante la cordialità dell'accoglienza, si resero conto di distrarli troppo, e si diressero alla birreria sotto casa, avvisando che li aspettavano, a prove finite, per bere qualcosa.

"Allora, cosa ne dici?" chiese Dagmar ad Olga, sedute al tavolo della birreria, con ancora le birre da ordinare, "cosa ne pensi?"

"Mi sembra contento... Ha l'aria sciupata, poverino... Si può sapere cosa hai combinato ieri sera?..."

"Niente, cosa vuoi che abbia fatto... Cioè sì, puoi immaginare... Sono tanto contenta, Olga, cosa ti devo dire... È proprio come aveva detto la cartomante..."

"Guarda che non ci voleva molto a dire una cosa del genere, Dagmar. Non sei brutta, sei simpatica, era ovvio che qualcuno lo trovavi, e anche presto..."

"Sì, però l'ha detto. Anche a te, ricordi, ha detto di AnnCecilie. Avrebbe presto trovato lavoro da un'altra parte, sarebbe stata contenta e per lei era un sicuro miglioramento. Non ti ricordi, aveva detto anche di un lavoro che forse l'avrebbe portata lontano, e adesso con chi lavora? Con una troupe americana..."

"Certo, ci si dedica anima e corpo, soprattutto il corpo, da quello che so..."

"Olga, vipera, cosa vuoi dire..."

"Ti avevo già detto che si erano lasciati..."

"Me lo avevi accennato a casa di Janicek, ma poi hai detto che me ne avresti parlato un'altra volta"

"Proprio così. Ha piantato mio fratello per mettersi con uno degli attori americani della troupe..."

"Non ci posso credere, anzi, ci credo benissimo... Cosa è successo?"

"Quando Janicek è andato a trovarla sul set l'ha vista con uno lingua in bocca, tutto qui..."

"Però... E come l'ha presa?"

"Non gliene può importar di meno... Era andato per dirle che non aveva più voglia di star con lei, e lei si è portata avanti, come dire..."

Intanto era arrivato il cameriere con le birre. Bevuti i primi sorsi, e più rilassate, Dagmar continuò il discorso. "Sì. Era chiaro... Era un rapporto stanco, non aveva motivo di andare avanti. Per tuo fratello era un peso, un peso e basta..."

"Lo penso anch'io Dagmar... Almeno ha finito di essere trattato come un burattino..."

"Questo non è vero, Olga. Anncecilie è sempre stata una donna indipendente, ma non lo ha mai... No, adesso che ci penso, sì. Gli ha sempre fatto fare quello che voleva lei...è vero. E' sempre stata lei a condurre i giochi..."

"Appunto, Dagmar, proprio così..."

"Sono sicura che è più contento lui di lei... E Thomas, cosa dice?"

Ad Olga mancò il fiato. Cercando di dissimulare l'agitazione, si limitò a rispondere: "In che senso,

251

Dagmar?"

"Proprio in quello che hai capito, Olga... È innamorato di tuo fratello, e a lui la cosa non dispiace..."

"Dagmar, cosa stai dicendo?"

"Quello che sai anche tu... E' dal raduno delle auto d'epoca che me ne sono accorta... Se lo mangia con gli occhi, quando sono vicini lui è felice... Dai, Olga, lo hai visto anche tu..."

"E' perché gli vuole bene, gli è affezionato, come me, come te, del resto, come tutti qui..."

"Olga, noi siamo amiche da tanto, non me la racconti, sei diventata rossa e ti manca il fiato. Ti dico una cosa seriamente, e non c'è bisogno che tu mi risponda, anzi, non dire niente. Sono affezionata a te come a una sorella, lo sai benissimo, e anche Janicek per me è quasi un altro fratello. Ci conosciamo da bambini, non dobbiamo dirci niente. Con AnnCecilie non andava, lo sappiamo tutte e due. Con Thomas è felice, lo si vede lontano un miglio... più di così, cosa vuoi... Guarda, io sono felice di stare con Patrik, e tu sei felice di stare con Michal, ma Janicek con Thomas è più felice di noi due messe insieme..."

"Oh, Dagmar... Sono preoccupata per i miei... Come la prenderanno..."

"Se vorranno vedere ancora loro figlio dovranno accettare la cosa, altrimenti lo perderanno per sempre. Che se ne rendano conto... Ma cosa fai?..."

Olga si era messa a piangere. Non era riuscita a trattenere la commozione. Le parole di Dagmar le avevano toccato il cuore, e fatto comprendere di avere un'alleata in una guerra che temeva di dovere presto combattere...

"Scusami, sarà dura, coi miei, lo so... Sono troppo indietro e certe cose non le accettano... Speriamo, Dagmar, speriamo..."

"Olga, conta su di me... Ti aiuteremo, anzi, li

aiuteremo, okay? Non ti preoccupare, si abitueranno...
Adesso non ci pensare, è una bella serata... Ah, sai
una cosa?"

"Sì. Dagmar, dimmi..."

"Mi è venuta di nuovo in mente la cartomante... Ti
ricordi quello che ti aveva letto, e tu non riuscivi a
collegare?"

"Sì, vagamente..."

"L'amante lui, l'unione felice, l'amante lei, la morte, la
fine dei rapporti..."

"E' vero..." a Olga quasi mancò la voce, "adesso sono
chiare... Quando le aveva lette non avevo capito
niente... Adesso sono chiare... Quella donna è una
strega, fa paura... "

"Cosa ti dicevo? Visto che è brava? Se hai voglia
andiamo ancora Sentiamo cosa dice con i tuoi...
Magari riesce a darci un consiglio, cosa ne pensi?"

"Sì, andiamo... Forse riesce a dirci qualcosa... Ma solo
noi, è un segreto, eh?"

"Certo... oh, guarda, sono arrivati tutti. Anche
Janicek..."

Alla vista del fratello, di Thomas e degli altri, entrati in
birreria come un esercito di occupazione in libera
uscita, Olga si rasserenò e li salutò alzando un
braccio.

"Ciao ragazzi... Janicek, sei qui anche tu?... sei già
uscito dal lavoro?..."

"Sì. Sono arrivato a casa perché volevo vedere come
andavano le cose e c'era l'orchestra in piena
ebollizione. Anzi no, erano già bolliti. Allora abbiamo
smesso e siamo qui..."

"Abbiamo?" era Patrik, contento di vedere Dagmar, cui
aveva ricambiato il bacio di benvenuto, "sei entrato,
hai chiesto di sapere cosa suonavamo, e ti sei
lamentato perché hai detto che volevi le canzoncine di
Natale... Non dico altro... Si può avere da bere?..."

Janicek e Thomas si guardarono in silenzio. Gli altri si lanciarono in qualche battuta sulla cultura musicale di certa gente e di uno in particolare, e si affrettarono ad ordinare da bere.

"Thomas..."

"Dimmi Olga..."

"Avrei piacere che suonassi quello che ci hai fatto sentire qualche sera fa, a Michal e a me..."

"L'aria di Cherubino?"

"Sì. Il Voi che sapete... Per noi è importante..."

"Olga, per te tutto..."

"E per me?" fece Janicek. "Per te tutto il resto, Janci..." Se c'erano dei dubbi, adesso proprio non ce n'erano più. L'occhiata di Martina era inequivocabile, e anche Petr, il secondo violino, li aveva guardati un attimo perplesso, per poi accettare la cosa senza porsi il minimo problema...

"Che fame..." era appunto questo loro nuovo collega, moro, più basso di Thomas, ad avere detto per primo quello che anche gli altri stavano per dire.

"Sì, dai, fermiamoci qui a mangiare. E' la prima giornata di prove, dobbiamo festeggiare. Olga, lo diciamo a Michal, di raggiungerci?"

"Va bene Janicek, lasciami telefonare, ma penso che stia arrivando. Gli avevo detto di raggiungermi qui dopo il lavoro"

Preso il telefonino, e dette poche parole quasi sottovoce, Olga confermò: "è in viaggio, arriva tra cinque minuti".

Infatti, in pochi minuti era lì. Salutato tutti, si sedette al tavolo con loro, vicino ad Olga.

"Michal," lei disse, "dobbiamo pensare alla lista degli invitati. Ci sono gli amici di tuo padre, di Milana, i tuoi fratelli..."

"Sì, dobbiamo dirlo ai tuoi, è questo che vuoi dire? L'ho già chiesto a Milana..."

"Sì, mi hanno telefonato. Mi hanno chiesto di AnnCecilie... Janicek, tu li avevi informati che non stavate più insieme?"

"No, pensavo glielo avessi detto tu... Cosa gliene frega a loro di con chi sto..."

"Glielo ho detto io. Mi sembra che la mamma ci sia rimasta male. Sai che le è molto simpatica..."

"Le hai detto cosa è successo?"

"Sì..."

"E lei?..."

"Non ha detto niente. Così le ho detto tutto il resto..."

"Eh?... cosa le hai detto?" Rispose Janicek sbiancando in volto...

"Di come ti ha sempre trattato, di come ti ha sempre fatto fare quello che voleva lei, ci come con tutta probabilità tu non fossi l'unico che vedeva, e così via..."

Lo sguardo di sollievo di Janicek era evidente. Anche Thomas aveva smesso di parlare con Martina ed ascoltava attento, guardando alternativamente Olga e Janicek, tranquillizzato dalle parole di lei e contento del rinvio dello scontro.

"Bisogna invitarla col suo uomo nuovo," disse, "così si mettono tranquilli. Michal, la chiami tu? Noi due non le telefoniamo di certo, ma se viene con uno ci fa comodo."

"Sì Thomas, potresti avere ragione, la chiamo e le dico di venire. Denisa è già dei nostri. Vengono anche i loro capi, Leo e Jirina. Sono curiosi di vedere la villa..."

"E' vero!... Sarebbe una location fantastica per qualche film, potrebbero fare delle riprese... Le vedi le cineprese, i riflettori, gli attori che vanno e vengono... Sarebbe bello..."

"Olga," rispose Michal, "fantastico è una parola grossa, non ti sembra? E un bel posto, ma c'è di meglio..."

Non riuscì a finire la frase. Dagmar, che era rimasta in silenzio ad ascoltare, esclamò: "Sì! certo, un bel film in costume... Il nostro eroe che salva la bella, uccide il drago, poi lo fanno allo spiedo e se lo mangiano per tre mesi... Che film! E' mai possibile che nessuno ci abbia pensato?"

"Dagmar... Solo tu..." rispose Michal, mentre gli altri a momenti finivano sotto il tavolo dalle risate, "solo tu... Hollywood ti aspetta... Perché non ci vai, subito?..."

L'allegria di Dagmar era contagiosa. Il nuovo amore di fianco a lei e un paio di bicchierini in più la fecero diventare l'attrazione della serata. Patrik fu coinvolto più volte, come vittima, o come causa di tanto appetito, o visto direttamente sul piatto come arrosto per dodici ad esclusivo consumo della signorina. Finché se ne andarono. Con una strizzatina d'occhio a Dagmar, Patrik disse che per lui si stava facendo tardi, la serata era splendida la compagnia anche ma per loro era ora di andare. Anche Martina e Petr si alzarono, ringraziarono Michal per avere offerto la cena, e dopo essersi accordati con Thomas per il giorno dopo, si avviarono verso l'uscita.

Rimasti soli, Olga e Michal, Thomas e Janicek, diventarono più seri, chiesero ancora un giro di acquavite, e cominciarono a pensare al concerto, al comportamento da tenere, a cosa dire, cosa fare coi genitori di Janicek. La presenza di AnnCecilie con il suo uomo nuovo, o anche un altro fu reputata indispensabile. Doveva venire e non da sola, in modo da far capire che la storia era finita, lei aveva un altro, e Janicek era sempre stato una sua vittima. Che sua madre si togliesse dalla testa qualunque compatimento nei confronti di lei. Anche Denisa avrebbe potuto essere di aiuto. Cambiata com'era, forse la vedeva con altri occhi, e, con discrezione, avrebbe potuto far capire a mamma Klara, era questo il suo nome, che per suo figlio questa storia era la fine di una lunga serie di prese in giro e di corna. Thomas non si doveva assolutamente sbilanciare, era il coinquilino, era un amico e la vita sentimentale di Janicek non lo toccava. Fatti suoi, ci penserà. Ci sarebbe stato tempo per abituarli alla sua presenza, non c'era nessun bisogno di pubblicità. Non male per un pubblicitario, commentò Janicek, ma convenne che era il comportamento giusto da tenere. Un altro fronte da aprire, era far intuire ai genitori di Janicek la classe sociale di Thomas. Vista la loro mentalità, un esponente dell'alta borghesia londinese sarebbe stato accettato molto più volentieri, anche un domani nel caso venisse fuori qualcosa.

"Ma i miei non sono dell'alta società" ribatté Thomas, "sono persone normali. Sia mio padre che mia madre lavorano, e anche le mie sorelle. Non abbiamo terreni e cavalli e, tanto per dire, Michal e suo padre stanno molto meglio di me"

"Sì, però non mangi con le mani, non ti metti le dita nelle orecchie" gli rispose Michal, "il tuo comportamento, è quello che conta, e qui non hai bisogno di fingere. Devi solo essere te stesso, e sono sicuro che li conquisterai. Solo non aver premura, tutto qui... Vero, Olga?..."

"Verissimo, più che vero. Guarda con Pavel e con Milana. Li hai conquistati in dieci minuti, non ci hai messo niente..."

"Tu dici?..."

"Sì, Thomas. Non forziamo la mano al destino, e tutto andrà per il meglio... Vedrai, ti accetteranno, te e Janicek..."

"C'è anche la storia di te e Michal..."

"Sì, glielo ho detto. L'hanno accettata benissimo. Hanno detto che era ora, che vogliono i nipotini eccetera. E poi la mamma ha cominciato, bisogna fare una grande festa, bisogna invitare questi e quelli, hai bisogno di vestiti nuovi, anch'io, bisogna ufficializzare, festeggiare il Natale tutti insieme..."

"Accidenti, qui ha ragione..."

"Come, Michal?"

"Ha ragione, tra un po' è Natale, bisogna pensare a cosa fare. Thomas, tu come sei messo?"

"Devo essere qui. Il venticinque e il ventisei non lavoro, ma il ventiquattro pomeriggio sì"

"Pensi di tornare a Londra per due giorni?"

"Non lo so, Michal, per stare lì un giorno. Non so neanche se c'è posto sull'aereo. E poi non avevo pensato, volevo stare qui con lui, volevo..."

"Eh, sì... Sai Olga, forse l'idea di fare Natale tutti insieme, da mio padre, non è male. Thomas può restare con noi e con Janicek, senza che nessuno pensi qualcosa... Lo invitiamo noi, e quindi è a posto. Cosa ne dici?"

"Ottimo. Natale tutti insieme, anche Thomas. Michal, se non fossimo quasi sposati, ti sposerei."

Tornando verso casa, facendo quei pochi passi che li separavano dal portoncino di ingresso, Janicek osservò Thomas, con gli occhi bassi, perso nei suoi pensieri.

"Tom, cosa c'è? Non hai più detto una parola... Hai visto, per Natale riusciamo a stare insieme, non sei contento?... Dimmi, che cos'hai?..."

"Niente... Quando tua sorella parlava, e Michal diceva venite dai miei, ho avuto una sensazione strana..."

"Sarà stata l'idea di conoscere i miei, di stare insieme il giorno di Natale..."

"No, Janci. Ho sentito il Destino che respirava dietro di me..."

Capitolo 23

"Tom?... il Destino?"

"Sì, ho sentito il Destino dietro di me, mi guardava... Mi diceva, sì, è tutto scritto... Controllava..."

"Non so se prenderti in giro o avere paura... Quando fai così non so cosa credere..."

"Non lo so nemmeno io... Qualche volta non so cosa pensare..."

"Thomas..."

"Stammi vicino..."

Janicek lo abbracciò e salirono insieme le scale. Fu solo dopo avere aperto la porta ed avere acceso la luce che Thomas si mise tranquillo e andò a sedersi sul divano. Janicek prese la bottiglia della slivoviz e si sedette vicino a lui, fino a quando andarono a dormire. Stare vicino a Thomas nei giorni seguenti non fu così facile. Tra il lavoro in teatro e le prove le ore volavano. Si accontentavano della notte... Janicek lo andava a prendere all'uscita del teatro, andavano a casa quasi di corsa, giusto per precipitarsi l'uno nelle braccia dell'altro. L'idea di conoscere i genitori di Janicek li rendeva inquieti, e ogni tanto ne parlavano tra di loro... Secondo me stiamo ingigantendo il problema, diceva Janicek, e Thomas finì per condividere l'idea, pensando che stavano esagerando, ed erano solo le loro paure ad innervosirli. Non era il caso, un po' di buon senso e di accortezza sarebbero stai sufficienti. Si rinfrancavano così, e la luce sul comodino fu spenta quasi ogni sera...

Arrivò il giorno del concerto. A metà mattina Janicek gli telefonò. "Come pensi di arrivare, Tom?"

"Dobbiamo esser là presto. Partiremo da qui alle tre e mezzo, quattro al massimo. Resta pure in ufficio, vengono a prendermi Patrik e Martina. Ci vediamo là. Tu come arrivi?"

"Con Olga e Michal. Arriveremo per le sei"

"Milana ha detto di aver piacere di cominciare il concerto per le sette. Sai come ci dobbiamo comportare, vero?"

"Sì amore, praticamente non ci conosciamo..."

"Ecco, appunto, è meglio che mi chiami Thomas, non credi?"

"Sì, amore. Per dormire siamo a posto. Ci ha pensato Olga. Sei nervoso per i miei?"

"No, adesso mi è passata. Ci vediamo là. Vestiti bene e non ti mettere le dita nel naso..."

"Posso dormire mentre suoni?"

"No, neanche quello..."

"Ti amo tanto..."

"Anch'io, andrà tutto bene, vedrai..."

"Ci vediamo là..."

La villa del padre di Michal era stata tirata a lucido. Tutto brillava, le luci, le finestre, i lampadari accesi. Anche la neve. Milana aveva fatto addobbare gli alberi del vialetto e del giardino con migliaia di piccole lampadine bianche che si riflettevano nella neve creando l'incanto delle favole.

"Bene, ragazzi, siete già qui..."

"Sì, Milana, dobbiamo sistemarci. Conosci Petr, il nostro secondo violino?..."

"Thomas, che bel ragazzo... Petr, non sei niente male, lasciatelo dire..."

"Milana!" la voce scandalizzata di Pavel arrivò dall'altra parte dell'ingresso, molti metri più in là. "Se me li spaventi così scappano, non li vedi più e addio concerto!..."

Il buonumore di tutti tranquillizzò Petr, ancora imbarazzato per il complimento. Pavel li condusse nel salone preparato per il concerto. Era riuscito a far preparare una pedana alta una ventina di centimetri e l'aveva fatta sistemare in fondo alla sala, proprio nel centro.

"Cosa ne pensi, Thomas?"

"Benissimo. La pedana farà da cassa armonica e la musica si sentirà meglio"

"E poi ci vedranno meglio", aggiunse Martina.

"Speriamo bene", continuò, "ho sentito che questa sera ci saranno anche delle persone del mondo del cinema, un regista, dei produttori..."

"Sono marito e moglie, cara" le rispose Milana, "sono i titolari di una casa di produzione qui a Praga. È dove lavorano adesso Denisa e AnnCecilie, la ex ragazza di Janicek... Ma voi le conoscete meglio di me, cosa vi sto a dire..."

"E' vero che AnnCecilie dovrebbe arrivare con la sua nuova fiamma, un attore americano?"

"Così sembra, cara, lo sapremo quando arriva..."

"Sentite, per le sistemazioni, purtroppo non ho posto per tutti, lo sapete già. Ragazzi, voi potete cambiarvi in camera di Thomas. Martina, tu puoi andare in camera mia. Controllerò che Pavel non entri..."

"Ecco, sempre di mezzo, ti metti..."

"Puoi essere suo nonno, smettila..."

"Non le credere, ragazza... Come pensate di fare?"

"Adesso andiamo in camera a lasciare le borse", rispose Thomas, "poi scendiamo nel salone, sistemiamo gli strumenti e le parti, e controlliamo l'acustica... Finiamo le prove e quando arrivano gli invitati saliamo a cambiarci."

"E scendete subito?"

"No, Milana. Aspettiamo di sopra, se non ti spiace. Quando ci sono tutti e decidi che è ora, ci avverti e noi scendiamo. Di solito si fa così."

"Giusto. Al lavoro ragazzi, datevi da fare. Noi controlliamo le ultime cose e poi andiamo a cambiarci.

Vieni, Milana?"

Il poco tempo a disposizione volò. Quando la prima macchina degli invitati entrò nel vialetto, Thomas e gli altri uscirono dal salone e salirono al piano di sopra, per cambiarsi e prepararsi alla serata. Thomas era perplesso, non aveva ancora visto Janicek, e non sapeva cosa pensare. Arriverà, pensava, arriveranno tutti insieme. Era nervoso. "Patrik, senti, mentre voi vi cambiate, io faccio una doccia... Puzzo come un caprone"

"Come al solito, vuoi dire... Va bene ti aspettiamo nel salottino di fianco alle scale. Muoviti."

Quando tornò in camera a doccia finita Patrik e Petr erano quasi pronti. Gli invitati di sotto cominciavano ad essere numerosi, e le loro voci, ed il tintinnio dei bicchieri di spumante che Milana aveva cominciato a far circolare arrivavano fino alle loro stanze.

"Dai, muoviti. Ti aspettiamo nel salottino"

"Sì, Patrik, arrivo..."

Tolse i vestiti dalla borsa, li mise sul letto. Si tolse l'accappatoio e nudo com'era stava infilandosi le mutande, che si aprì la porta.

"Allora, primadonna, ti muovi?"

"Janicek! Chiudi quella porta, cacchio!..."

"Thomas, ti presento i miei... Mamma, questo è Thomas..."

I genitori di Janicek erano entrati dietro di lui, e alla vista di Thomas che finiva di infilare in qualche modo nei boxer quello che gli penzolava davanti, e della sua faccia, scoppiarono a ridere, prima per l'imbarazzo e poi per lo sguardo di puro odio lanciato a Janicek, il quale fece finta di niente, e aggiunse, "e questo è mio padre... Papà... Lui è Thomas."

Asciugandosi le lacrime che per il ridere le erano scivolate sul viso, Klara, la madre di Thomas, disse: "Janicek mi ha parlato tanto di te e avevo voglia di conoscerti, ma non pensavo fino a questo punto..."

"Signora, mi scusi, di solito sono vestito..."

"Thomas, va benissimo così, credimi... Non hai niente di cui vergognarti... Sono sicura che se scendi così per il concerto avresti dieci minuti di applausi da tutte le signore presenti"

"Sì, e le mutande sono nere, da sera... Piantala, Klara... Ciao Thomas, io sono Frank, il padre di Janicek e il marito di questa signora assatanata di fianco a me..."

Thomas si era seduto sul bordo del letto. Aveva abbassato gli occhi e si era messo la testa fra le mani. Rialzò lo sguardo su Janicek, cercando di incenerirlo, ma prima che potesse dire qualcosa, lui gli sorrise, e disse, "Visto?... almeno sanno che non hai niente da nascondere..."

Divertito dall'imbarazzo di Thomas, Frank aggiunse, comprensivo, "va bene così, Thomas, lascialo dire... Klara..."

"Oh sì, niente da nascondere, complimenti..."

"Klara! E' un amico di tuo figlio! Lo metti in difficoltà... Non vedi che è diventato rosso come un papavero?...
"

"Thomas, credimi, non vale la pena arrossire per così poco... Sei un gran bel ragazzo, sei una gioia per gli occhi di chi ti vede. Adesso finisci di vestirti, ci vediamo giù. Janicek, cosa fai?"

"Sto due minuti con lui, mamma... Arrivo..."

"Va bene... Thomas, piacere di averti conosciuto... Non ti preoccupare, in fondo è come se ci fossimo conosciuti al mare, sulla spiaggia..."

"Oh, grazie signora, sono mortificato..."

"Piantala," gli disse Frank, "avessi io il tuo fisico... Klara, vieni, guarda che ti cola il trucco, hai le righe sulla faccia. Janicek, la prossima volta controlla che non sia sotto la doccia. Ti aspettiamo giù. A dopo,

263

Thomas"

Appena usciti, Thomas si alzò e diresse verso Janicek.

"E adesso? Mi hanno visto in mutande, la prima volta che mi vedono, ero in mutande, anzi, neanche..."

"Tutto bene, Tom... Secondo me sono stati contenti di vederti così... Avevi un'aria così indifesa, avevo voglia di abbracciarti... Sono sicuro che anche loro avrebbero voluto farlo... Anzi, vieni qui, è da stamattina che non ti vedo..."

"No, Janci, non qui, non stasera... Adesso va' giù, io arrivo con gli altri. Stiamo soli dopo, vai... Lasciami vestire..."

Mentre al primo piano Janicek si dava alle presentazioni, al piano terreno anche Pavel e Milana, stavano facendo lo stesso, con più attenzione, occorre dire, alle formalità. Olga e Michal, che erano arrivati insieme a Janicek, si erano cambiati velocemente ed erano scesi ad aiutarli a ricevere gli ospiti, e ad intrattenerli in attesa del concerto.

"Michal, davvero AnnCecilie ha detto che viene?"

"Sì, Olga. Dovrebbero arrivare tutti insieme, con Denisa e i loro capi..."

"Con la sua nuova fiamma?"

"Sì..."

"Che spudorata..."

"Ma l'hai detto tu, è meglio se viene in compagnia..."

"E' vero, ma mi da fastidio..."

"Lo facciamo per tuo fratello e per Thomas, ricordalo..."

"Sì, Michal, speriamo bene... Guarda, i miei stanno scendendo dalle scale... Ma guarda la faccia di mia madre..."

"Mamma, cosa c'è?... Quando siamo arrivati sono andata a cambiarmi e non ti ho più visto... Ti aspettavo qui..."

"Ero con tuo fratello al piano di sopra..."

"Senti, vieni con me un minuto, vorrei presentarti l'amico di Janicek, quello dell'appartamento, prima che scenda per il concerto. Dopo ci sarà troppa gente... Ma cos'hai da ridere?..."

"L'ho già conosciuto, Olga, l'ho visto benissimo..."

"Senti, ma cosa c'è?"

"C'è che tuo fratello ha aperto la porta senza bussare" intervenne Frank, "e lui era più nudo di un campo di nudisti..."

"E cosa ha detto?..."

"Niente... È diventato rosso come un papavero... Se avesse potuto strozzare Janicek l'avrebbe fatto..."

"Thomas è molto timido... Si sarà vergognato come un ladro... È per quello che ridi?..."

"Dovevi vedere la sua faccia... Anche il resto, Olga... Da far fatica a togliergli gli occhi di dosso..."

"Infatti non glieli hai tolti. Ancora un po' e gli salti addosso..."

"Non è vero... Gli ho solo consigliato di scendere a suonare così com'era, per la gioia di tutte le signore presenti... Tu l'hai mai visto in costume, o magari senza niente?..."

"Mamma! Sono appena andata a vivere con Michal, cosa stai dicendo?...

"Non si sa mai, alla tua mamma puoi dirlo..."

"Mamma! L'ho visto un paio di volte in pantaloncini, e sì, è una bella vista, ma è finita lì..."

"Sì... Anche tuo fratello, però..."

"Però cosa, mamma?" Olga era diventata improvvisamente sospettosa. Avesse visto, o intuito qualcosa... Cosa stava per dire?...

"Non poteva aprire la porta un minuto prima... l'avrei visto meglio... Anche trenta secondi... Sarebbero bastati trenta secondi..."

"Mamma!"

"Klara! E' un amico di tuo figlio!..."

"Appunto, Frank, appunto..."

E così Thomas ha fatto centro un'altra volta, pensò Olga. Aveva tanta paura di vederla, e lei gli salta quasi addosso. Ottimo. Quando sarà il momento, le sarà più facile capire suo figlio. Niente premura, vediamo come va...

"Ho bisogno di un goccetto... Frank, non c'è niente in giro?..."

"Moglie, forse è meglio di no... Senti, Olga, al telefono hai detto che ci sarà anche AnnCecilie col suo nuovo fidanzato. Allora è vero, si sono lasciati..."

"Sì papà. Lo ha piantato e si è consolata immediatamente. Anche prima, se è per quello..."

"Janicek è dispiaciuto?"

"No, mamma, ha capito di essere sempre stato preso in giro..."

"Perché dici così?..."

"Perché è vero, mamma. E adesso piantiamola lì. C'è gente, stanno per arrivare, e Janicek non ne parla volentieri... Oh, c'è Pavel..."

Klara! Frank! Oramai siamo della famiglia! Dove eravate, vi cercavamo, io e Milana... Dove eravate?..."

"Diglielo dov'eri, mamma... Ma Michal dov'è?"

"E' con sua madre, Olga... È venuta anche lei, col suo compagno... Sono laggiù, c'è anche Milana... Dopo arrivano... Siamo tutti così contenti, Olga, di te e Michal... Diglielo anche tu, Klara, è il più bel regalo di natale che ci potevate fare..."

"Pavel" era Frank a parlare, "lo pensiamo anche noi, anche a noi fa molto piacere. Dobbiamo parlarci, ma non stasera, c'è troppa gente..."

"No, Frank, abbiamo tempo domani. Vi fermate qui, vero? Milana vi ha fatto vedere la vostra stanza?"

"Sì, tutto a posto, grazie... Quanta gente... È una serata eccezionale..."

"Penso di sì... oh, eccoli..."

"Scusateci" erano Michal e Milana, "sembra che la serata prometta bene..."

"Altroché... Ma senti Michal, oramai ci siamo quasi tutti... Denisa e AnnCecilie non ci sono ancora..."

"Stanno arrivando, Olga... Hanno telefonato. Si sono cambiati direttamente sul set per essere qui puntuali. Comunque non sono gli ultimi... Tutto bene?"

"Sì, Michal... I miei hanno già conosciuto Thomas, vero mamma?"

Il sorriso compiaciuto di Klara, con la mente ancora al piano di sopra, e l'occhiata di Olga fecero capire a Michal che tutto era andato per il meglio.

"Benissimo. Vado fuori a vedere se arrivano. Olga, i tuoi sono gli unici senza champagne... Cosa aspetti..."

"Provvedo subito... mamma, papà, perché non fate un giro, vedete un po' di gente... Io arrivo..."

Non voleva ammetterlo, ma non sapeva se correre di sopra e sentire dalla viva voce di Thomas come era andata, o aspettare l'arrivo di Denisa, AnnCecilie e il nuovo amore di lei. Se almeno scendesse Janicek... Ma no, era su con Thomas, a tenergli la manina, era sicura...

Lo vide scendere dalle scale, e lo raggiunse. "si può sapere dov'eri, fratello?"

"Ero su con Thomas..."

"E..."

"E mi ha sbattuto giù. Ha detto che si deve concentrare, e dopo il concerto facciamo i conti... Hai visto la mamma?"

"Sì, se non stai attento te lo soffia. Fa' un giro..."

"Va bene... AnnCecilie non si è vista? E Dagmar? "

"Stanno arrivando. Li riceviamo io e Michal, non ti preoccupare..."

Passarono pochi minuti, volati fra baci, sorrisi e le solite parole. Pavel e Milana videro Michal in giardino salutare delle persone appena scese dalla macchina, ed accompagnarle verso la porta di casa. Il tempo di raggiungere Olga, che loro entrarono.

"Finalmente ragazzi!"

"Ciao Olga! Pavel, Milana..."

"Ci siete tutti! Ciao Denisa, AnnCecilie... Siete bellissime..."

"Scusateci, ci siamo cambiati direttamente sul set... Non siamo in ritardo?"

"No, Denisa, non ti preoccupare... Manca ancora Dagmar..."

"Vi presento i miei capi, Jirina e Leo..."

"E lui è il mio amico Edward", disse AnnCecilie, "è americano, ed è qui per lavoro. Si fermerà per qualche tempo con noi..."

"Speriamo molto a lungo... Piacere io sono Milana, accomodatevi, state con noi..."

"Sei stata gentile ad invitarci... Sai, con quello che è successo, non sapevo se ci saremmo viste ancora..."

"Non dire stupidaggini, AnnCecilie, siamo stati tutti ragazzi, sappiamo come vanno queste cose... Edward, vero? Ho saputo che lei è un attore, ed è qui per girare un film..."

"Sì, è così, signora... Complimenti per la casa..."

"Non l'ho costruita io... Edward è il suo nome vero?"

"Sì, signora. È il mio nome vero. Uso il nome Ted solo per il lavoro. Mi piace avere una vita normale quando non sono sul set. Molti miei colleghi girano con un riflettore sulla testa anche quando vanno a letto, ma io non sono così, mi piace stare tranquillo"

"Ho l'impressione che lei sia una persona notevole, Edward, e faccio i miei complimenti ad AnnCecilie... Vi lascio ad Olga e Michal, se non vi spiace..."

Michal prese Edward sottobraccio e lo accompagnò verso il buffet, dove aveva visto Janicek aspettarli, coi bicchieri già pronti.

"Edward, ti presento Janicek, il mio quasi cognato"
"Ciao Janicek, noi ci conosciamo già. Sei venuto sul set con un tuo amico, a trovarci. Non ti ricordi di me? Ero il militare biondo, con la barba e i baffi..."
"Tu? E dove hai messo tutta quella roba?"
"In camerino. E' là che mi aspetta..."
"Vuoi dire che era una parrucca? Tutto finto?"
"Si, Janicek. Di vero ci sono solo io, così come mi vedi, coi capelli corti, senza barba, senza baffi..."
"E a tavola? Come facevi per mangiare?"
"Non potevo togliermi il trucco per mezz'ora di pausa... E il tuo amico? È qui?"
"Sì. È di sopra a cambiarsi. È lui il concertista di questa sera. Lo sentirai, è molto bravo, vero Michal?"
"Sì, Edward, Thomas è molto bravo, e per noi fa parte della famiglia. Spero che non ti annoierai..."
"Scherzerai? Guarda che anche se sono americano, so leggere e scrivere, ed amo la musica classica..."
"Scusa, non volevo essere scortese. Questa sera la musica in programma è tutta di Mozart. Abbiamo organizzato un quartetto d'archi, e spero che il repertorio ti possa interessare"
"Più di quanto pensi, Michal... Janicek, tu sai il programma?"
"Certo, tre quartetti e due divertimenti. Anche Eine kleine Nachtmusik. Davvero pensi di non annoiarti, Edward?"
"No, assolutamente. E poi, sai, amo guardare la gente quando si concentra, quando ascolta... Mi affascina capire quello che pensa, le sue emozioni... Vivere i sentimenti, raccontare delle storie, mi piace..."
"Tu sei straordinario, Edward. Noi non ti lasceremo tornare in America, vero Janicek?"
"No. E con AnnCecilie come ti trovi?"
"E' una ragazza molto bella, e molto indipendente. Tu la conosci bene, Janicek?"

269

"Tutti noi la conosciamo benissimo" rispose Michal per lui, "fin da ragazzi... E' vero, Edward, è molto bella, e molto indipendente. E' sempre stata così, è lei... È fatta così..."

Mentre si scambiavano queste impressioni, gli ospiti avevano finito di arrivare, compresa Dagmar, in ritardo per un problema sul lavoro, piena di scuse ed ancora affannata per la corsa, anche se in macchina. Ormai c'erano tutti. Milana, dopo essersi consultata con Pavel, invitò gli ospiti ad accomodarsi nel salone grande. Janicek trovò una sedia a lato del piccolo corridoio lasciato libero per il passaggio, in modo da essere vicino a Thomas quando sarebbe passato di lì. A sorpresa, Edward prese posto accanto a lui, e un'imbarazzata AnnCecilie gli passò davanti per mettersi di fianco a loro. "Non ti scoccia?" gli chiese mentre gli scavalcava le gambe. "Ma no, assolutamente", le rispose. Quando tutti gli ospiti furono seduti, e i brusii cominciarono a placarsi, Pavel salì per chiamare Thomas e gli altri.

E scesero. Accolti da un applauso, fecero il loro ingresso nel salone, e passarono di fianco alle sedie, nel corridoio stretto, che permetteva di camminare solo in fila indiana. Thomas era l'ultimo, e quando gli passò di fianco, e lo vide, a Janicek mancò il fiato.

Capitolo 24

Non era mai stato così bello. Indossava una giacca di velluto nero coi risvolti di raso, una camicia con gli jabot e un plastron di seta verde, annodato con disinvoltura attorno al collo. I suoi capelli castani cadevano con un ciuffo sopra gli occhi, le sue mani... Solo per lui... Anche Patrik e Petr erano vestiti nello stesso modo, con un cravattino nero al posto del plastron, ma Janicek non se ne accorse nemmeno. Martina indossava un abito nero lungo, senza maniche, e alto fino al collo. Aveva raccolto i capelli biondi in un piccolo chignon sulla nuca, con due piccoli ciuffi impertinenti che le scendevano a incorniciarle il viso. Saliti sul palco, si inchinarono al pubblico, presero posto sulle sedie e fecero un cenno a Milana. Lei salì sul palco, fece le presentazioni, ed annunciò il programma. Come sapevano, la serata sarebbe stata dedicata tutta a Mozart. Il primo pezzo era il quartetto per archi numero uno in Sol maggiore. Ed iniziarono, e con loro la magia, e l'incanto. Dopo gli applausi, a musica finita, Milana presentò il secondo pezzo, il quartetto numero ventidue, in Si bemolle maggiore. La sala, oramai conquistata, ascoltava attenta, quasi rapita. Alla fine, dopo i doverosi battimani, Milana salì sul palco ed avvisò che ci sarebbe stato qualche minuto di pausa, per permettere ai musicisti di riposare e riprendere la concentrazione. Mentre usciva, Thomas mise una mano sulla spalla di Janicek, e si fermò un attimo accanto a lui. Senza dire niente, Janicek mise la sua mano sopra quella di Thomas. Lui si allontanò, seguendo gli altri. Janicek lo guardò mentre usciva dalla sala, poi restò seduto con la testa in avanti, il capo chino, e un timido sorriso verso Edward, che lo osservava, e ad AnnCecilie. Quando rientrarono, gli fece un cenno di saluto, stava per dirgli bravo, bravo amore, ma Thomas proseguì diritto, senza guardarlo. Fu annunciata l'esecuzione di due divertimenti, il numero uno in Re maggiore, e il numero due in Si bemolle maggiore. Gli applausi alla fine, i sorrisi, i complimenti, incoraggiarono Thomas e gli altri a chiedere a Milana almeno un quarto d'ora di riposo. L'intervallo fece piacere al pubblico, che ne approfittò per alzarsi dalle sedie, passare dal buffet per un bicchiere di champagne, commentare l'andamento della serata. Questa volta, uscendo dalla sala, più rilassato, Thomas guardò Janicek, gli sorrise, e gli strizzò un occhio. Sorrise anche a Edward e ad AnnCecilie, che ricambiarono con un "bravo" e un piccolo battimani. Dopo lo champagne, rientrati gli ospiti, sistemati sulle sedie, con loro di nuovo sul palco, Milana annunciò: "Ed ora la serenata numero tredici in sol maggiore, Eine kleine Nachtmusik!..." Tutti applaudirono con entusiasmo, contenti, e quando ci fu silenzio e la musica iniziò, la melodia portò nuovamente tutti in quel mondo di fiaba, dove la fantasia ti tiene per mano e ti trascina, ti porta via coi suoi chiaroscuri, i palpiti... Dove sognare è un obbligo, e vivere è un sogno... Dopo venti minuti di rapimento, alla fine, il pubblico esplose con un uragano di applausi. Era un successo. Thomas, Patrik e gli altri si guardarono soddisfatti. Non avevano immaginato di piacere tanto e di ricevere tanto calore da chi li aveva ascoltati per quasi due ore. I discorsi di prima del concerto erano del genere speriamo che non si addormentino, forse è meglio se ci facciamo pagare prima, chissà come andrà a finire. Gli applausi del pubblico li avevano quasi storditi. Durante il solito cerimoniale dell'uscita, mentre la gente cominciava a reclamare i dovuti bis, col vocione di Dagmar in piedi che sovrastava quello degli altri, Thomas, soddisfatto, passando di fianco a Janicek, fece per carezzargli la testa, ma poi, guardandolo, contento com'era, gli diede una gran manata sul cervello, spiattellandogli i capelli, sotto lo sguardo divertito di Edward che non mancò di complimentarsi ancora con lui. Quasi subito Milana li raggiunse nella saletta. "Ragazzi, vogliono i bis!"

"Un po' di pietà, due minuti..."

"Va bene, ragazzi... Cosa avete in programma?"

"Avevamo pensato a due pezzi, uno che ci ha chiesto espressamente Olga, e una sorpresa..."

"Va bene, ma rifate almeno un movimento di quello che avete suonato adesso..."

"Pietà, siamo stanchi..."

"Smettila Thomas, al lavoro..."

Tornati in sala, fra gli applausi, Milana salì sul palco ed annunciò: "ed ora, a gentile richiesta, risentiremo il primo movimento della serenata. Loro non vogliono, ma noi sì. Vero?"

Le approvazioni furono esplicite. Ripresero il primo movimento, ed alla fine Thomas prese la parola.

"Ora, se volete ascoltarci, vi suonerò una trascrizione dalle Nozze di Figaro. È il "Voi che sapete", l'aria di Cherubino. Spero in questo modo di far contenta almeno una persona, o forse due, e anche tutti voi..."

Olga, prese per mano Michal, e gliela tenne stretta per tutto il tempo dell'esecuzione. Commossa, pensò che quello sarebbe stato il loro pezzo, la loro musica, per sempre. Era il regalo di Thomas per il loro amore. Anche Michal ascoltava, ricambiandole la stretta, affascinato dalla melodia. Attimi lunghissimi e troppo corti insieme. Tom, pensava, avrai sempre un posto nella mia memoria, coi ricordi più dolci, ed i miei segreti.

273

Presi com'erano, non si accorsero che la musica era terminata, fino a quando sentirono la voce di Thomas.

"Si avvicina Natale, ed abbiamo pensato di farvi una piccola sorpresa, sperando che vi sia gradita. Anche questa è una trascrizione, un adattamento preparato da noi, alla buona. Ci vorrebbero anche un tamburo e la cornamusa, ma ci arrangeremo. E' una musica di Natale, una canzoncina che a noi bambini piace tanto. Speriamo piaccia anche a voi. È "Il piccolo tamburino", "The little drummer boy". Janicek si irrigidì e lo guardò fisso negli occhi. Riuscì a non piangere, e alla fine anche a trattenere, fra gli applausi degli altri, il suo desiderio di correre ad abbracciarlo. Accidenti a te, Thomas, accidenti a te... Fu distratto dalle voci di Edward e di AnnCecilie, piene di complimenti e di "Bravo Thomas, bravi tutti..."

Milana tornò sul palco ed invitò gli ospiti ad accomodarsi nell'altra sala, dove li attendevano i camerieri con il buffet già preparato. Mentre tutti si alzavano, si voltò di nuovo verso di loro e ripeté "bravi...", poi prese sotto braccio Thomas e Patrik e si avviò con loro verso Janicek, che li aspettava insieme a Edward ed AnnCecilie. "Eccolo, è tutto tuo...", gli disse sorridendo. Lasciò il braccio di Thomas e, con gli altri, si diresse verso i rinfreschi.

Soli per un attimo, dietro gli altri, Janicek si avvicinò a Thomas, e lo abbracciò stretto, con le lacrime agli occhi. Thomas ricambiò l'abbraccio e gli disse sottovoce, "no, non qui..." e aggiunse, con la voce di nuovo normale, "Non te l'aspettavi, eh? Ti è piaciuto?"

"E me lo chiedi?"

"A mangiare, ho una fame da lupo..."

Prese Janicek per un braccio e raggiunti Milana e gli altri, esclamò, "corriamo, Dagmar è già là, non ci resta più niente".

"Vero", risposero, e tutti si precipitarono, sballottando il povero Edward che non capiva il motivo di tanta premura, e non era più abituato ad essere trattato come un ragazzino.

"Si può sapere perché così di corsa?" chiese Edward, quasi stizzito.

"Dagmar è già al buffet" gli fu risposto in coro.

"E allora?"

"E allora quando vedrai capirai" gli rispose AnnCecilie precedendo gli altri.

Quando arrivò al buffet e vide una ragazzona mora con un piatto stracolmo di tartine e prosciutti, con due panini in bilico sul bordo, comprese, e le disse "tu sei Dagmar, vero?... Ora capisco..."

Era una bella compagnia, era gente normale. Ti accettavano, senza cercare di prevaricarti. Era una pace, il non dover lottare ogni momento, il non dover sorridere sempre, anche se avevi voglia di star tranquillo per i fatti tuoi. Poteva anche permettersi di avere mal di testa e avere bisogno di una pastiglia. Gliela avrebbero data senza mettersi in posa. E poi, tranne Michal, avevano qualche anno meno di lui, e la cosa non gli dava nessun fastidio. E quella ragazza, invece di cercare di spogliarlo con gli occhi, di adorarlo, di chiedere autografi, si era messa nel piatto due chili di tartine, e lo guardava con aria felice. Il piatto, non lui... Li avrebbe visti ancora, con o senza AnnCecilie.

"Ciao. Io sono Edward, come stai?"

"Sei l'attore, l'amico di AnnCecilie e di Denisa? È vero che sei qui per girare un film in costume, ambientato nella Boemia del settecento?"

"Sì, faccio l'eroe, infilzo tutti con la spada, faccio a fette i cattivi e mi prendo la bella..."

"Beata lei... "

"Sì, ma solo nei film... la vita è diversa..."

"Hai ragione, penso che per tutti la vita sia diversa,

anche per gli attori... È bello raccontare delle storie, ma quando vai a casa non sei più l'eroe, sei di nuovo Edward, non è così?"

"Sì, è così, anche se per molti è come se fossero sul set anche quando vanno in bagno..."

"Ce li vedo... Sai che qualcuno ce lo vedo davvero?..."

"Non mi far ridere... qualcuno ce lo vedo anch'io... Hai lasciato qualcosa al buffet?"

"C'è tutto quello che vuoi... se ci arrivi..."

"Non hai paura che ti caschi qualcosa dal piatto?"

"Hai ragione, è troppo pieno..."

Ciò detto, guardò Edward. Erano rimasti soli a parlare. Gli altri stavano cercando un posto in prima fila, sgomitando per arrivare ai piatti di portata.

"Forza, prendi qualcosa, prendi quello che più ti piace. Se cerchi di arrivare adesso al tavolo non ritorni incolume. Tieni tutto. Vado io nella bolgia, sono più esperta... Vuoi che ti prenda qualcosa in particolare?"

"Ma no, Dagmar, non ti disturbare..." e poi, sedendosi col piatto in mano mentre lei si allontanava, "prendimi da bere, se ci riesci..."

"Champagne va bene?"

"Se ce la fai..." cercò di rispondere con la bocca piena... Essere un attore ha i suoi vantaggi, pensò, ma poi, no, concluse, l'avrebbe fatto per chiunque. Io quella la vedo ancora... Chissà se sta con qualcuno. Con questo per la testa, e sempre con la bocca piena, fu raggiunto man mano da tutti gli altri.

"Alla faccia, parlavamo di Dagmar, ma anche tu non scherzi. Potevi prendere tutto il vassoio, avresti fatto prima..."

"Hai ragione, Denisa, non ho pensato... Ti è piaciuta la serata?"

"Molto. E a te?"

"Anche a me. È la prima volta che vado ad un concerto tenuto in una casa privata... Tutti amici, tutto bello... Sono contento..."

"Hai visto?", era AnnCecilie, tornata dal buffet, "non volevi venire, e invece è una bella serata, no?"

"Come, non volevi venire... Ci sarebbe dispiaciuto, vero, Olga?"

"Sì, Michal" e poi, rivolta ad Edward, "Sei un amico di AnnCecilie, di Denisa, ti aspettavamo a braccia aperte. Anche mio fratello e Thomas, quando sono venuti a trovarvi sul set, hanno detto che sei una persona simpatica e che devi essere un bravo artista..."

"Sì, è vero", era Janicek, arrivato con Thomas per unirsi alla compagnia, "lo abbiamo visto mentre girava. Dava botte a tutti, infilzava tutti con la spada, a cavallo, avanti e indietro... Bello, vero, Tom?"

"Sì... Ma sai che non ti avevamo riconosciuto?"

"Il trucco di scena era pesante... La parrucca..."

"Non solo quello, Edward, le espressioni, la faccia... Qui sei diverso... È lo sguardo, è qualcosa... Sei meglio qui, è vero, AnnCecilie?"

"Sì, Thomas, hai ragione", era AnnCecilie, visibilmente sollevata per aver compreso che nessuno ce l'aveva con lei per aver lasciato Janicek, e che in più Edward era stato accettato da tutti, Janicek compreso, al quale sembrava addirittura simpatico. "Sì", proseguì, "fuori dal set è un'altra persona..."

"E sul set cosa sei?" era Dagmar, tornata dal tavolo del buffet con in mano due coppe di champagne, "sei così diverso mentre lavori?"

"Sì, grazie Dagmar", rispose Edward prendendo in mano il bicchiere, "sul set cerco di concentrarmi molto, di essere il personaggio che interpreto. Mi rendo conto di essere un'altra persona, un altro me..."

"Questo è molto interessante" proseguì Olga, "parlavo con Milana, un attimo fa, e mi ha detto che le hai fatto un'impressione straordinaria. Le piace molto il fatto che ti piace stare in disparte ad osservare le persone, a cercare di capirle, a provare i loro stessi sentimenti... Lo trovo affascinante... Vuol dire amare la gente, amare con loro... Non è soltanto lavoro. Guarda che non ti lasciamo più andar via, vero, AnnCecilie?"

"Speriamo, Olga, io faccio il possibile..."

"A me vieni a dire una cosa simile?" Le rispose ridendo e vedendo il suo imbarazzo, e poi, "fai benissimo, credi, lo farei anch'io... Thomas... hai fatto i complimenti a Thomas?"

"Sì, Thomas, mi hai commosso... Posso darti un bacio?"

"Anche due... Esagera..."

"E a me niente?" era Patrik, che si era liberato di un certo numero di signore festanti e li aveva raggiunti con Petr e Martina.

"Sì, venite qua tutti" e cominciò a baciarli, seguita da Dagmar, che all'urlo di "Anch'io!", prese Patrik per le orecchie, se lo tirò vicino e gli schioccò un bacio che gli fece perdere l'equilibrio e quasi cadere il piatto che aveva in mano. Tutti risero, e Petr, che sarebbe stato il prossimo, si puntellò ben bene sui piedi tenendo saldamente in mano tartine e bicchiere. Questi erano i suoi amici, si trovò a pensare Edward. I suoi colleghi sul set non gli davano il calore di queste persone. Forse la più fredda era proprio AnnCecilie, proprio lei. L'aveva portato lei in questo giro, ci era venuto poco volentieri, ma si era sbagliato. Erano diversi, anche da lei erano diversi, e Dagmar doveva essere una forza della natura, doveva vederla ancora, da solo... E quel ragazzo...

"Thomas, posso farti i complimenti anch'io? Non te li ho ancora fatti, scusami..."

"Figurati, mi fa piacere che la serata sia stata di tuo gradimento... "

"Sì, davvero. Mi piacerebbe vedervi ancora, tutti... Mi

volete?"

"E ce lo chiedi?" era Janicek, "Tom, Olga, vogliamo vederlo ancora?, cosa ne dite?"

"No", rispose Olga, "non vogliamo vederlo ancora, non vogliamo più lasciarlo andare via... È diverso... Vorrei abbracciarti, ma sei pieno di bicchieri e tartine, non ti puoi muovere. Ma baciare ti posso, vieni qua..."

Ciò detto gli si avvicinò e gli diede un bacio sulla guancia, ricambiato in qualche modo da un Edward male in equilibrio sulla sedia.

"Anche noi" fece Janicek, e lo baciò, seguito da Thomas e da un'entusiasta Dagmar.

"Grazie, ragazzi, grazie a tutti... AnnCecilie, perché non me li hai presentati prima?"

Li guardava, mentre parlavano, appena eccitati dalla serata insieme, dalla musica ascoltata, dal vino, dalla compagnia. Era bello stare insieme a loro, gli piaceva. Thomas e Janicek si erano allontanati per cercare i genitori di Janicek, così avevano detto, ed in effetti si stavano avvicinando ad un gruppetto di signori più anziani, tra i quali riconosceva i padroni di casa. Dagmar si era seduta vicino a lui, dall'altra parte di AnnCecilie, e parlavano tra di loro, con lui in mezzo. Esser baciato da Dagmar gli aveva fatto piacere, ma quello che non si aspettava era esser stato baciato da Janicek e da Thomas. Anche AnnCecilie era rimasta sorpresa, se ne era accorto... Niente di male... Ma c'era un problema, un piccolo problema... Quando Thomas l'aveva baciato, gli si era mosso il sangue. Gli era già successo qualche volta, in passato, con una o due ragazze che gli piacevano particolarmente, ma con un ragazzo, mai... Mah, meglio Dagmar... Thomas stava insieme a Janicek... era evidente, almeno per lui... Dagmar, non si capiva, probabilmente stava insieme a quell'altro musicista, il violoncellista, ma il suo intuito diceva che era più che altro una storia di

sesso, così, tanto per passare le serate insieme...
Doveva chiedere ad AnnCecilie, e nello stesso tempo,
liberarsi di lei... Meglio chiedere a Denisa, anzi, no...
"Denisa, non stare lì in piedi, vieni, siediti al mio posto.
Io porto i piatti al buffet e faccio un giro... nessuno mi
accompagna? Ho visto che sta arrivando qualcosa..."
"Vengo io" fece Dagmar, "ti accompagno io..."
Facile come bere un bicchiere d'acqua, pensò
soddisfatto...
Avvicinandosi al buffet, lentamente, tra i saluti di rito
con gli altri ospiti, Edward riuscì ad entrare in
argomento. "E bello vedere due persone che si
vogliono così bene..."
"Olga e Michal, dici? È vero, è una bella coppia, sono
appena andati a vivere insieme..."
"No, Dagmar, intendevo suo fratello e Thomas..."
"Ah, te ne sei accorto anche tu? Per me è un grande
amore, per davvero... non riesco a capire se mi fanno
più invidia o tenerezza... Beati loro..."
"Hanno avuto dei problemi?"
"No, penso di no... Avevano qualche timore per i
genitori di Janicek, ma visto come ci stanno parlando
insieme, e le pacche sulle spalle di Thomas, direi di
no..."
"E tu?"
"E io cosa?"
"Stai con qualcuno? Ho visto che parlavi col
violoncellista, quel..."
"Patrik?"
"Sì, lui... È il tuo uomo? Ho visto come lo hai preso per
le orecchie, quando lo hai baciato..."
"Niente di particolare... Usciamo insieme... Prima no,
ma adesso ho il dubbio che mi abbia cercato per non
fare ingelosire Janicek..."
"Cioè?"
"Patrik è simpatico a Thomas, è stato lui a farcelo

conoscere, e Janicek per Thomas è disposto a uccidere. Mettendosi con me gli ha fatto capire di non essere un rivale. Tiene molto all'amicizia di tutti e due, e ha usato me... Questa, almeno, è la mia impressione. Comunque è un ragazzo simpatico, e ci esco volentieri..."

"E con me, ci usciresti volentieri?"

"A te, io ti salterei addosso in mezzo alla sala, qui, subito..."

"Esagerata, mi basta il numero di telefono..."

"Pronti... Scusa, e con AnnCecilie?"

"Lei è molto indipendente, lo sai... Secondo me ha già adocchiato un altro, più potente... Io sono solo un attore, un caratterista... Lei punta in alto..."

"L'hai già conosciuta..."

"Per me ha in mente il nostro direttore artistico..."

"Vuoi dire Leo, il marito di Jirina?"

"No, il nostro, quello venuto con noi... Ci ha raggiunto da Londra per questo film..."

"E a te?"

"A me va bene, non importa... Allora d'accordo, ti telefono e ci vediamo, ti va?"

"Va bene. Quando vuoi, ti vedo volentieri"

"Grazie. E sai, non dovrei dirlo, potrei fermarmi qui più a lungo... Forse avrò un altro lavoro, qui a Praga, finito questo..."

"Questa è una bella notizia... allora non te ne vai il mese prossimo?..."

"No, spero proprio di no... Leo e Jirina mi hanno proposto di entrare nel cast di una serie televisiva che dovrebbero cominciare a girare fra un paio di mesi. Dovrebbe essere una serie per ragazzi, con draghi e cavalieri, speriamo... Non dire niente a nessuno, per scaramanzia..."

"Oh, draghi e cavalieri, per farci sognare..."

"Per i puri di cuore, Dagmar, per loro... Vieni, andiamo

dagli altri, non possiamo stare soli tutta la serata..."

"Andiamo da Thomas. Sta parlando coi padroni di casa, ti fai conoscere. Ci sono anche Jirina e Leo, sentiamo cosa dicono".

Si avviarono verso di loro, lentamente, guardandosi in giro. Il salone era animato, pieno di gente. Dall'altra parte AnnCecilie stava parlando con Denisa, Olga con Patrik e gli altri, qualcuno in piedi, qualcuno seduto, tutti eleganti e sorridenti. Raggiunsero Thomas e Janicek. Milana era con loro insieme a Pavel, e lo presentò a Klara e Frank. "Sono i genitori di Olga e di Janicek", disse indicandoli con un gesto. "Sono davvero contento di conoscervi", rispose Edward inchinandosi leggermente. Ci furono i complimenti di rito per la riuscita della serata, la musica, la bellezza della casa. Edward continuò. "Un mese fa non avrei mai immaginato di essere qui stasera. Mi hanno inserito nel cast all'ultimo momento. Poi venire a sentire questo concerto, e conoscervi... era impensabile, fino a pochi giorni fa..."

"Spero tu non sia rimasto deluso, Edward", gli rispose Milana, sorridendo, "noi siamo tutti contenti che tu sia qui, e ci piacerebbe che restassi con noi molto a lungo, vero Leo?"

"Sì, Milana, farebbe piacere anche a noi. Forse ci riusciamo, vero, Edward?"

"Non dipende da me, lo sai... Io qui ci sto bene, insieme a voi ci sto benissimo..."

Mentre rispondeva a Milana, si accorse di essere osservato. Lentamente, si girò. Lo sguardo di Thomas era impenetrabile, fisso su di lui. Era come se gli guardasse nell'anima, che vedesse quello che neppure lui sapeva di avere dentro di sé. Gli vennero i brividi. Sembrava che il Tempo lo aspettasse, Tutto era scritto, e Thomas sapeva. Solo per un attimo, poi la sensazione si dissolse come portata dal vento, e ogni cosa tornò normale. Gli ricambiò lo sguardo, rimasero così per qualche istante, poi ripresero la conversazione con chi avevano vicino.

Capitolo 25

"Allora lei è il nuovo amico di AnnCecilie"

"Come, scusi?"

Klara proseguì. "Lei è Edward, no?, il nuovo amico di AnnCecilie..."

"Sì, signora, mi scusi, ero sovrappensiero... Sì, ci siamo conosciuti sul set, lei e Denisa, e adesso siamo qui. Anche con Janicek e Thomas, ci siamo conosciuti prima di questa sera. Sono venuti a trovarci sul lavoro..."

"Sì, sono stata informata... E si trova bene con AnnCecilie?"

"E' un'amica, signora. È gentile con me, mi sta facendo conoscere i suoi amici, mi ha portato qui stasera..."

"Ah, allora non è la sua fidanzata..."

"No, signora, AnnCecilie è una donna molto indipendente. Usciamo insieme, tutto qui..."

"Sono due ragazze straordinarie", Leo si inserì nel discorso, "sono due lavoratrici instancabili, e tutte e due amano molto quello che fanno. Noi siamo molto soddisfatti di loro, vero Jirina?"

"Sì, è vero. Klara, non dica niente a loro, se no ci chiedono un aumento di stipendio, ma mio marito ha ragione. Anche Edward, è un attore di talento, e speriamo che si fermi con noi per quel nuovo serial."

"Jirina, non dipende da noi, ma dal produttore, e da te, Edward. Noi gli abbiamo detto che ti vorremmo volentieri nel cast, adesso dipende da voi due... Non hai neanche un agente che cura i tuoi interessi... In certe cose vivi proprio sulla luna..."

"L'avevo, ma l'ho mandato a quel paese prima di venire qui... Adesso devo trovarne uno..."

"Può andar bene un pubblicitario?" Janicek si inserì nel discorso, incurante dell'occhiata della madre cui l'idea sembrava, tutto sommato, inopportuna. "A Thomas ho già trovato un paio di contratti per degli spot, potrei seguire anche te, se volessi..."

"Grazie Janicek, non lo so, fammi pensare, e chiedere consiglio a Jirina, e a Leo. Potrebbe anche essere, non è un no, devo solo pensarci. Comunque grazie. Davvero Thomas, hai dei contratti per degli spot?"

"Sì, Edward, in televisione e in rete. Non male, eh?"

"No davvero, ma è ovvio che tu sei un privilegiato..."

"Sei gentile a dire così, ma non è vero..."

"Non dire così" lo interruppe Klara, "sei un gran bel ragazzo, è giusto che ne approfitti..."

"Klara, signora, per cortesia..."

"Lo so benissimo..."

Voltandosi verso di lui, sottovoce, Thomas disse, "Janicek, ancora una volta, dopo facciamo i conti..."

"Klara, è diventato rosso... C'è qualcosa che dobbiamo sapere?"

"No, Dagmar... Ehi, dove andate?"

"A fare un giro..." ciò detto, Janicek prese Thomas per un braccio e si allontanarono, tornando verso il salone della musica, dove avevano intravisto Martina e Petr conversare con degli altri invitati.

"Niente di speciale, Dagmar. Sono entrata in camera loro, prima del concerto, e lui si stava infilando le mutande... Oh, ma non potevo entrare un minuto prima?..."

"Moglie, la pianti con questa storia? Janicek è abituato, e quando ha aperto la porta non ci ha pensato, ma tu te lo sei guardato ben bene, eh?"

"Be' sì, gia che c'ero... Beato mio figlio... Cara Dagmar, è una meraviglia..."

Dagmar la guardò. Meglio non sbilanciarsi, pensò, forse Janicek lo ha fatto apposta, per rompere il ghiaccio... Forse sa...

"Eh sì, beato tuo figlio, lo penso anch'io... Grande serata, Milana, tutto fantastico, vero Edward? Raggiungiamo gli altri, cosa ne dici?... Scusateci..."

Ciò detto lo prese sottobraccio e si avviò verso AnnCecilie e gli altri. Thomas e Janicek erano ormai nell'altra sala, a parlare con Petr e Martina. Patrik decise di andar da loro e scambiare qualche commento sulla serata e l'esecuzione del concertino. Se era andata bene, pensava, ci potrebbero essere altre serate, anche quella promessa da Olga a casa dei suoi, che questa sera erano qui...

"Finalmente, Dagmar, non venivate via più! Che discorsi lunghi..."

"Scusaci AnnCecilie, Klara ha voluto sapere tutto di Edward. Anche Milana... Eh, sì, Edward, hai proprio fatto colpo... Le hai tutte ai tuoi piedi..." e dopo avergli lanciato un'occhiata piena di sottintesi, proseguì, "faccio un salto al buffet, vediamo cosa c'è... Denisa, vieni con me?"

Rimasero loro quattro, Michal, Olga, Edward ed AnnCecilie. Michal attaccò discorso con Edward.

"Allora, Edward, ti piace qui?"

"Sì, Michal, mi piace molto... Complimenti per la casa. È magnifica... Passerete qui il Natale?"

"Sì, lo passeremo qui tutti insieme, la mia famiglia e quella di Olga, Thomas compreso. Tu cosa fai, pensi di restare qui o torni negli Stati Uniti?"

"Torno in America. Abbiamo dieci giorni di vacanza e ne approfitto per vedere i miei. Poi torno, e se ne avrete voglia potremo vederci ancora..."

"Anche prima, Edward", lo interruppe Olga, "a Natale mancano tre settimane, e se vuoi possiamo uscire almeno un paio di volte. Andiamo a cena fuori, stiamo insieme. Noi ci vediamo spesso, e se vieni ci fai contenti. AnnCecilie, cosa ne dici? Ce lo portiamo un po' in giro con noi?"

"Certo Olga, più che volentieri, se lui vuole... Sicura che non ti spiace?"

"Sicurissima, non ti preoccupare. Vero Michal?"

"Assolutamente... AnnCecilie, Edward, quando volete..."

"Michal, Olga, siete troppo gentili. Vi do il mio numero. Ci possiamo telefonare quando volete, e ci vediamo. Anzi, volete venire anche voi a trovarmi sul set? Se decidete lo chiedo a Jirina, e così mi vedete, a cavallo, a sbudellare i cattivi..." E intanto pensava, loro sì, devo liberarmi di AnnCecilie, devo trovar qualcosa... Un altro uomo nel giro di due giorni... Gliene devo trovare uno per ieri...

"E' una bella idea... Michal, cosa ne dici? Hai voglia di andare a vedere girare un film? Annie, pensi che sia possibile?"

"Certo che è possibile." E rivolgendosi a Denisa, di ritorno dal buffet insieme e Dagmar, "Vero, Denisa? Edward avrebbe piacere che Olga e Michal venissero a trovarci sul set. Si può fare, no?" E parlando con Olga, continuò, "sai, è lei il capo, adesso. È diventata il braccio destro di Jirina, è una donna potente..."

"Non dire stupidaggini, faccio il mio lavoro, e basta... Sì, quando vuoi lo chiediamo..."

Michal era rimasto silenzioso, a capo chino, come se avesse in mente qualcosa di importante, che andava al di là dei discorsi da salotto della serata.

"Edward, scusa..."

"Dimmi, Michal..."

"Hai detto che state girando un film di briganti e di gendarmi, di cialtroni e cavalieri... è così?"

"E' un film per ragazzi... In realtà non so che pubblico possa avere... No, spero che piaccia a anche ai grandi... Se no è un flop..."

"E la trama? Questi film si assomigliano un po' tutti..."

"La base deve essere sempre la stessa... Il, o i protagonisti, devono aver le pezze sul sedere, partire dalla miseria più nera, e diventare principi azzurri lottando contro ogni genere di male, per riscattarsi e far trionfare la giustizia. Gira e rigira è sempre così, e funziona ancora..."

"Certo che funziona... Chi non vorrebbe un mondo più giusto, dove i deboli non siano più deboli... Potere essere sé stessi, essere rispettati per quello che si è, che si vale. Sono le ipocrisie della società, che immiseriscono, che uccidono. Devi essere quello che non sei, solo per obbedire al potente che ti comanda"

"Certo, Michal, non c'è come il tenerti povero per non farti pensare... Anche povero nell'anima, vorrei aggiungere... è il trucco dei dittatori, hai fatto caso? Se hai fame pensi solo a mangiare. Ad essere te stesso, a vivere una vita dignitosa, ad essere libero ci penserai dopo, se potrai..."

"Sì, e se fai quello che ti dico mangi, se no, sei cattivo e non mangi. Anzi, ti tolgo anche quello che hai. È così, Edward. I manipolatori delle coscienze sono i peggiori assassini della società. Sono il cancro della Terra, sono il Male..."

"Se bastasse un film..."

"Edward, anche un film, un semplice film per ragazzi è già qualcosa... Li diverti e insegni loro a credere nella libertà e nella giustizia..."

"Anche nella verità, Michal. Libertà e verità camminano insieme, non solo nei film, ma anche nella vita. Almeno, io la penso così... Tu no, Michal?"

"Più di quanto pensi, Edward. Ma adesso basta coi discorsi seri. A Natale sei in America, dicevi?"

"Sì. Torno qui i primi giorni di gennaio, e continuiamo a girare. Ne avremo per un mese, e dopo spero di avere il contratto con Leo per quel piccolo serial..."

"Bene, ci potremo vedere. Sai già quale sarà il tema?"

"Cialtroni e cavalieri, anche qui. Io dovrei essere il maestro del villaggio con sogni di gloria, che insegna ai ragazzi ad avere degli ideali, aiutarli a vivere una vita meno misera. Occorre che gli episodi siano divertenti, leggeri, quasi buffi. Non devono annoiare, altrimenti è finita..."

"Scusa, e come pensi di fare?" AnnCecilie si era inserita nel discorso, "come fai a parlare di ideali, di grandi sogni a dei ragazzi senza annoiarli? Questi vivono con le play station, sono i figli dell'informatica... E' difficile interessarli facendogli vedere solo qualcosa in televisione..."

"Facendo il clown, AnnCecilie, o quasi. Tante battute, cambiare spesso inquadratura. Conta molto il ritmo, la velocità. I ragazzi pensano più in fretta di un adulto, bisogna adattarsi a loro..."

L'atmosfera era tornata leggera, ma i discorsi di Edward e Michal erano rimasti nell'aria, e continuavano, silenziosi, a farsi sentire nelle menti di ognuno di loro. Edward si era soffermato ad osservare Michal mentre insieme ad Olga parlava con Denisa della visita da fare sul set. Lo vedeva conversare amabilmente, ma intuiva che il suo pensiero era altrove... Ma certo, a qualcuno vicino a lui... Voleva soltanto un mondo migliore per Thomas e il fratello di Olga. Ma ormai le relazioni di quel tipo venivano accettate da tutti, non dovevano esserci grossi problemi. A ben vedere il problema era suo. Thomas gli piaceva, se era accorto quando lo aveva baciato, prima. La sua vicinanza, il calore del suo viso gli avevano fatto mancare il fiato. In quel momento, fra Dagmar e lui, avrebbe scelto Thomas, ne era sicuro. Meglio star tranquilli. Thomas viveva un grande amore, e per lui non c'era posto...

"Edward..."

"Sì, AnnCecilie, dimmi..."

"Andiamo a fare un giro... Non possiamo stare per i fatti nostri tutta la sera... Sentiamo cosa dicono Leo e Jirina, fatti vedere, facciamo un po' di public..."

"Un'ottima idea..." e così si avviarono verso di loro, lentamente, salutando gli altri ospiti, Edward guardando il salone e pensando che gli sarebbe piaciuto girare un film qui... Già, e perché no?... sarebbe stata una scusa per poterli vedere più spesso...

"Leo, siamo qui ancora... Disturbiamo?"

"No, Edward, vieni, parlavamo ancora della serata..."

"Tutto bello, tutto splendido", e poi, rivolgendosi a Milana e Pavel, che erano lì con loro, "Non avete mai pensato di affittare questa villa per qualche ripresa, per girare le scene di qualche film? Anche il giardino, fuori, deve essere magnifico. Quando sono arrivato, le luci sugli alberi e sulla casa erano uno spettacolo. Leo, Jirina, cosa ne pensate?"

"Parlavamo proprio di questo, vero Milana? Stavamo valutando la possibilità, ma loro ci abitano, vengono qui spesso, sono perplessi..."

"Ma non entriamo in casa coi cavalli... Si tratta di quel serial che dicevi, Leo, quello per i ragazzi?..."

"Sì. Quello, tante scene sarebbero in giardino... Pavel, Milana, staremmo molto attenti, finora non ci è mai successo niente..."

"Sì... Dai, Milana... anch'io sarei qui molto spesso, e se siete qui anche voi, potremmo vederci praticamente tutti i giorni..."

"Edward, a me va bene vederci tutti i giorni, ma con Pavel come la mettiamo?"

"Edward, non darle retta... se affitteremo mai la villa per girare, puoi venire qui tranquillamente... Anche se non la affittiamo, vieni qui lo stesso..."

"Pavel... Siete molto gentili, mi fate sentire come se fossi a casa..."

"Tu sei dei nostri, Edward... Per noi sei come mio figlio Michal, come Thomas, come tutti voi..."

"Oh, Pavel, sei straordinario... " le rispose AnnCecilie, quasi commossa, "se non ci fosse Milana, ti darei un bacio..."

"AnnCecilie, tu baciami lo stesso... A Milana ci penso io..."

Ciò detto, abbracciò e baciò AnnCecilie, e poi aggiunse, "adesso andate a fare un giro, e lasciateci conversare un po' dei fatti nostri..."

Edward ed AnnCecilie si allontanarono, mettendosi a girare sia nella sala del buffet che in quella del concerto. Trovato un divanetto libero, si sedettero, continuando a conversare.

"Sono persone notevoli, vero, AnnCecilie? E' da molto che li conosci?"

"Sì, ci conosciamo tutti da ragazzi, da tanto tempo. Milana no, ma è come se fosse sempre stata con noi..."

"Ti accolgono con un calore che non pensavo... Mi avevano detto che qui, nella vecchia Europa, erano tutti molto sulle loro, non amavano dare confidenza, e noi americani eravamo visti some i selvaggi delle colonie, ma mi accorgo che non è così..."

"Edward, non è vero, sarà capitato a qualcuno che pensava di venire qua e comandare, a metterci i piedi nel piatto. Vogliamo essere liberi anche noi, ne abbiamo avuta troppa, di gente che è venuta qui a dirci cosa fare..."

"Sei come Michal..."

"Sì, anche noi sbagliamo, però vogliamo un mondo più giusto, che ti accetti per quello che sei e ti riconosca per quello che vali... Perché credi che abbia voglia di andarmene, a Londra o chissà dove... È perché voglio affermarmi, voglio confrontarmi col mondo, là fuori..."

"E pensare che credevo fossi scema..."

"Sì, Edward, faccio tanti sbagli che non hai idea, ma nessuno di noi è perfetto. Forse qualche tuo collega attore pensa di esserlo, ma noi sappiamo che non è così, per nessuno. Non credi?"

"Sì, lo penso anch'io. Lo noto quando mi metto in disparte a studiare gli altri, a cercare di capirli. Mi rendo conto di trovare persone che sembrano grandi, e al momento buono mettono in luce le loro meschinità..."

"Appunto. Cosa fai? Le accetti per quello che sono, le mandi a quel paese? Io ho imparato a viverci insieme, a non aspettarmi niente da nessuno. Sai quanta gente mi cerca solo per portarmi a letto, solo per scopare? Trovassi qualcuno con cui parlare, che non abbia in mente solo quella cosa..."

"E io? Con me stai parlando, no? Allora non sono come gli altri..."

"Con te devo stare attenta... Sei pericoloso..."

"Cosa vuoi dire?"

"Non solo abbiamo dormito insieme, ma mi stai anche ad ascoltare... La peggior combinazione possibile per una ragazza..."

"Oh, non ti preoccupare... Dormito insieme sì, ma starti ad ascoltare... Ho fatto solo finta..."

"Non mi prendere in giro... Cosa faccio? Mi innamoro di te, e poi? Tu fra tre mesi torni in America, e io rimango un bel ricordo, insieme a Praga e al Castello... Non mi raccontare che non hai la coda anche tu, di persone che verrebbero a letto con te... Anche qui... Ho visto benissimo che Dagmar ti ha dato il suo numero di telefono..."

"Ma cosa dici?"

"Sì. Io non voglio innamorarmi di te, Edward, ci soffrirei troppo... Non subito, almeno, non adesso..."

"E a me non pensi?"

"Certo che ci penso. Tu non sei innamorato di me, ti

piaccio, stiamo volentieri insieme, usciamo, ma capisco che non è il caso. Siamo due spiriti liberi, Edward, bastiamo a noi stessi. Tu più di me. Non è così?"

"Sì, è così... Forse è vero, per me è troppo presto per qualunque tipo di impegno. Sei in gamba ad averlo capito, non è da tutti..."

"E' perché ti assomiglio, Edward, anch'io devo sentirmi libera di fare quello che voglio, almeno per adesso. E, più di te, ho il problema che mi innamoro di a chi voglio bene, ma poi vorrei che mi venisse dietro, e non succede quasi mai. Mi accontento di quello che possono darmi, e non chiedo di più. Ma quante volte ci soffro, non hai idea..."

"E allora?"

"E allora lascio perdere e ne cerco un altro che mi venga dietro. Ma non sono sicura di volerlo. Voglio essere libera, e contemporaneamente vorrei non esserlo... Ho le idee un po' confuse, eh?..."

"Per me sono chiarissime, AnnCecilie... essere o non essere, volere o non volere... È da che mondo è mondo che molti di noi sono così... Niente di nuovo... Altri, invece, si sono trovati, e hanno scoperto di camminare nella stessa direzione..."

"Proprio così, Edward... Hai visto Olga e Michal... Li hai conosciuti stasera... Hanno cominciato a parlarsi, si sono trovati, come hai detto tu, e si sono scoperti uniti, unitissimi quasi senza rendersene conto. Hanno deciso di andare a vivere insieme come se andassero al cinema, con una tranquillità, una serenità... Io no, faccio finta di niente, dissimulo, ma brucio tutto..."

"Fai apposta a volere l'impossibile, così hai una scusa per lasciarli ed andare per la tua strada... È così?"

Non glielo chiedo neanche... metti che mi dicano di sì, cosa faccio?"

"Sai di non potere andare avanti così per sempre,

vero?"

"Lo so... Qualche volta penso che vorrei fermarmi, non so..."

Mentre pronunciava queste parole, AnnCecilie si era soffermata a guardarlo. Lo sguardo chino, i capelli, le spalle, il suo profumo... Certo che vorrei fermarmi, pensava, con te, vorrei fermarmi, ma non è possibile... Come fare?... Edward continuava a tacere. Aveva steso le gambe, incrociando i piedi, le mani in tasca. Aveva in mente i fatti suoi, non certamente lei...

"Sai..."

"Sì, Edward?..."

"Qualche volta un grande amore può arrivare da chi meno te lo aspetti, conosci qualcuno e capisci che il tuo destino è segnato, senti un brivido nella schiena... senti il rintocco del Tempo, come un metronomo sul pianoforte, che segna le tue ore... da quel momento la tua vita è diversa, non ci sono ostacoli, non ci sono barriere... Vivi, con una felicità infinita, quello che il destino ha scritto per te, parola dopo parola, foglio dopo foglio..."

"Eh, magari, Edward..."

"Non importa chi è, le difficoltà che trovi... beati loro..."

"Eh, sì. Olga e Michal... Beati loro..."

"Veramente non pensavo a loro..."

"E a chi, scusa? A Pavel e Milana? Non mi sembra niente di travolgente..."

"No, AnnCecilie, non a Pavel e Milana... A Thomas e Janicek"

"Come, scusa?"

"A Thomas e Janicek".

Capitolo 26

"Scusa, cosa vuoi dire con Thomas e Janicek?"

"Non li vedi? Sono di là, nell'altro salone, non vedi come si guardano?"

"Eh?..."

"Anche quando sono venuti a trovarci sul set, era così evidente... Non mi dire che non ne sapevi niente... sono amici tuoi, io è la seconda volta che li vedo..."

"Questa, poi..."

Ma certo. Come aveva fatto a non capire... Stavano insieme, era ovvio. Bastava guardarli, lui col suo cravattino verde e il ciuffo assassino, e quell'altro che se lo mangiava con gli occhi, la lingua per terra, e si beveva anche l'aria che respirava... Sotto al naso, era successo tutto davanti ai suoi occhi e non si era accorta di niente... Da quando Thomas era andato a vivere da lui, Janicek non aveva più passato una notte con lei, le sue visite erano diventate subito più corte, una volta tanto, e poi basta, ti saluto. Aveva mal di testa... Doveva lavorare... Come no, certo che doveva lavorare... Ora che se lo girava tutto ci metteva tutta la notte... E si scandalizzava quando per scherzare lei gli proponeva un giro a tre... Ce l'aveva già il giro... A due, e senza di lei... Ed erano lì, in mezzo alla gente, col bicchiere in mano, a conversare con tutti, anche coi genitori di Janicek... E con sua madre, sempre così attenta, così perbene... È lì che se lo rimira, che a momenti gli infila le mani nei pantaloni, se suo figlio non gliele taglia prima... Stasera ho vinto l'Oscar per la più scema del villaggio...

"AnnCecilie, stai bene?..."

"Come, scusa, Edward?"

"Mi sembrava che fossi uscita a fare un giro... Tutto a

297

posto?"

"Sì... Sai che sono una stupida?..."

"Non ne ho mai dubitato... Per cosa questa volta?"

"Vuoi la verità?... Non me ne sono mai accorta..."

"Mi fai ridere... ma dai, non è possibile, non li vedi?"

"Sì. Adesso li vedo... Forse hai ragione..."

"Hai detto tu che vi conoscete tutti da ragazzi, che vi vedete spesso... Non ci hai mai fatto caso?..."

"No, non ci ho mai fatto caso... Vuoi la verità, Edward?, la vuoi fino in fondo?..."

"Certo, dimmi..."

"Janicek è il mio ex ragazzo..."

"E tu non ti sei accorta mai di niente?"

"Mai..."

"Be', hai detto tu che volevi essere libera... Più libera di così..."

"Non ho parole... Forse è meglio che vada davvero a Londra, in capo al mondo... Tu dove hai detto che abiti?..."

"Se è per quello, a New York... Ma guarda che queste situazioni ci sono anche lì, e non c'è niente di male... Dai, coraggio, raggiungiamoli..."

"Fammi prender fiato..."

"Mettila così, almeno non ti ha piantato per un'altra donna..."

"Mi stupisce una cosa" disse AnnCecilie mentre si avviavano per raggiungerli, "come fanno i suoi ad accettare la cosa... Sono così borghesi... Non è possibile..."

"Forse perché è un artista, come me, forse perché in fondo vogliono solo la felicità di Janicek... Magari a loro è simpatico, cosa ne sai..."

"Il problema è che è simpatico anche a me..."

"Non dirmelo..."

"Oh, AnnCecilie, finalmente... Dove vi eravate cacciati?..."

"Scusa, Klara, eravamo nell'altra sala, a parlare di musica..."

"E' vero che è una bella serata? Eh, sì, la musica ti prende, ti appassiona..."

"Certo... Appassiona moltissimo... Vero, Janicek?"

"Sì. Prende molto... Prende anche te, Edward?"

"Più di quanto immagini... Ma penso che qui non sia difficile amare la buona musica... È tutto così facile... La gente, l'ambiente, il vino... Tu cosa ne pensi, Thomas?"

"E' facile se hai chi ama quello che fai... Altrimenti è inutile, è tutto nel vento..."

"Già, se c'è chi apprezza quello che fai... Hai ragione... Dagli applausi che hai ricevuto, direi che nessuno è rimasto scontento di te..."

"Non solo io, ma anche gli altri... Eravamo in quattro, e abbiamo cercato di fare del nostro meglio..."

"Sì, ma tu eri la star della serata..."

"Esagerato..."

"Edward ha ragione", lo interruppe Klara, "la star della serata eri tu... Vero, AnnCecilie?"

"Sicuramente, Klara, un grande successo personale... Sei stato bravissimo, vero, Janicek?"

"Sì, è stato davvero in gamba..."

"In gambissima... Una vera scoperta... Chi lo avrebbe detto..."

"Ma tu lo avevi già sentito, a casa, qualche volta..."

"Oh, certo... A casa vostra..."

"Oh, sì... E poi Thomas è così un bel ragazzo... Janicek è davvero fortunato ad averlo in casa..."

"Sì, Klara... Fortunatissimo..."

In casa ed in camera da letto... Al suo posto... AnnCecilie non sapeva più cosa pensare, era rimasta completamente spiazzata. Finora aveva condotto sempre lei i giochi, così almeno pensava, con Janicek come con gli altri, ma questa volta no, ed in che modo... Tutti i suoi discorsi di un attimo fa, essere libera, andare, accontentarsi di quello che ti danno... Doveva essere lei a decidere, non questo violinista da strapazzo... E poi, da come se lo guarda, a momenti è riuscito a farsi anche sua madre... Ed Edward tra un po' torna in America, ed ha anche chiesto il numero a Dagmar... Peggio di così...

"Sai, AnnCecilie..."

"Come, Klara?"

"Dicevo, visto il successo di questa serata, con Frank siamo davvero dell'idea di fare anche noi una serata uguale, nel cottage in campagna... Con Olga avevamo già accennato agli altri ragazzi il nostro desiderio, ma adesso è deciso... Vero Thomas?"

"Sei troppo gentile, Klara... Quando glielo hai detto, poco fa, hai visto come sono rimasti contenti..."

"Meritate... Occorre solo decidere la data, e poi facciamo organizzare ad Olga..."

"Secondo me è meglio non troppo vicino... Direi di aspettare due o tre mesi... Febbraio o marzo, così hanno voglia di ascoltarci di nuovo... tu cosa ne pensi, Janicek?..."

"Direi anch'io... Tu cosa dici, mamma? Si potrebbe fare una bella festa per Olga e Michal, e col concerto sarebbe fantastico... Sai che ridere se durante la festa Olga ci dice che stiamo per diventare zii..."

"Stiamo?... Parla per te, caprone..." l'occhiata di Thomas a Janicek era eloquente, "io ne ho abbastanza delle mie, di sorelle, alle tue pensaci tu... Faccio male, Klara?"

"Non dire così, saresti uno zio fantastico, vero Frank?"

"Sì, pensa" rispose per il padre Janicek, resosi subito conto di aver parlato troppo, "invece di andare a teatro, potresti andare da Olga tutte le sere e suonare al bambino una bella ninna nanna... E se si sveglia la notte, torni da lei e continui a suonare finché la

creatura non si addormenta... Questi sì che sono zii..."
"Aiuto... Ho una tournée al Polo Sud... Molto lunga..."
"Chi ha una tournée al Polo Sud?", il tono di Olga era scherzoso, ma lo sguardo molto meno. Aveva visto, dall'altra parte della sala, AnnCecilie che si avvicinava a sua madre e a Janicek con una faccia che non prometteva niente di buono, e dato che la conversazione andava per le lunghe aveva deciso di raggiungerli, nel caso fosse sorto qualche problema. L'occhiata lanciata ad AnnCecilie non era sfuggita a nessuno, e lei capì che Olga sapeva tutto ed era venuta a controllare la situazione, altro che nipoti... Come per difendersi, si strinse ad Edward, ma lui non ricambiò la stretta. Osservava Thomas, se lo guardava ben bene anche lui, ed aveva una luce negli occhi che per lei non c'era. Non si era neanche accorto che lei gli si era avvicinata, non l'aveva degnata di uno sguardo. Continuava ad osservare Thomas, a rimirarselo da capo a piedi, a sorridergli mentre lo guardava. Non è vero, pensò, non è possibile...
"Allora, chi è che vuole andare al Polo sud? Non c'è abbastanza neve, qui? Thomas, parla!"
"Tuo fratello vuole che venga da te tutte le notti a suonare la ninna nanna per i nipotini..."
"Quali nipotini?"
"I tuoi bambini, cara, quelli che avrai con Michal..."
"Mamma, ci vivo insieme da due settimane, decido io con Michal, se non ti spiace..."
"Noi pensavamo di organizzare un concerto nel cottage questa primavera, per annunciare che aspettavi un bambino... Alla mamma sembrava una bella idea, anche a Thomas..."
"Cosa? Chi è che aspetta un bambino?" Pavel aveva sentito da lontano le parole di Janicek, ed aveva interrotto i discorsi con gli altri ospiti, precipitandosi da

Olga, trascinando Milana per un braccio e facendole quasi cadere il bicchiere con lo champagne. "Aspetti un bambino e non mi dici niente? Ma è bellissimo... Klara, ma è una notizia splendida!"

"Non aspetto un bambino! Non aspetto nessuno, niente e nessuno, chiaro? Janicek, si può sapere cosa ti salta in mente? E tutti dietro a quello che dici... Anche tu, Thomas, ti ci metti anche tu... AnnCecilie, tu non dici niente?"

"Congratulazioni cara, congratulazioni vivissime... Però potevi dircelo, non tenere tutto per te..."

"AnnCecilie, io ti strozzo, così la pianti subito..."

"Allora era un falso allarme... Che peccato, vero Milana? Però sarebbe ora..."

"Pavel, se succede qualcosa te lo diciamo, non ti preoccupare... Adesso no, chiaro? Finisci lo champagne e fine dell'intermezzo, okay?"

L'atmosfera era divertente, tutti erano rilassati, e contenti di stare insieme. AnnCecilie stava bene insieme a loro, se ne rendeva conto. Olga era sempre stata un'amica, i suoi genitori anche, quasi degli zii, e Janicek... Lo guardava mentre si rimirava Thomas. Loro due e loro due soltanto, per lei non c'era posto. Forse sì, più in là, come un'amica da vedere ogni tanto, da sentire per Natale. Capì di non volerlo perdere, non poteva premettergli di andarsene... Lo voleva ancora intorno a lei, a fare quello che voleva lei. In fondo se lo era sempre rigirato. Edward di lei se ne fregava, ma Janicek... Volevi stare con Thomas?... Va bene... Decido io, tu con lui ti metti solo se lo decido io... Non puoi farmi una cosa simile... E poi quel tipo di amori è una cosa che non dura...

"Thomas, sai che mi è piaciuto molto il programma di questa serata? La musica era magnifica..."

"Edward, mi fa piacere sentirtelo dire. Il programma l'abbiamo scelto insieme, Janicek ed io... Volevamo qualcosa di interessante da ascoltare, e non noioso... C'era solo da scegliere..."

"Certo... E tu, Thomas, sei stato addirittura emozionante. È stato tutto molto bello, molto divertente, manata sul cervello a Janicek compresa..."

"Sì, hai visto com'era spettinato?..."

"A momenti lo accorci di dieci centimetri..."

"Ma no, mi piace così com'è..."

L'occhiata di Klara a Thomas era perplessa, ma poi pensò che aveva ragione... In fondo anche a lei suo figlio piaceva così com'era, e se un suo amico diceva la stessa cosa, non c'era niente di male. Così AnnCecilie imparava a piantarlo per quell'attore che si era portata dietro... Spudorata... Di bello c'era che a questo ragazzo, quest'uomo, meglio - aveva qualche anno in più di Janicek, forse l'età di Michal - a quest'uomo di lei non importava niente. Si vedeva che gli era molto più simpatico suo figlio, e anche Thomas. Bene.

"Edward...?"

"Sì, signora, mi dica..."

"Chiamami Klara, caro... Senti, come ti trovi qui con noi, nella vecchia Europa? Sai, noi abbiamo un po' il complesso dell'argenteria di famiglia..."

Davanti all'occhiata interrogativa di Edward, proseguì: "in un mondo che cammina così in fretta, soprattutto per voi americani, noi ogni tanto pensiamo di essere come dei vecchi ricordi che vengono tirati fuori dall'armadio quando c'è qualche occasione, per spolverarli e poi rimetterli via quando la festa è finita..."

"Signora, cosa dice? Una bella signora come lei, si paragona ad un vaso da tenere nell'armadio e da spolverare ogni tanto? Mi dica che armadio è, signora, vengo a trovarla..."

Incurante della faccia di AnnCecilie, anzi, soddisfatta per la sua reazione, rispose ammiccando, "quando vuoi, caro, ti aspetto... Vieni quando vuoi..."

"Klara..."

"Sta zitto Frank..." E poi, più seriamente. rivolta ad Edward, proseguì, "sei molto gentile a dire così. Ho notato che ai miei figli sei molto simpatico. Parla con loro, mettiti d'accordo, mio marito ed io ti aspettiamo molto volentieri... AnnCecilie, a te non spiace, vero?, puoi venire anche tu se vuoi... Tu sei sempre dei nostri, vero, ragazzi?"

Certo, alla faccia degli zii... Vengo con uno e loro invitano a casa lui e se voglio posso venire anch'io... E Edward dice, certamente, perché no, vengo senz'altro... Senti come tuba con Thomas. Anche con Janicek, si vuol fare anche lui...

"Olga..."

"Dimmi AnnCecilie..."

"Dov'è finita Denisa? Andiamo a cercarla, ti spiace?"

"No, vieni, era di là con Leo... Ci volete scusare?"

"Certo, cara, vai..."

Olga si era resa conto delle difficoltà di AnnCecilie. Poteva diventare una nemica, pensava, meglio andare subito a scoprirle le carte. Teneva troppo a suo fratello per permetterle di fare dei guai solo per ripicca. Ovviamente si era accorta della situazione, e non era il caso che parlasse con sua madre e dicesse quello che non doveva dire... Non adesso, almeno...

"AnnCecilie, mi sembri strana... A cosa stai pensando?"

"Non so come dirtelo... Penso, per la prima volta nella mia vita, che se fossi un uomo, avrei più successo... Con gli altri uomini, intendo..."

"Esagerata... Avessi io la tua bellezza... Cosa è successo?"

"Mi lascio con Janicek, e va bene... Trovo questo attore, ci sto insieme, lo porto qui stasera e quello prima chiede il numero di telefono a Dagmar, e poi si mette a filare Thomas, e secondo me anche tuo fratello... E quelli gli rispondono, e se lo invitano a casa senza di me, con tua madre che li benedice..."

"La mamma forse è un po' seccata con te perché hai piantato il suo tesoro, ma poi le passa, la conosci..."

"Ma non l'ho piantato io, ci siamo lasciati in due... E poi, senti, cosa c'è fra lui e Thomas?"

"Come, cosa c'è?"

"Hai capito benissimo... Quelli se la intendono, e tu lo sai... Ti sei precipitata come un'aquila quando hai visto che stavo parlando con loro..."

"E anche se fosse? Sono fatti loro... Non ti riguardano più..."

"E i tuoi non sanno niente, vero? Se no non ti fiondavi in quel modo..."

"La cosa non ti riguarda più, AnnCecilie, non sono più fatti tuoi..."

"Sai una cosa, Olga? Mi sono resa conto di essere ancora affezionata a tuo fratello..."

"Ma Janicek per te è un ragazzino, e poi i giochi sono conclusi, AnnCecilie, non dire stupidaggini..."

"Non so cosa dirti, Olga, per me è così. Gli voglio ancora bene. L'ho capito stasera, poco fa, quando l'ho visto con Thomas..."

"Appunto, l'hai visto con Thomas... Secondo te, dato che non sei stupida, c'era posto per te, insieme a loro due?"

"No, non c'era posto per nessuno... però con Edward parlavano..."

"AnnCecilie, l'hai detto tu, parlavano... Non l'hanno invitato in camera da letto, non gli hanno preso l'uccello in mano, non gli hanno messo la lingua in bocca... Non vedere quello che non c'è..."

"Forse hai ragione... Viene con me e chiede il numero di Dagmar..."

"Qui ci siamo, ti capisco benissimo. La prima volta che

te lo porti in giro lui chiede il numero della tua amica. Non ti aspettare niente da lui..."

"Olga, ci siamo fatti tanti bei discorsi, gli ho detto che devo essere libera per fare carriera, per essere me stessa, e lui... No lo sapevo già, l'avevo visto che se lo segnava. Volevo dirgli che non gli sarei mai stata di peso, che con me sarebbe sempre stato libero di essere se stesso, che capivo l'importanza che dava al suo lavoro, alla sua ricerca, il suo voler conoscere la gente..."

"Perché non gli hai detto la verità, AnnCecilie? Si vede lontano un miglio..."

"E cioè? Cosa gli dovevo dire?"

"Che ti sei innamorata di lui, che per la prima volta nella tua vita ti sei innamorata di qualcuno, che ci sei cascata come una pera..."

"Come una pera? Di Edward?"

"Sì... sei innamorata di lui... Innamorata persa, non è così?"

AnnCecilie non rispose. Guardò Olga per un secondo, poi si voltò indietro, verso Edward che stava conversando con Janicek e gli altri, e sì, era vero, non gli avevano preso l'uccello in mano, non gli avevano messo la lingua in bocca... Parlavano, amabilmente, del più e del meno, tranquilli, senza discorsi strani, senza ammiccamenti e senza sorrisini, e senza mani dove non dovevano essere... Era tutto nella sua mente...

"Olga... Cosa faccio?"

"Intanto non metterti a piangere, e poi proprio tu mi chiedi cosa fare? Ti sei sempre girata gli uomini come hai voluto - anche Janicek, eh? - e adesso chiedi a me?"

"Ci sono dentro che non ragiono più, Olga, e a lui di me non importa niente"

"AnnCecilie, non fare la bambina... Intanto non è vero

306

che non gli importa niente di te, altrimenti questa sera non sarebbe qui e poi, guarda... Ha chiesto il numero a Dagmar, e invece di parlare con lei, sta parlando con la mamma e con Thomas... Se gli interessasse starebbe insieme a lei, magari nascosto da qualche parte, e invece è lì, guardalo, sta scherzando con mio fratello..."

"Allora. Ho speranze?"

"Adesso mi fai ridere. Andiamo di là, torniamo da loro..."

"E Denisa?"

"Già, chissà dove si è cacciata... Andiamo da lei... anche Dagmar, chissà dov'è finita..."

"No, lei no, lasciamola stare..."

"Come vuoi, ma vedrai che finirà in una bolla di sapone... Anzi no, torniamo da Edward e gli altri. C'è anche Michal, gli avranno detto del bambino... Pavel non vede l'ora di diventare nonno... E tu non ci pensare, okay?"

"Olga, non sono più io, non ragiono più..."

"Non mi dire che finalmente hai capito cosa vuol dire essere innamorati..."

"Non vedo dove cammino, non so dove sono..."

"Sei qui, e vedi di camminare per terra, e se vuoi conquistarlo davvero, cerca di non sfracellargli le palle... E poi ci sei già andata a letto, no? Non fare la ragazzina al primo amore, sai che il finale, più o meno, è sempre quello... Cosa vuoi di più, in neanche un mese che lo conosci...? Ci vai a letto, ci esci insieme, siete insieme anche sul lavoro... Non ti basta? Se vuoi, con Dagmar parlo io, ti va?"

"Grazie, Olga... Sì, parlale... Andiamo da Edward, vieni..."

Non ancora raggiunti Edward e gli altri, furono notate da Michal, che, vedendola, le disse, "Olga, cos'è questa storia? C'è qualcosa che dovrei sapere e che

non so? Mio padre mi sta facendo il terzo grado..."
"Non ti preoccupare Michal... Era ovvio che questa storia saltasse fuori... Con Pavel da una parte e mia madre dall'altra, volevi passare indenne? Hanno aspettato quasi due settimane, e per loro è un avvenimento..."
"Vero, però questa storia di Thomas che viene a suonare la ninna nanna non è male, eh?"
"Peccato che lui non sia dell'idea... Vero, Thomas?"
"Neanche un po', io non c'entro niente..."
"Non è vero" gli rispose Olga, strizzando un occhio, "tu oramai fai parte della famiglia, vero, mamma?"
"Certo, cara, un ottimo acquisto" le rispose Klara, contenta di potere dare un'ultima frecciata ad AnnCecilie, la quale, di suo, aveva la testa da tutt'altra parte. Il discorso con Olga le aveva fatto capire fino a che punto era persa per Edward, e adesso era in piedi vicino a lui, senza dire niente, accontentandosi della sua vicinanza. Il solo fatto di stargli vicino la stordiva, la sua voce, mentre parlava con Janicek, le vibrava dentro, la placava, la rilassava... Si guardò in giro, per osservare gli altri invitati, per distrarsi un attimo... Vide Denisa, in un gruppetto di persone con Jirina e Leo, e Martina con Petr. Più in là, con degli altri invitati, individuò Dagmar, insieme a Patrik, intenti a conversare fra di loro, scambiandosi qualche battuta, delle risatine complici... Forse aveva ragione Olga, sì, aveva ragione Olga... Mentre osservava Dagmar, e gli altri invitati nella sala, Edward, senza dirle niente, le prese la mano, e continuò a tenerla stretta mentre, senza guardarla, proseguiva il discorso con Thomas e Janicek.
Forse sì, forse aveva ragione Olga...

Capitolo 27

La festa proseguì ancora per molte ore. Se la riuscita di una serata si misura in base all'ora degli ultimi commiati, questa era stata un successo. Quando anche l'ultima macchina sparì dal vialetto, affidate al personale le prime sistemazioni in attesa del mattino successivo, Pavel, Milana e gli altri si sedettero sui divani finalmente liberi per qualche minuto di relax, ed i primi commenti sugli invitati, le signore, i loro abiti e il buon esito di tanta fatica non si fecero attendere.

"Cosa ne pensi, Klara?"

"Fantastico, Milana, una festa magnifica... Com'era graziosa quella ragazza che suonava con voi... Come si chiama, Thomas?"

"Martina, si chiama Martina..."

"Appunto... E quell'amico che si è portata AnnCecilie, quell'attore? Milana, ho visto che gli hai parlato a lungo, cosa ne pensi?"

"Klara, siete voi che vi siete scambiati i numeri di telefono, non io..."

"L'ha dato anche a noi" la interruppe Janicek, "è simpatico, mi piace. E poi mi ha tolto dalle scatole AnnCecilie... Solo per questo merita un premio..."

"Non dire così, in fondo è una ragazza simpatica..."

"Mamma!" rispose per il fratello Olga, "l'ha sempre preso in giro, se ne è sempre fregata di lui... Adesso ha trovato questo che le sta restituendo le cortesie. Bravo Edward, fa bene... Janicek è troppo buono in queste cose, si lascia fare di tutto, finalmente ha trovato uno che la tiene in riga..."

"Mamma", si inserì Janicek, "ha fatto una faccia quando hai invitato a casa lui e non lei..."

"Sì" rispose Klara ridacchiando, "l'ho fatto apposta...

Sono brava, eh? Così impara a piantarti..."

"Mamma, stavo per lasciarla io... Mi ha fatto un piacere, e poi, non ti impicciare..."

"Thomas, tu cosa ne pensi? Di Edward e della sua ex..."

"Guarda Klara, penso quello che pensa Olga... Non posso entrare nel passato di Janicek, ma penso che sia meglio adesso... Pavel, Frank, avete visto quante signore eleganti?

"L'ho notato anch'io", rispose Michal, aiutando Thomas a sviare il discorso, "Milana, c'era anche quella tua amica... Come si chiama, quella coi capelli corti e il bocchino per le sigarette, aveva quell'abito bianco..."

Ah, sì, quell'abito lungo con le balze... Era veramente elegante..."

"Ah, si chiamano balze... Che eleganza... E io pensavo si fosse vestita coi rotoli della carta igienica..."

"Janicek!!" Fu zittito a gran voce, fra le risate di tutti. Ancora pochi minuti, qualche parola piena di pietà sulle altre invitate, e poi la stanchezza vinse, e fu ora di andare a dormire. Il fatto che Thomas fosse nella stessa stanza di Janicek, e dormissero insieme, fu visto da tutti come assolutamente naturale, e lo fece ben sperare per i giorni futuri. Scambiate le solite "buonanotte, a domani, dormi bene", finalmente soli, in camera, chiusa la porta...

"Cosa fai, Tom?"

"Chiudo a chiave... Non si sa mai..."

Finalmente soli, in camera insieme, a letto insieme... Si sdraiarono uno vicino all'altro, e Janicek mise un braccio intorno alle spalle di Thomas.

"Cosa ne pensi? Come è andata la serata?"

"Tutto bene. Per me ci stanno accettando, si stanno abituando a vederci insieme, come una cosa naturale..."

"Stiamo a vedere, speriamo... Sai che stavo per mettermi a piangere quando hai suonato il tamburino? Ma che cos'hai?"

"Non lo so, mi manca il fiato... Sì, meno male che non l'hai fatto..."

"E AnnCecilie?... Hai visto? Quella ha capito tutto... Secondo me anche Milana, dalle occhiate che mi ha dato... Anche a te, Tom..."

"E Edward?"

"Quello ha capito tutto dal primo momento che ci ha visto..."

"Sai, quando stasera ci siamo parlati, all'inizio, mi ha guardato in un modo..."

"E come ti ha guardato?"

"Per un attimo ho avuto i brividi... L'ho visto con in mano un orologio... Guardava quello e guardava me, e poi mi sorrideva, ma era triste"

"Se non sapessi che non usi quella roba, ti direi di cambiare pusher"

"Forse hai ragione, sono un imbecille... Dai, spegni la luce..."

"Guarda che non possiamo far rumore..."

"Tu spegnila lo stesso..."

Il giorno dopo passò molto in fretta. Tra l'essersi alzati tardi, la colazione e ancora quattro parole sulla festa del giorno prima, arrivò in fretta il momento di ripartire per Praga, almeno per Thomas e Janicek. In macchina, mentre tornavano, Thomas a un certo punto, gli disse, "hai notato?"

"Notato cosa, Tom?"

"Ci hanno trattato come una coppia, come se avessero capito che stiamo insieme, e che gli andava bene..."

"Oramai lo sanno tutti che stiamo insieme..."

"I tuoi no, te lo sei dimenticato?"

311

"Vero, però a momenti la mamma quando ti ha visto nudo ti saltava addosso..."

"Non ero nudo, ero in mutande..."

"Sì, ma ne mancava ancora un pezzo..."

"Al massimo avrà visto quattro peli... Cosa ne pensi?"

"Speriamo bene... Stasera suoni?"

"Sì. Forse mi diranno se devo andare in tournée due giorni..."

Sulla strada trovarono traffico, e l'arrivo a Praga fu in ritardo rispetto al previsto. Thomas fece appena in tempo a cambiarsi, a riprendere il violino lasciato sul divano, ed uscì di gran carriera per correre in teatro. Janicek si mise a pensare. Per loro due era stato un grosso passo avanti, aveva ragione Tom. Tutti avevano capito ed accettato, compreso AnnCecilie, che non aveva compiuto vendette, e che, tutto sommato, sembrava abbastanza presa di Edward... Mancavano i suoi, lo scoglio maggiore, ma a sua madre era riuscito simpatico, e l'idea di farglielo vedere mezzo nudo, anzi, nudo quasi del tutto non era stata male, così aveva potuto notare quanto Tom fosse attraente, e avrebbe potuto capire meglio, forse, quanto lo fosse anche per lui. C'era Edward... A lui cominciò a pensare mentre apriva il frigorifero, in cerca di qualche fetta di prosciutto e del formaggio, da mettere insieme ad un panino per mangiare qualcosa... Sì, Edward... Gli aveva chiesto i numeri di telefono sia suo che di Tom davanti a lei, e la faccia fatta da AnnCecilie era stata davvero unica... Che tipo... simpatico, molto simpatico, magari riusciva davvero a fargli da agente qui a Praga. Qualche spot, qualche passaggio in televisione, sulla rete... Poteva cominciare ad avere la sua scuderia... Tom, Edward, e man mano tutto un giro. Poteva presentargli un sacco di attori, di attrici... Lui l'avrebbe fatto, AnnCecilie sicuramente no... E poi Denisa... Lei era cambiata, una mano forse gliela avrebbe data... Anzi, poteva mettere dentro anche lei... Non era male... Non occorreva essere grandi artisti, per fare la pubblicità a un dentifricio basta avere quattro denti in bocca... E anche se non li hai c'è il Photoshop... Certo, Edward... Gli telefono e ci vediamo...

Preso da questi pensieri, si sdraiò sul divano, aprì una birra e cominciò a mangiarsi il panino, poi accese la televisione e si mise tranquillo. Thomas gli aveva detto di non andarlo a prendere, che un passaggio a casa lo avrebbe trovato, e a lui la cosa aveva fatto piacere... Si sentiva stanco, e non aveva voglia di uscire ancora... Si tolse le scarpe, e si mise comodo...

Quando Thomas tornò, lui era ancora sul divano, con la televisione accesa. Si era addormentato, e si era risvegliato da poco, e non capiva il perché di tanta stanchezza... Forse sì... Lo stress di far conoscere Tom ai suoi doveva essere stato più forte di quanto volesse ammettere... Forse era quello, l'agitazione di stare insieme davanti ai suoi, il dovere affrontare per la prima volta una situazione così difficile, lo avevano sfiancato...

"Ehi, pigrone, non mi dire che dormivi... Ti sei mangiato tutto o mi hai lasciato qualcosa?"

"La porta del frigo è ancora lì, tutta intera... E forse è rimasto qualcosa anche dentro... Vuoi una birra?"

"Sì, perché no...?"

"Dai, siediti qua... Te la prendo io... Com'è andata?"

"Bene, molto bene... Giovedì e venerdì vado in Tournée per due giorni, in Moravia..."

"Vuoi dire che giovedì sera non sei a casa?"

"Sì... Se vuoi posso chiedere se puoi venire con me. Penso di sì, molti si portano dietro le famiglie, o qualcuno..."

"Ma devo essere al lavoro... Non mi danno due giorni adesso..."

"Allora dobbiamo portarci avanti... E poi venerdì notte son qua... Suoniamo e partiamo. Alle due sono a casa..."

"Ah, come farò..."

"Esci con Olga e Michal, e parla tanto di me... Non telefonare ad AnnCecilie, chiaro?"

"No, chiamerò Edward..."

"Ecco, appunto... E poi ho una notizia meravigliosa..."

"E cioè?"

"Forse no, non si sa ancora, ma può darsi che mi rinnovino il contratto per altri due anni..."

"Questo sì! È fantastico!..."

"Non c'è niente di sicuro, non c'è niente di scritto, però il fatto stesso che me abbiano parlato vuol dire che molto probabilmente il contratto me lo danno..."

"Sì, certo, se no non ti dicevano niente... Qui ci vuole la slivoviz, tutta la bottiglia..."

"Quella che è rimasta... Ce ne sono tre dita..."

"Allora usciamo a festeggiare..."

"E tardi, è tutto chiuso..."

"Andiamo a festeggiare da un'altra parte..."

"Ma se sei stanco morto e ti sei addormentato sul divano..."

"E' vero, è inutile andar di là, festeggiamo qui... Vieni..."

"Tu hai sempre in mente una cosa sola..."

In effetti, Janicek aveva in mente proprio quello, e così fu. Nei pochi giorni successivi, in attesa della tournée di Tom, la vita riprese con la solita routine. Al mattino tutti e due al lavoro, e la sera Janicek a prendere Thomas all'uscita del teatro. Aveva ripreso a nevicare, ogni tanto, e la città si imbiancava, riempiendo di magia i sogni dei bambini, e di pozzanghere le strade dove camminavano quelli che bambini non si sentivano più. A loro non importava, bastava vedere cadere la neve. In automobile, in casa, dovunque fossero, essere insieme era tutto quello di cui sentivano il desiderio. Il problema dei genitori di Janicek per il momento era stato accantonato, e la simpatia che Thomas aveva suscitato in Klara faceva ben sperare.

"Domani è giovedì. A che ora partite?"

"In tarda mattinata. Dobbiamo essere in teatro per le undici, e poi andiamo..."

"Allora domattina esci dopo di me..."

"Come al solito, Janci..."

"Sì, ma poi domani sera non torni..."

"Torno venerdì, è solo per una notte..."

"Lo so, ma ci sto male..."

"Anch'io... Ci sentiamo per telefono... Hai detto ad Olga che vai da loro a cena?"

"Sì, mi aspettano dopo il lavoro..."

"Perché non ti inventi qualcosa dove siamo noi due insieme, in qualche spot, da qualche parte? Sarebbe divertente farci vedere insieme in televisione..."

"Anche al cinema... Più in grande... Dai, vieni qui..."

Il mattino dopo aveva ripreso a nevicare. Guardando fuori dalla finestra, Janicek, prima di uscire, si rivolse a Thomas, "davvero andate via con questo tempo?"

"Non fare lo scemo, se dovevamo andare a sciare sarebbe andato benissimo"

"Sì. È vero..."

"Dai, va... Ci sentiamo quando sono sul pullman..."

"Ciao, abbiti cura..."

"Va via..."

Lo guardò uscire di casa, sotto la neve, dalla finestra. Lo vide voltarsi in su, per salutarlo, alzare una mano verso di lui. Lo vide girarsi, e dirigersi verso l'automobile parcheggiata, col berretto calato fin sulle orecchie, i capelli scomposti, il bavero del giaccone alto, fino al berretto. Arrivato alla macchina, si girò ancora, lo salutò di nuovo, poi aprì la portiera, salì,

315

mise in moto, e se ne andò. Thomas lo guardò avviarsi, lo vedeva attraverso il vetro, nello spazio pulito dai tergicristalli, e pensò che dentro quella macchina c'era la sua vita. Lo seguì fino a che non svoltò a destra, sulla strada per andare in ufficio, coi vetri appannati, nel traffico rallentato dalla neve di quelle giornate. Si allontanò dalla finestra, andò in soggiorno, prese un foglio di carta da un blocco che avevano nel cassetto, e cominciò a scrivere.

"Sei appena uscito, Janicek, sento ancora i tuoi passi sulle scale. Sono andato alla finestra, ti guardo dai vetri appannati. Ti volti e mi saluti. Nevica sul tuo sorriso, sui tuoi occhi, sul tuo berretto di lana. Torna, abbracciami, viviamo insieme ogni momento di questo nostro tempo infinito. Ti amo, stringiti a me. Saremo un'ombra sola alla luce del nostro amore, un'anima sola, per sempre, e poi ancora per sempre. E poi, solo per l'eternità. Ti lascio questa lettera sul cuscino, leggila subito.

Tutto il mio amore. Tom"

Prese il foglio, andò in camera da letto e lo appoggiò sul cuscino, dalla parte di Janicek. Finì di preparare la borsa per la notte, e il vestito per le due rappresentazioni. Chiuse la borsa, prese il violino, ed uscì anche lui, sotto la neve, verso il teatro dove aveva appuntamento con gli altri. Il cielo di Praga, plumbeo e grigio, gli sorrideva. Si ritrovò, bambino, a camminare nella neve sciolta, nelle pozzanghere sui marciapiedi, a evitare gli schizzi delle macchine, a correre per prendere l'autobus. Si rivide per la strada, a prendere con la lingua i fiocchi che cadevano, il naso rosso, le guance bagnate, il berretto calcato sulla testa. Si vide volare di nuovo, felice, libero, lui e il mondo intorno a lui. La neve che cadeva era il suo orizzonte, lo circondava, lo avvolgeva. Non guardava più in là, non c'era niente da vedere, era la sua vita, era così.

Arrivato davanti al teatro, vide i due pullman parcheggiati davanti, e alcuni suoi colleghi già pronti per salire. Individuò fra gli altri Patrik. E più in là, Martina, che parlava con Petr. Li raggiunse, ed insieme a loro salì sul primo. Sistemarono le borse, gli strumenti, ed erano pronti per partire.

"Allora, Thomas, finalmente vieni in tournée con noi, non sei contento?"

"Non so cosa dirti, Patrik... È la prima volta che passo una notte lontano da casa, non lo so..."

"Guarda, a noi puoi dirlo, vero, Martina? Abbiamo capito tutti la tua situazione... anche se stai lontano da lui per una notte non casca il mondo"

"Certo", proseguì Martina, "anzi, una notte lontano, e domani sarai più vicino. Sarà contento di vederti tornare, vederti aprire di nuovo la porta di casa. Vorrà sapere cosa hai fatto, se hai pensato a lui, quanto ti è mancato... Ma cosa fai?"

A Thomas stavano scendendo due lacrime sulle guance... La commozione, la prima lontananza stavano vincendo la loro battaglia, e lui si trovava indifeso davanti alle sue emozioni, al suo desiderio di essergli vicino. Adesso non sapeva più se aveva fatto bene a scrivere quella lettera e a lasciarla sul cuscino. Forse non l'avrebbe vista, o non l'avrebbe letta, o, peggio, l'avrebbe buttata via pensando che solo un bambino poteva scrivere una sciocchezza simile. Voleva solo essere a casa con lui...

"Non fare lo stupido" gli disse Patrik, un po' burbero, e un po' paterno, "se continui così, siamo costretti a pensare di non piacerti, e che non hai voglia di venire a suonare con noi... Ma non ti importa della musica, del tuo lavoro?"

"Sì, hai ragione, è più forte di me..."

"Puoi stare tranquillo, siamo sicuri che anche lui sta

317

pensando a te, vero, Martina?"

"Certamente. E adesso pensiamo a goderci il viaggio... Tutto sotto la neve... Sarà bellissimo"

Il viaggio fu una magia. Sotto la neve, scorrevano davanti ai finestrini appannati i boschi imbiancati, le pianure innevate, le colline, i villaggi, tutto bianco, tutto incantato. Se dal bosco fosse uscita una fata, o un elfo per salutarli, nessuno si sarebbe stupito, anzi, sembrava di vederli, ogni tanto, alzare la mano, o la bacchetta, e poi sparire di nuovo nel bosco. Questi, almeno, erano i pensieri di Thomas. Qualcun altro, più prosaico, pensava al ritardo, ed ai tempi limitati per le prove. O a qualche panino col prosciutto.

Il primo momento libero per Thomas fu tra la fine delle prove e l'inizio della rappresentazione. Pochi minuti, non l'ora prevista dal ruolino di marcia. Sufficienti per telefonare. "Ciao, dove sei?"

"Sono da Olga... Tutto bene?"

"Sì. Sei passato da casa?"

"No, sono venuto direttamente qui. Com'è andato il viaggio?"

"C'erano gli elfi per le strade..."

"Gli elfi? Pensavo gli spazzaneve..."

"C'erano anche quelli... Adesso devo andare, ci chiamano. Devo chiudere il telefono..."

"Manda un messaggio quando lo riapri. Vai, ciao"

"Ciao"

Non ebbe il coraggio di dirgli ti amo. La lettera sarebbe stata sufficiente.

Quando Janicek tornò a casa, e lesse la lettera, il telefono era ancora chiuso. Gli mandò un messaggio. "Ho letto la lettera. Quando torni facciamo i conti. Torna subito. Anch'io" e poi aggiunse, con un altro messaggio, "anch'io, ti amo anch'io".

Quando Thomas riaprì il telefonino e lesse i due messaggi, non resistette e chiamò subito Janicek, nonostante l'ora e la confusione dei colleghi intorno a lui, pronti per assaltare le birrerie e le pizzerie del centro.

"Dormivi?"

"Con quello che mi hai scritto, come faccio a dormire..."

"Quando ti ho visto sotto la neve, che ti giravi per salutarmi, non ho resistito..."

"Tu devi smetterla... A che ora torni, domani sera?"

"Penso verso la una..."

"Ti vengo a prendere al teatro..."

"Ma è tardi..."

"Ti sembra che non venga? Con chi sei in camera?"

"Siamo in tre, non ti preoccupare. Con Patrik, e Petr"

"A proposito, indovina chi è passato a salutarci da Olga"

"Dimmi..."

"Edward... con Dagmar"

"Lo sapevo, me lo sentivo... Non diciamo niente a nessuno, okay?"

"Certo. Ti amo tanto"

"Anch'io... Domani mi dici tutto, okay?"

La sera dopo aveva smesso di nevicare, ed i pullman arrivarono in orario. Janicek era nel gruppetto di parenti ed amici che erano venuti a prendere i reduci dalla tournée per portarli a casa. Nessuno fece caso a loro due. Non più di tanto, almeno. Martina e Patrik salutarono velocemente Janicek, che con un braccio sulla spalla aveva ripreso possesso di Thomas, augurarono la buonanotte a tutti e due e rifiutarono il passaggio offerto. Patrik si caricò il violoncello sulle spalle e insieme a Martina si diresse verso la macchina parcheggiata poco lontano.

"Allora, cosa è successo?" chiese Thomas a Janicek, quando furono in viaggio verso casa, dopo le prime parole sulle due giornate passate lontani l'uno dall'altro. L'argomento lettera era stato evitato, li toccava entrambi profondamente e non avevano voglia di scavare ancora di più nei loro sentimenti. Volevano rilassarsi, e la serata da Olga andava benissimo. "Dimmi, chi è venuto da Olga ieri sera?"

"Sì, lui, proprio lui. Con Dagmar... Ci ha raggiunto dopo cena. È stata Dagmar a telefonare. Siamo qui in zona... Passiamo di lì a salutarvi... Ah, c'è anche Janicek, benissimo... Sono saliti, sono rimasti un'oretta, e poi se ne sono andati"

"Però..."

"E' stato lui che ha voluto venire, così ha detto"

"Strano... Quello non fa niente per caso... Per me ha voluto farci sapere che a lui di AnnCecilie non importa niente. E tua sorella cosa ha detto?"

"E' rimasta perplessa... AnnCecilie le ha detto che è andata completamente via di testa per lui, e non ragiona più. Se sapesse una cosa del genere sarebbe un problema"

"E Dagmar?"

"Non lo sa. Oltretutto crede che abbia già in mente un altro, un regista di Londra che è venuto qui con la troupe di Edward"

"Un bel casino... Per me è come pensavo"

"E cioè?"

"AnnCecilie per Edward è un'amica, niente di più. Un'amica con benefici, come si dice. Ci vado a letto, e poi amici come prima. È una compagnia per questi mesi che deve passare qui. È la prima che ha conosciuto, qui a Praga, ed è finita lì"

"E Patrik?"

"Anche lì... Ci conviene stare zitti"

Capitolo 28

"Grazie Edward, accettiamo volentieri, ma non dovevi darti tanto fastidio..."

"Scherzerai? Sono contento di vedervi. Questo purtroppo è l'ultimo sabato in cui lavoriamo, prima di Natale, quindi il giorno è un po' obbligato, ma se voi potete mi fa piacere. Lo dici tu a Thomas e a Janicek? Sarei contento se venissero anche loro... Comunque dopo li chiamo"

"Glielo dico, ma chiamali anche tu"

"Sì, subito, ma forse Thomas è al lavoro"

"Pensi di dirlo a qualcun altro?"

"A Dagmar, dici? No, non credo..."

"Oh, e come mai?"

"Dagmar è un'amica, è una forza della natura, ma penso che AnnCecilie non la veda volentieri, e siccome sul set c'è anche lei, preferisco evitare"

"Forse è gelosa"

"Di chi? Di me? Se lo scorda... Sa benissimo che per me è solo un'amica, niente di più. Ci sono andato a letto un paio di volte... si può dire, no? Sono sicuro che lei te ne ha parlato a lungo"

"Sì, me lo ha detto..."

"Ecco, lì un'altra che dice di avere scopato con l'attore... Se fossi anche famoso chissà cosa verrebbe fuori... Comunque sì, ci sono stato insieme un paio di volte, ma è diventata impossibile. Io sul set devo lavorare, devo concentrarmi, non posso stare a darle retta tutto il tempo"

"Forse è innamorata..."

"Innamorata? È peggio di un chewing-gum sotto le scarpe... Lo sapeva dall'inizio, da parte mia non c'era assolutamente niente. Poi, ammetto, mi sono affezionato, ma adesso mi pento di averci dormito insieme. Basta così. Quella combina solo guai..."

"Dai, non dire così, in fondo è una ragazza intelligente..."

"Lo pensavo anch'io, bella e intelligente. Adesso, stupida e basta. Guarda con Dagmar. È un'amica, non ci vado a letto insieme, però devo vederla di nascosto. È mai possibile? Devi vederla sul lavoro... Se continua così la licenziano. Denisa me lo detto, sta rischiando..."

"Non è possibile..."

"Sabato vedrai, vedrete tutti... Se riesci a farla ragionare mi fai un regalo..."

"E cosa devo fare?"

"Neutralizzala... Usa tutte le armi possibili. Dille che così fa soltanto guai, che con il suo comportamento mi costringe ad allontanarmi sempre di più da lei, che più insiste e peggio è. Io non posso fare una piazzata sul lavoro..."

"Questo lo capisco..."

"Lei è l'assistente di Leo, è la sua cocca, per lei ha una predilezione. Se la mando al diavolo mi salta il contratto per il serial da fare finite queste riprese, e devo lavorare anch'io. Non sono la star di Hollywood, che sta seduta su una montagna di dollari a scegliere i copioni. Vorrei tanto, ma non posso..."

"Comincio a vedere il problema. Se tu la mandi a quel paese sei senza lavoro tu e non lei..."

"E' così, e lei ci gioca. Per fortuna Denisa ha capito il suo trucchetto, e sta aprendo gli occhi a Jirina, e a Leo. Con Jirina è più facile, ha più confidenza. Ma sai, io qui oggi ci sono e domani chissà, ma con voi ci sto tanto volentieri, e quel lavoro poteva essere una buona occasione..."

"Sei messo male, è più astuta di quanto credevo..."

"E' intelligente... Se riesce a capire che sta rovinando

tutto, anche la mia carriera, magari ragiona e si sgonfia tutto..."

"Bisogna lavorare di diplomazia..."

"E' quello che pensavo... Se fa tutto da sola, se io non mi espongo, posso pensare che non sia successo niente, e magari continuare ad avere buoni rapporti con lei. Era simpatica, intelligente... Poteva essere una buona amica..."

"Potrebbe esserlo di nuovo..."

"Sì, se si toglie dalla testa certe idee... un'amica, e basta... Mai più benefici collaterali... Parlo troppo, scusa... vi aspetto sul set per le dieci, le undici. Tuo fratello sa come arrivarci. Quando viene gli voglio parlare. Vi aspetto volentieri"

"Grazie, non te la prendere, veniamo senz'altro..."

"Vedrai... Quella dove tocca, rovina..."

Sabato mattina arrivarono sul set a metà mattinata. Non avevano detto niente ad AnnCecilie, anche su consiglio di Denisa. Parlandone al telefono, non aveva negato il problema, ed anche lei aveva confermato che non poteva continuare a stare addosso ad Edward in quel modo. Oltretutto era diventata distratta sul lavoro, e il licenziamento, nonostante fosse la prediletta di Leo, era una possibilità reale. Una volta giunti, si guardarono intorno. Il set con la neve aveva un'atmosfera da fiaba, e la neve che mancava veniva aggiunta, a comando, da un paio di cannoni sparaneve che trasformavano in tempesta anche un normale grigio mattino d'inverno. Per la felicità di Thomas e Janicek, che si precipitarono subito a vedere come funzionavano.

"Altro che palle di neve", disse Thomas, "con questo a disposizione sì che ci si diverte..."

"Guarda che non è un cannone" gli rispose Janicek, "non spara le palle di neve in faccia a qualcuno. Ghiaccia i getti d'acqua e li fa diventare neve..."

"Meglio che niente... Mettiti davanti un secondo..."

"Bambini, venite qui, non toccate dove non dovete..."

"Sì, zia Olga... Vieni qui davanti un attimo..."

"Piantatela, scemi..." Intanto avevano intravisto, vicino al set delle riprese, AnnCecilie con un gruppetto di tecnici, e la chiamarono, cercando di tenere la voce il più bassa possibile.

AnnCecilie si voltò, e fu sorpresa di vederli, e fu contenta di vedere Olga con loro. Si sentiva in guerra, aveva bisogno di un'alleata, e lei capitava a proposito. Mentre si salutavano, scambiando le solite frasi, Olga la guardò attentamente. Aveva ragione Denisa. Lo sguardo era diverso, era diventato assente, sembrava perso chissà dove. Non era la solita AnnCecilie, concreta e divertita della sua bellezza, abituata a gestire tutto e tutti. Per un attimo, con una punta di cattiveria, Olga pensò di avere finalmente fronte una persona normale, coi problemi di cuore delle persone normali. Una nemesi, per i guai procurati ai tanti ex, suo fratello compreso. Se lo meritava. Se ne pentì subito.

"Come va, AnnCecilie?"

"Come vuoi che vada, Olga..."

"Passi avanti?"

"Nessuno..."

"Non ce la fai a lasciar perdere?"

"Mai..."

"AnnCecilie, in certe cose bisogna essere in due..."

"Io non lascerò perdere... mai..."

Mentre parlava furono raggiunti da Denisa, che aveva visto Olga e gli altri arrivare e fermarsi a parlare con lei dove non dovevano... AnnCecilie, pensò, ma non capisci che lì non puoi, dove hai la testa, accidenti a te...

"Non ti riconosco più... Oh, ciao Denisa..."

"AnnCecilie, ti vuole Leo... Ci siete tutti... Qui non va

bene, venite con me..."

Mentre AnnCecilie andava verso il set, dove Leo l'aveva chiamata, Denisa li portò in una zona più defilata, dove potevano parlare senza dare fastidio a nessuno. Michal e i ragazzi si allontanarono, incuriositi dai macchinari di scena, per osservarli più da vicino. Denisa non si dilungò in convenevoli.

"L'hai vista?"

"Non è più lei..."

"E da quando siamo tornati dalla festa. Non capisco cosa le sia successo. Si è appiccicata ad Edward come una ventosa, gli è sempre dietro. Gioca con la sua educazione, e sul fatto che non può mandarla al diavolo davanti a tutti. E quando non è con lui, parla solo di lui. Anche a casa... A questo proposito, Olga, vorrei chiederti una cosa..."

"Dimmi, Denisa..."

"Tu adesso vivi con Michal, vivete insieme, no?"

"Sì, certo, perché?"

"Nel tuo appartamentino non c'è nessuno, vero?"

"No, è vuoto, stavo pensando di affittarlo, ma in realtà non so ancora cosa farne..."

"Puoi darlo a me?"

"Ah... Se vuoi... Ma guarda che non ci stai... L'hai visto, è piccolo per te e il bambino. Va bene per una persona sola, se pensi di portare il piccolo con te non c'è posto... Scusa, ma siamo a questo punto?"

"Anche peggio. Ci pensavo già da tempo. Da quando avevo trovato questo lavoro, ad andarmene, e avere la possibilità di tenere il bambino con me, ma ora è una necessità"

"Addirittura?"

"Sì, a casa è insopportabile. E' diventata monomaniaca, parla solo di lui, e di come fare con lui. Per me si sta rovinando con le sue mani..."

"E' innamorata, Denisa, innamorata persa..."

"Hai mai sentito parlare di infatuazione, Olga? Io la definirei più così, non amore... Amare significa dare, non volere a tutti i costi... Sono due cose diverse, e purtroppo sono in molti a non rendersene conto. Quando, in una relazione, tu chiedi qualcosa a qualcuno, e pensi che tutto ti sia dovuto, tu non ami lui, ami te stessa. È quando dai senza chiedere niente in cambio, che ami qualcuno. Se anche lui ama te, allora si comporterà nello stesso modo. Ti darà senza chiedere. AnnCecilie qui non c'è proprio"

"In effetti, è sempre stata abituata a ricevere più che a dare. Pensavo fosse per la bellezza..."

"Le palle... Io non credo di essere orrenda, e nemmeno tu, però non abbiamo mai pensato di avere comprato qualcuno solo perché ci siamo andate a letto un paio di volte. Io non so cosa le è successo. È scattato qualcosa per cui pensa che Edward sia roba sua e che possa fargli fare quello che vuole lei"

"Come faceva con mio fratello..."

"Già, vero... Ma Edward è diverso, è un uomo abituato ad agire per conto suo. Non è un tipo che si fa gestire"

"Conosco il genere... È lei, come si comportava con Janicek, si comporta con lui, e, siccome non ci riesce, calca la mano"

"Si è messa a fare la gattina... Ce la vedi, tutta vezzi e moine..."

"Povero Edward... Sul lavoro..."

"Appunto. Non sottovalutare il ruolo di Edward in questo film. Non è il protagonista, ma ha comunque un ruolo di rilievo, ed in più ha la capacità straordinaria di far entrare gli altri nella parte. Finora ha gestito bene la situazione, ma se cede sono guai per tutta la produzione, o quasi..."

"Lei alla festa mi ha detto di essere innamorata persa, ma non pensavo ad una situazione del genere..."

"E successo dopo. Ha cominciato a far la scema in

macchina, mentre tornavamo. Sta scherzando, abbiamo pensato. E invece no. Da quel momento, è cambiata..."

"Senti, per l'appartamento, se vuoi..."

"No, grazie, hai ragione. Per me e il bambino è piccolo. Troverò un'altra soluzione. Guarda, sta arrivando Edward. Scommetti che tra dieci secondi è qui anche lei? E ha da fare, deve lavorare dall'altra parte del set, ma figurati..."

A grandi falcate, con passo da scena, stava arrivando un soldatone alto e biondo, cappello, stivali, baffi e pizzetto compresi.

"Accidenti, non mi dire che sei tu..."

"Sì, sono io, Janicek..."

"Che schianto di maschio... Sei irriconoscibile. Cosa non riescono a fare nel mondo del cinema..."

"Guarda che partono da un'ottima base..."

"Insomma... Se veniamo qui io e Thomas facciamo epoca, altro che te..."

"Bambini, piantatela... Scusali, Edward, oggi sono incontenibili. E poi hanno ragione, sei uno schianto. Me lo avevano detto che in costume di scena eri diverso, ma sei fantastico. Se non ci fosse Michal ti salterei addosso anch'io..."

"Olga, ti prego..."

"Oh, sì... Scusa Edward, è un brutto tasto..."

"Non so cosa dirti, mi è toccata anche questa... Strano che non sia già qui..."

"Ci ha visto, sta arrivando", fece Denisa, "cosa ti avevo detto, Olga?"

Fatti ancora pochi passi, li raggiunse, e prese sottobraccio Edward, che dopo un attimo, si liberò dalla stretta, e si spostò facendo finta di aggiustare qualche fibbia del costume. "Avete visto come è bello il mio Edward?"

Lo guardo rassegnato e feroce insieme di Edward

avrebbe meritato un primo piano di dieci minuti. Non disse niente, come gli altri. L'uscita di AnnCecilie aveva lasciato tutti interdetti. Niente di male, in un altro momento e in un'altra situazione, ma viste le premesse e la poca disponibilità del destinatario a smancerie del genere, la sortita era assolutamente inopportuna. Preso fiato, Edward si voltò verso Janicek. "Senti, al telefono te lo avevo già accennato. Hai cinque minuti da dedicarmi? Vorrei parlarti di alcune cose. Thomas, vuoi venire anche tu?"

"Va bene andiamo" fece Thomas. "Dove ci porti?"

"Denisa, andiamo alla mia roulotte. Se mi cercano siamo lì. Fa' in modo che non ci disturbino"

"Farò il possibile", e poi, rivolta agli altri, "ragazzi, devo tornare da Jirina. AnnCecilie, pensa tu a loro, ma guarda che devi essere da Leo, e non qua"

"AnnCecilie, se devi andare vai" le disse Michal, "tu sei qui per lavorare, noi per divertirci. A noi basta guardare, ci parliamo in pausa pranzo, non vogliamo che tu abbia dei problemi a causa nostra"

"In effetti non dovrei essere qui. Ci vediamo dopo"

La guardarono allontanarsi, dirigersi decisa verso la roulotte dove Edward era appena entrato e chiuso la porta. Passando di fianco, bussò sulla fiancata e disse alcune parole, incomprensibili a causa della lontananza. Poi fece un mezzo dietrofront e tornò verso Leo, da dove era venuta. Olga e Michal, rimasti soli, si guardarono.

"E' come dici tu, Olga. Non è più lei. Si comporta come un'adolescente col primo ragazzino"

"Solo che non può farlo. Intanto è ridicola, e poi ha ragione Denisa. Fa solo danni. Hai visto Edward. Ha requisito Janicek e Thomas e si è chiuso nella roulotte. E lei è andata a cercarlo anche lì dentro"

"Invece di lavorare. E questo solo nei primi cinque minuti che siamo qui. Immagina tutto il giorno, tutti i giorni"

"A pranzo cerchiamo di farla parlare. Vediamo cos'ha nella testa"

Mentre parlava aveva scorto Jirina da lontano, che li salutava e faceva cenno di raggiungerla. Denisa era già di fianco a lei. Lentamente, si avviarono, stando attenti a non far danni, e sfogando nel frattempo la loro curiosità professionale. In effetti, anche questa, degli allestimenti e delle scenografie, poteva essere una parte del loro lavoro, e si fermarono più di una volta, per osservare e commentare gli stand, le roulottes, e i set, per capire come tutto avesse una logica e non ci fosse niente di casuale, o di abbandonato.

"Jirina, complimenti per il campo" le fece Michal, subito dopo averla raggiunta e salutata, "è un allestimento di un'efficienza quasi militare. Sei bravissima"

"Mestiere, ragazzo, trent'anni di mestiere. Comunque grazie, avevo voglia di sentirmelo dire. I complimenti qui me li fa solo Denisa. Gli altri grugniscono e abbozzano. Anzi, dimmelo ancora..."

"Te lo dico io, brava Jirina"

"Grazie, Olga. Intanto grazie ancora per la festa e la serata della musica. A mio marito e a me è piaciuta moltissimo. E quei ragazzi sono bravi, quando suonano riescono a prenderti, ti muovono qualcosa dentro... Vero Denisa?"

"Altroché... Thomas è qui. L'hai visto?"

"No, non ancora... Adesso scusateci, ci vediamo in pausa pranzo. Andate pure in giro, ma quando sentite "ciac, azione" state zitti e non vi muovete. E state attenti a non entrare nel campo delle cineprese. Ci vediamo tra un'ora, buon divertimento..."

Girando per il set, con più calma questa volta, passarono quasi subito davanti alla roulotte dove si era asserragliato Edward con Thomas e Janicek, proprio mentre Janicek apriva guardingo la porta, mettendo la testa fuori per accertarsi che non ci fosse nessuno.

"Siete qui?"

"Sì. Aria libera. Potete uscire"

"Grazie Olga. Venite dentro"

Una volta entrati, videro un divanetto libero. Thomas e Edward erano seduti su delle sedie da ufficio, in un caos di costumi, parrucche e trucchi vari.

"Scusate per la fuga" iniziò Edward, "ma oramai mi da fastidio anche solo vederla respirare, figuriamoci quando fa la scema. E' passata di qui, con noi chiusi dentro..."

"Sì, abbiamo visto..."

"E' passata di qui, ha picchiato sulla porta, ha detto ciao amore ci vediamo dopo, ed è andata. È sempre così, da quando siamo andati via dalla tua festa. Non capisco cosa sia successo. Evidentemente devo aver detto o fatto qualcosa che l'ha scatenata. Prima avevo intuito che aveva qualcosa, ma si tratteneva. Chissà..."

"Con me non era così" intervenne Janicek, "gli ho detto che prima stavo con lei, ma lei con me non si è mai comportata in questo modo"

"Evidentemente tu per lei eri meno importante di Edward", rifletté Olga, "è evidente che lui rappresenta qualcos'altro..."

"Ohimè..." fu la considerazione sconsolata di Edward. "tieni stretto Thomas, Janicek, tanto si può dire, no?"

"Sì. Edward, si può dire. Gli unici che ancora non sanno sono i miei, ma penso abbiano intuito qualcosa..."

"Sai che ho fatto affari con tuo fratello?"

"Davvero? Cosa hai combinato?"

"Come con Thomas... Mi fa da agente per la

pubblicità. Ha detto che mi cerca qualche contratto qui, magari insieme, Thomas ed io, ed anche Denisa..."

"Denisa?"

"Sì, sorella, non è una brutta idea cosa ti sembra?"

"Potrebbe non essere male" rispose Michal per lei, "Denisa in realtà e molto bella, non è stupida. E poi comincia ad essere dell'ambiente"

"Già... Almeno lei non è stupida" gli fece eco Edward, "ma neanche AnnCecilie lo è. Fosse stupida, sarebbe più facile. Ho paura che trami qualcosa. Quello che ci dicevamo al telefono è solo uno dei problemi"

"E cioè?" chiese Thomas.

"Se la mando al diavolo quello che perde il lavoro sono io e non lei. Lo sa, e ci gioca. Non vorrei che giocasse a bruciarmi la terra intorno..."

"Non dire così", gli disse Olga, "non può arrivare a questo punto"

"Non so cosa dirti, forse vedo le cose più brutte di quello che sono. Però, da quel poco che conosco la gente, ho l'impressione che quella sia capace di farlo..."

"Edward, adesso esageri", gli rispose Olga, "mi dici come può fare una cosa del genere..."

Sia Michal che Janicek si affrettarono a dare ragione ad Olga. L'unico rimasto in silenzio fu Thomas, che osservò a lungo Edward, e poi abbassò gli occhi, lasciando che il suo ciuffo gli ricoprisse mezza fronte.

"Adesso devo andare," disse Edward alzandosi, "voi potete star qui se volete. Ci vediamo dopo, al buffet. Thomas, Janicek, voi sapete dov'è. Se avete voglia approfittatene, andate in giro a curiosare. Può essere divertente"

Il tempo passò in fretta e presto si trovarono sotto il tendone della mensa. Mentre giravano per il set, in attesa dell'ora di pranzo, avevano notato AnnCecilie che, per un paio di volte, era passata da Edward, per salutarlo o, dalla faccia di lui, a sfracellarlo. Arrivarono quasi tutti insieme. Per lasciare respirare Edward si erano messi d'accordo che Thomas e Janicek lo avrebbero fatto sedere fra di loro, con la scusa degli accordi da prendere per gli spot, e Olga avrebbe cercato di requisire AnnCecilie, con la scusa di parlarle e di sapere come procedevano le cose. E poi era curiosa di capire quale era stata la causa scatenante del suo cambiamento. Fu meno difficile del previsto. Già in coda al self service Edward si era messo fra loro due. Olga aveva trattenuto AnnCecilie vicino a lei, prima di mettersi in fila, e loro riuscirono a venire via e a sedersi ad un tavolo piuttosto lontano, come avevano progettato di fare. Michal, in coda anche lui, conversava con Denisa, Jirina e Leo, interessati ad approfondire con lui la questione della sua bellissima casa di campagna, alla quale stavano pensando come set per la prossima produzione, come già accennato durante la festa. Olga rimase sola con AnnCecilie. "Sì, stiamo noi due da sole, facciamo due chiacchiere fra di noi, scommetto che abbiamo un sacco di cose da dirci, vero, AnnCecilie?"

"Sì, Olga, ho voglia di parlarti..."

"Allora, dimmi tutto", le fece Olga quando, finita la coda, coi vassoi in mano, erano riuscite a trovare un tavolino solo per loro due, dove potevano parlare senza essere disturbate da nessuno, "dai, cosa è successo?"

"Sai, alla tua festa ho capito che mi voleva bene, bene veramente..."

"A me non sembrava che fosse così, quando ci siamo parlate... AnnCecilie?"

AnnCecilie si era voltata. Immobile, scrutava Edward, e poi Janicek, e poi ancora Thomas, e poi di nuovo, a turno, tutti e tre. Senza dire niente, senza una parola.

Lo sguardo fisso su di loro. Olga notò una piega all'angolo della bocca, una piega sottile, di sfida, si trovò a pensare.

"AnnCecilie?"

"Scusa, Olga, mi dicevi?"

"Siamo rimaste a quando ci stavamo parlando alla festa, ricordi?"

"Sì. Lui aveva chiesto il numero a Dagmar, e io non sapevo più cosa pensare..."

"L'avevi presa molto male..."

"E poi si era messo a parlare con tuo fratello e Thomas, come adesso..."

"Sì, è per via dei contratti per la pubblicità. Janicek gli farà da agente, qui a Praga..."

"Ah, che bello... Ti ha detto così?"

"Sì, AnnCecilie, è così... Cosa mi stavi dicendo?"

"Sai, quando siamo tornate di là, e io mi sono messa vicino a lui..."

"Sì, e allora?"

"Lui mi ha preso la mano, me l'ha stretta fortissimo e non me l'ha più lasciata andare..."

"E allora?"

"Allora ho capito che lui voleva bene a me, solo a me, e che delle altre non gliene importava niente. Vuole bene a me, mi ama moltissimo... Lo so..."

Capitolo 29

"Ciao Olga. Ti posso parlare?"

"Dimmi mamma..."

"No, non al telefono. Non potresti venire qui al cottage oggi pomeriggio. Magari esci prima dal lavoro e vieni qui a prendere il tè"

"Va bene. Ne parlo con Michal e arrivo. Puoi anticiparmi qualcosa?"

"Preferisco parlartene di persona..."

"Va bene, a dopo"

Olga rimase col telefono in mano, perplessa. Michal era di fianco a lei, e notò la sua espressione.

"Cosa c'è?"

"E' mia madre. Mi vuole parlare oggi pomeriggio. Di persona, non al telefono..."

"Cosa pensi?"

"Non lo so. Vorrà organizzarsi per Natale. I regali, cosa mettersi... Non mi viene in mente altro. Vorrà sapere cosa comprare per Thomas, per te, non so..."

"Mancano pochi giorni. Secondo me ha già comprato tutto. Vorrà sapere cosa mettersi, se è una cena elegante... Strano che non telefoni a Milana"

"A meno che non sia per Thomas e Janicek..."

"Lo pensavo anch'io... Che tono aveva al telefono?"

"Neutro. Niente. Non sono riuscita a capire..."

"Va bene. Tra un po' andiamo e vediamo cosa c'è..."

"Vieni anche tu?"

"Certo. Metti che si tratti davvero di Thomas, è meglio che ci sia anch'io"

Alle cinque erano al cottage, dove furono ricevuti da Klara, in attesa davanti alla porta. Vedendo Michal, rimase sorpresa e quasi contrariata. Poi si riprese e disse, "Michal, ci sei anche tu?... sì, oramai fai parte della famiglia, vieni. Quando fu servito il tè e furono liberi di parlare, Olga attaccò il discorso.

"Allora, mamma, cosa c'è?"

"Non so da dove cominciare..."

"Dall'inizio..."

"Mi ha telefonato AnnCecilie..."

Olga e Michal si guardarono. Sicuramente non si trattava di Natale. Pronta alla guerra e alla difesa ad oltranza del fratello, Olga rispose guardinga.

"Cosa ha detto?"

"Non ci crederai..."

"Da quella mi aspetto di tutto... Cosa ha detto?"

"Che tuo fratello..."

"Che mio fratello cosa?"

"Che Janicek... Oh, è troppo grossa..."

"Che Janicek cosa?"

"Che aveva già qualche dubbio prima che la lasciasse, ma che adesso è quasi certa..."

Ci siamo, pensarono insieme Michal e Olga... Adesso arriva...

"Che lui non fosse più interessato a lei, che aveva altri gusti..."

"E cioè?"

"Che piaceva agli uomini..."

"Tutto qui? Mamma, Janicek è un bel ragazzo, è naturale che piaccia anche a degli uomini..."

"Se Thomas lo viene a sapere..."

Olga e Michal si guardarono di nuovo, e risposero all'unisono. "Thomas?... Cos'è che non deve sapere?"

"Se viene a sapere quello che mi ha detto AnnCecilie se ne va e non lo guarda più in faccia... Un ragazzo così simpatico..."

"Insomma, cosa ha detto?" Olga non sapeva più cosa pensare, e venne al dunque. "Ti decidi a parlare?"

"Ha detto che quell'accordo per la pubblicità, per fargli da agente è una scusa..."

"Ma no, guarda che il contratto di Thomas per la pubblicità dei cioccolatini è vero, non è una scusa, Thomas guadagna dei bei soldi..."

"Ma no, non Thomas, cosa c'entra... Lui è così caro, così perbene... Ha detto che l'accordo per fargli da agente è una scusa, che è una scusa per vedersi con Edward senza che nessuno sospetti niente..."

"Edward?"

"Sì. Ha detto che Edward è uno di quelli a cui piacciono sia gli uomini che le donne, e che tuo fratello ha preso una sbandata per lui, e siccome è un bel ragazzo, Edward non ci ha pensato due volte..."

Ad Olga a momenti cadde la tazza del tè...

"Visto? Cosa ti avevo detto? Ti ho detto che non potevo parlarti per telefono..."

"Quella vipera..."

"Sì, quella vipera..." ripeté Klara, contenta della solidarietà della figlia, "sembrava una persona così simpatica, così perbene... Mai fidarsi della gente del mondo dello spettacolo, del cinema..."

Olga la guardò. "Non Edward, mamma... La vipera è AnnCecilie..."

"Cosa dici, mi ha telefonato per avvertirmi, mi ha fatto una cortesia..."

"No, Klara, permettimi. Olga ed io sappiamo bene la storia. Non ti ha fatto una cortesia, ha fatto una carognata terribile..."

"Mamma, sappiamo di certo che non è vero niente"

"Cosa vuoi dire?"

"Innanzitutto", esordì Michal, pensando a Thomas, "se a Janicek piacessero gli uomini non ci sarebbe niente di male. Da che mondo è mondo succedono queste cose, e lo scandalizzarsi per una cosa naturale come questa è solo per la gente piccola di cervello, è per le persone che hanno paura di vivere e si spaventano davanti a qualunque cosa non rientri nei loro schemi..."

"Lo so... Ma Janicek..."

"Non è questo il problema, Klara. Sono fatti suoi. L'importante è che viva una vita che gli dia soddisfazione, che gli dia la felicità cui tutti abbiamo diritto. Tutti. Capito, Klara?"

"Allora è proprio così... Edward..."

"No, per niente, mamma. Il problema è AnnCecilie, e non è per niente una cosa allegra..."

"Vuoi dirmi?"

"Aveva ragione Edward... Solo che il problema non è più solo suo, ha coinvolto anche Janicek..."

"Insomma, mi vuoi spiegare..."

"Klara, AnnCecilie si è infatuata di Edward in modo che non ti immagini, e gli sta rendendo la vita impossibile. Quando lo abbiamo visto, sabato, ci siamo resi conto di come gli stia continuamente addosso, e gli impedisca quasi di lavorare..."

"Sì, mamma. Quando Edward ci ha detto di aver paura che lei gli stesse facendo terra bruciata intorno, non ci volevamo credere, ma è così... Aveva ragione"

"E cioè?"

"Lei si è messa in testa che Edward è l'uomo della sua vita, che può fargli fare quello che vuole lei, come ha sempre fatto con tutti gli altri, a partire da Janicek. Lui non ci sta, e lei è partita a testa bassa. Intanto sa che non può mandarla al diavolo, perché altrimenti perde il lavoro, e adesso sta cercando di fargli perdere i pochi amici che è riuscito a farsi qui... Ma questa, poi..."

"Cosa c'entra Janicek?"

"Appunto, Klara... Due vendette in un colpo solo... Anzi, tre..."

"Cosa vuoi dire?"

"Mamma... Intanto sta bruciando il terreno al povero Edward, che sicuramente non ha la minima idea di portarsi a letto Janicek. Poi si vendica di essere stata piantata da Janicek, inventandosi una storia che secondo lei, lo avrebbe squalificato..."

"E poi?"

"E poi, già che c'era, si è vendicata di te, per avere invitato a casa nostra lui e non lei... Sperava di farti male raccontandoti una storia del genere, e c'è riuscita... Dire vipera è troppo poco... Ha ragione Edward... È astuta e pericolosa..."

"Non è più lei..."

"Forse lo è sempre stata, così, ma non ce ne siamo mai resi conto... Finché otteneva quello che voleva lei, andava tutto bene... Adesso non ci riesce, e ha tirato fuori gli artigli..."

"Ma come ha fatto a farsi venire in mente una storia del genere?"

"Olga e Michal si diedero un'occhiata senza farsi notare da Klara.

"Ho capito" disse Michal, "è stato sabato, quando Edward per scappare da lei, ha requisito Thomas e Janicek, e si è chiuso nella roulotte insieme a loro. Olga, ti ricordi la faccia che ha fatto?"

"Sì, adesso sì... E poi..."

"Poi cosa, Olga?"

"Quando eravamo al self service, e io sono rimasta sola con lei..."

"Cosa è successo?"

"Ti ricordi che si erano messi insieme, loro tre ad un tavolo lontano da noi, con Edward seduto in mezzo a loro due..."

"Sì, mi ricordo..."

"Ad un certo punto AnnCecilie ha smesso di parlare, e li ha fissati per quasi un minuto, senza dire una parola... Adesso ho capito a cosa stava pensando... Vipera... E mi era venuta a dire che lo amava moltissimo, che senza di lui non poteva vivere, che per amore era disposta anche a non seguirlo, a lasciarlo libero, perché potesse vivere la sua vita ed essere felice così, anche senza di lei..."

"L'avrà letto da qualche parte..."

"Sì, Michal, lo penso anch'io..."

Rimasero così, in silenzio, per un momento. Finché Klara riprese il controllo della situazione.

"Ragazzi, si fredda il tè... Cosa pensate di fare? Secondo me bisognerebbe avvertire Edward. E dirlo a Janicek..."

Olga e Michal si guardarono. "Forse è meglio di no, mamma..."

"Tu dici, Olga?"

"Se lo diciamo ad Edward quello le fa una scenata e perde il lavoro, e non è il caso... Se lo diciamo a Janicek e Thomas lo viene a sapere succede un pandemonio. Magari chissà cosa pensa..."

"Hai ragione... Lasciamo stare"

"E poi", aggiunse Michal, con l'aria di dire una battuta per alleggerire la tensione, "cosa ci sarebbe di male..."

"Cosa, ci sarebbe di male?" chiese Klara, non sapendo più cosa pensare.

"Se a Janicek, per liberarsi dei veleni che ha respirato con lei, si guardasse intorno e cercasse qualcosa di un altro tipo, non Edward ma un altro, perché no?"

"Michal, piantala..." Il sasso era lanciato, pensò Olga mentre gli rispondeva. Osservando l'espressione di sua madre non sapeva se il momento era quello giusto, però era un inizio. Klara lo osservò, perplessa.

"Cosa vuoi dire?"

"Sai la faccia di AnnCecilie..."

"Michal piantala, beviti il tè e annegaci dentro..." gli rispose Olga, stando al gioco e ridendo della battuta.

"Mamma, per Natale, è tutto a posto?... Michal, cos'hai ancora da ridere?"

"Sai se AnnCecilie viene a sapere che Edward esce con Dagmar..."

"Cosa dici?"

"Sì, mamma, è venuto a trovarci un paio di volte insieme a lei..."

"Ragazzi, non so più cosa dire..."

"Niente... Cosa mi hai comprato per Natale?"

Appena saliti in macchina per tornare a casa, avviato il motore e usciti dal cancello, Michal chiese ad Olga, "cosa ne pensi?"

"Cosa ne pensi di cosa? C'è solo da scegliere..."

"Non male la ragazza, eh?"

"Carogna, una vera carogna... Hai capito cosa ha messo in ballo..."

"Ce ne sono state per tutti. Anche per Thomas"

"Sì, anche per lui... Alla faccia dello spirito natalizio..."

"Secondo te ho fatto bene a dire quello che ho detto?"

"Su Janicek? Forse sì. Hai visto, non si è inalberata, non ha gridato allo scandalo, non ha detto niente..."

"Secondo me un sentore l'ha sempre avuto... Le madri per queste cose hanno un sesto senso... hai visto come mi guardava..."

"Troppe cose in una volta sola... Povera donna, non ha nemmeno finito il tè..."

"L'importante è che capisca che tipo è AnnCecilie, come l'abbiamo capito noi, e poi che accetti Janicek per quello che è, che abbia a cuore solo la sua felicità, nient'altro..."

"Questo penso di sì, anche più di mio padre..."

"Ah, sì... E tuo padre?"

"Quando avrà tre nipotini sulle ginocchia non gliene potrà importare di meno... Ma sai, sto pensando ancora alla mamma..."

"Per Janicek?"

"Sì, per lui... Hai notato come ha in simpatia Thomas?"

"Sì, mi sono accorto... Chissà cosa direbbe Thomas se sapesse..."

"Povera donna... Non mi far ridere... Hai sentito cosa

ha detto... Così caro, così perbene..."

"E' vero... Sembrava che avesse paura che Janicek con questa storia perdesse Thomas..."

"Quando mia madre definisce "perbene" una persona, vuol dire che per lei è perfetta..."

"Fammi capire..."

"Secondo me pensa che, se Janicek è così, Thomas sarebbe il ragazzo perfetto per lui. Lo accetterebbe, e sarebbe capace di volergli bene, come a te, forse di più..."

"Di più?"

"Sì. Thomas è indifeso, tu no. Tu sai vivere nel mondo e nella società. Lui dà l'idea di avere sempre bisogno di una mano..."

"Come no? Guarda cos'ha combinato da quando è arrivato..."

"Speriamo che a Natale non parli troppo..."

"Chi? Thomas?"

"Tutti e due... anzi, tutti e tre, Janicek e tua madre compresi..."

E arrivò Natale. Un paio di giorni prima Edward passò a casa di Thomas per salutarli e fare gli auguri. Sarebbe partito il giorno dopo per gli Stati Uniti e si sarebbero rivisti l'Anno nuovo. AnnCecilie era sempre la stessa, riferì quando glielo chiesero, e sperava che i giorni di lontananza la facessero ragionare. Quando Janicek gli suggerì di inventarsi una fidanzata in America lo guardò senza dire niente. Poi sì, perché no, rispose. Era un'ipotesi da considerare. Se vuoi ti diamo una mano noi a inventare una storia, aggiunse Thomas. Ci penseremo. Per adesso auguri, ragazzi. Il pomeriggio della vigilia, tra una telefonata e l'altra, caricata la macchina di borse e valigie, pacchi e pacchetti, finalmente in moto, si diressero verso la casa di campagna di Pavel, dove i preparativi erano ormai frenetici. Nel salone dove avevano suonato,

Milana aveva preparato un albero magnifico, alto più di tre metri, carico di luci, di palline luccicanti, di angioletti svolazzanti, di colori. Davanti all'albero, sopra un tappeto di lana bianca, una slitta con un Babbo Natale sorridente faceva bella mostra di sé, carica di doni fino a coprire il tappeto su cui era posata. Janicek e Thomas aggiunsero i loro pacchetti a quelli già sul pavimento, e si fermarono ad ammirare la scena, orgogliosi del loro contributo di nastri, cartellini e involucri colorati. Milana li raggiunse e posò le sue mani sulle loro spalle.

"Cosa ne pensate, ragazzi?"

"Magnifico... È una meraviglia..."

"La vostra camera è sempre la stessa. Avete già portato le valigie?"

"Adesso saliamo..."

"Thomas, hai portato il violino?"

"No, perché?"

"Non avevi detto che ci avresti suonato qualcosa per Natale?"

"No, pietà! Almeno a Natale, un po' di pace!"

"Janicek, piantala, non chiedevo a te... Scherzavo, Thomas, sta tranquillo... mettete le vostre cose in camera, vi aspetto giù".

Un po' alla volta, arrivarono tutti. Chiacchiere, baci, abbracci, pacchetti, complimenti. Fu annunciato che alla sera ci sarebbe stato un aperitivo ed una cena leggera. Il pranzo era in programma per il giorno dopo, a mezzogiorno. Per i pacchetti, l'apertura sarebbe avvenuta il mattino dopo, fra i mugugni di quelli che volevano aprirli subito. Niente da fare. Milana fu irremovibile. Spediti tutti a cambiarsi, arrivò in fretta l'ora dell'aperitivo.

"Thomas, sei davvero elegantissimo..."

"Grazie, Klara, in effetti lo smoking mi dona..."

"Piantala Tom, tu sei un caprone anche col frac..."

"Janicek, non ti rispondo perché c'è qui tua madre, ed è la vigilia di Natale..."

"Ragazzi, credetemi, siete bellissimi tutti e due. Siete una coppia fantastica..."

"Grazie, Klara, posso darti un bacio?"

"Vieni qui..."

Mentre Thomas dava un bacio sulla guancia di Klara, sotto lo sguardo divertito di Janicek, lei pensava, ma guarda che differenza con AnnCecilie... sono sicura che questo ragazzo per mio figlio farebbe di tutto... Ha ragione Olga, quella è una vipera...

"Ragazzi, facciamo un giro? Sottobraccio, uno per parte, voglio farmi vedere coi ragazzi più belli della terra..."

"Sì, siamo noi..."

Mentre andavano verso l'albero, per ammirarlo di nuovo, con lo spettacolo delle luci che riempivano di bagliori azzurri i rami, e le decorazioni, furono raggiunti da Olga, che, a vedere così sua madre, fra loro due, pensò che quello era il più bel regalo di Natale di sua madre per Janicek. E per Thomas.

"Mamma, ne lasci un po' anche a me o te li tieni tutti tu?", le chiese, quando le fu vicino.

"No, me li tengo, tu hai Michal... Va bene, ti lascio fare un giro, poi riportameli..."

Quando Klara si fu allontanata, Olga strizzò loro l'occhio e disse sottovoce, "va bene, no?"

"Vorrei che fosse così per sempre", rispose Thomas.

"Non c'è niente come accettare la verità per essere liberi e sentirsi di vivere in un mondo più giusto". Era Michal, dietro di loro, che aveva notato la scena e li aveva raggiunti per vedere cosa stava succedendo.

"Michal, come sei sentenzioso", gli rispose Olga, prendendolo sottobraccio, "hai visto la mamma?"

"E' come ti dicevo. Secondo me è tutto a posto, basta non esagerare con gli atteggiamenti"

"E' vero... Siamo sempre dei Von Menzel..."
"Altezza, posso offrirle un bicchiere di champagne?...
Dopo, alla lavapiatti ci pensi tu?"
"Michal, mascalzone, offri da bere a tuo cognato..."
La serata proseguì lietamente. Anche la cena, con le
due famiglie riunite per festeggiare, oltre il Natale,
anche Olga e Michal, la nuova famiglia.
"Hai notato che l'unica a non farci gli auguri è stata
AnnCecilie, Janicek?"
"Vero, Tom... Per caso ha telefonato a qualcuno di
voi?... A te Olga?... E a te, mamma?"
"No, non ci ha chiamato... Vero, Olga?"
"Proprio così, mamma..."
"Avrà in mente quel suo amico"
"Povero Edward!" si scoprirono a dire in coro Klara e
Olga, e Michal con Thomas e Janicek. "Mandiamogli
un messaggio con gli auguri", aggiunse Klara.
"Va bene, ci penso io" fece Janicek, tirando fuori il
telefonino dalla tasca, "quante ore sono con New
York?"
"Sette, come ieri, gli rispose Olga"
"Spiritosa... Sai che è venuto a trovarci prima di
partire. Vero, Thomas? È stato molto gentile, e ci ha
portato anche un regalo..."
Un regalo? E dov'è?"
"Qui" risposero insieme, indicandosi le loro pance,
"era una bottiglia di champagne, e ce la siamo bevuta
tutta", proseguì Thomas, "è finita subito..."
"Grazie a te... Scommetto che piaciuta più a te... Vero,
Thomas?"
"In effetti... Tu ti sei messo a guardare il perlage, le
bollicine che salivano..."
"E tu a momenti ti attaccavi al collo della bottiglia..."
"Non è vero!... Klara, non credergli..."
Klara li guardava. Non pensava niente, ma era
contenta di avere Thomas seduto di fronte a lei,

elegante, allegro, così perbene...

Finita la serata, con la promessa reciproca di non scendere in salone per aprire i regali prima delle nove e mezzo del mattino dopo, Tom e Janci furono di nuovo soli, in camera da letto.

"Cosa ne pensi, Tom?"

"Fosse sempre così... Buon Natale, Janci... il tuo regalo è giù, insieme agli altri..."

"No, il mio regalo è qui, davanti a me..."

"Oh, stupido, qui ci sono solo io..."

"Appunto, sei tu il mio regalo di Natale. Adesso ti scarto e ti mangio tutto..."

"Oh, Janicek, anche stasera..."

"Non ti muovere... I pacchetti non si aprono da soli..."

Ciò detto, cominciò a spogliarlo. Lentamente, prima il cravattino, poi gli sfilò la giacca, gli aprì la camicia... lo baciò a lungo, prima di proseguire.

Improvvisamente, a Thomas si annebbiò la vista.

"Cosa c'è, Tom?"

"Non lo so, Janci, mi sono sentito stanco, mi è mancato il fiato..."

"Stai bene?"

"Mi gira un po' la testa, mi sento stanco..."

"Eppure non mi sembra che tu abbia bevuto... Non più del solito, almeno..."

"Non so cosa dirti... sarà l'emozione della serata, il Natale che stiamo passando insieme, tua madre che ha capito e le va bene, non lo so..."

"Vieni qui, sediamoci un momento... ti vado a prendere un po' d'acqua..."

"No, è passato... Senti... Per questa sera lasciamo perdere, ti va?"

"Certo, stammi vicino, ti aiuto a spogliarti..."

"Senti", gli disse, quando erano ormai a letto, sotto le coperte, "cosa volevi dire con lo champagne, che era piaciuto più a me..."

"Non ti preoccupare... Era una stupidaggine... Scommetto che non ci hai fatto neanche caso..."

"A cosa?"

"Quando Edward se ne è andato, e ci siamo salutati, ti ha baciato sulla bocca. Non te ne sei accorto?"

Capitolo 30

Era vero. Se ne era accorto sì, ma non ci aveva fatto caso. Non più di tanto, almeno. Aveva notato che Janicek era stato baciato sì, anche lui, ma solo sulle guance. In effetti, tra una guancia e l'altra, Edward, gli aveva sfiorato le labbra con le sue, trattenendosi un secondo più del dovuto, e con Janicek questo non era successo.

"Non l'avrà fatto apposta, non mi ha messo la lingua in bocca... E poi lo champagne l'ha portato a te..."

"Davvero non ti sei accorto?"

"Non ci ho fatto caso... Adesso lasciami dormire, mi sento stanco..."

"Sì, buonanotte Tom..."

Janicek non sapeva cosa pensare. Lo guardava, nella penombra, girato dall'altra parte, la testa sul cuscino, i capelli sulla fronte, chiuso in sé stesso, gli occhi chiusi, rannicchiato... Ma che cos'ha?... Stava bene fino a quando gli ho detto che volevo scopare... Edward a momenti gli mette la lingua in bocca e dice che non se ne è accorto... Di solito si addormenta appoggiato a me, e adesso è lì così... Qui c'è qualcosa... C'è qualcosa che non funziona...

Per fortuna la notte passò tranquilla, e al mattino dopo, giù in salone, davanti all'albero, al momento dell'apertura dei regali, Thomas si era completamente rimesso, e ad Janicek era tornato il sorriso. La mattinata se ne andò così, e il pranzo fu l'occasione per stare tutti insieme in una giornata di festa. Più tardi, nel pomeriggio, mentre qualcuno era uscito in giardino per prendere una boccata d'aria fresca, e Pavel e Frank si erano attardati in camera da pranzo, parlando dei nipotini che sarebbero arrivati, gli altri, nel salone dell'albero, conversavano del più e del meno, baloccandosi coi regali, in attesa di una benvenuta tazza di tè. Proprio mentre stava per suggerire quest'idea, a Klara suonò il telefono. "Sì... Ciao cara... Certo... Figurati... Anche a te... A presto". Olga era vicino a lei, e guardò la sua espressione.

"Che faccia, mamma, chi era?"

"Indovina..."

"Non mi dire..."

"Sì, proprio lei..."

"Lei chi mamma?" le chiede Janicek, che si era avvicinato con Thomas al divano dove era seduta, per prendere un cioccolatino dal vassoio sul tavolino davanti a lei. "Chi era?"

"Lei, AnnCecilie, per fare gli auguri..."

"Si vede che Edward non le ha risposto, e allora ha telefonato a te... Magari pensa che sia qui con noi e glielo teniamo nascosto..."

"Janicek, piantala..."

"Olga, l'hai vista anche tu..."

"Sì, l'ho vista..."

"Vista e sentita..." aggiunse Klara, parlando fra sé...

"Perché, cosa ti ha detto?" le chiese Janicek, incuriosito. Ecco, ci siamo, pensò Olga, e cercò immediatamente qualcosa per rimediare alla parola in più di sua madre. Troppo tardi.

"Niente di speciale" fece Klara, "è gelosa, tutto qui. È gelosa di quel ragazzo, di Edward, e vede quello che non c'è..."

"Sì, quella è matta", le rispose Janicek, col cioccolatino in bocca, mentre ne offriva un altro a Thomas, "secondo me è andata via di testa... Meno male che non lo ha fatto con me"

"Sì, ci è andata bene", aggiunse Thomas mentre prendeva il cioccolatino dalle mani di Janicek ed entrambi si sedevano sul divano, vicino a lei.

"Davvero..." rispose ad entrambi Klara, rincuorata dalla poca importanza che sembravano dare alla faccenda, e alle isterie di AnnCecilie. "E' proprio uscita di senno. È diventata gelosa anche di voi due..."
"Di noi due?"
"Mamma, lascia perdere" le disse Olga, temendo il peggio.
"Niente di speciale, cari", Klara continuò, correggendo il tiro, "le ha dato fastidio che tu faccia da agente ad Edward, e mi ha telefonato per dirmelo..."
"Questa poi... E tu cosa hai risposto?"
"Che avevi più numeri di lei per una consulenza del genere, ed era giusto che lui si fosse rivolto a te, e non a lei, per questa collaborazione..."
"Brava mamma..."
Schivata per un pelo, pensò Olga, che decise di dare una mano alla madre. "Sai perché è successo?" disse al fratello.
"No, perché?"
"Quando vi siete chiusi nella roulotte insieme a lui... Non ha più ragionato..."
"Toh, guarda... Si è accorta che le ha sbattuto la porta in faccia, e dire che siamo stati così attenti..." disse Janicek, finendo di mangiare il cioccolatino ed aprendone un altro.
"Magari è gelosa anche di te" commentò Thomas. "Sai che ridere... Gelosa di te e di Edward, o di me..." E lo guardò dritto in faccia. Questo è per il bacio sulla bocca, pensò. Così ti passa la voglia di rompermi le palle...
"Thomas, non dirne più", gli disse Olga, notando il suo sguardo verso il fratello, "sono sicura che a lei basta massacrare il povero Edward, e tutto il resto è una conseguenza"
"Che stia alla larga", commentò gelido Thomas, prendendo un altro cioccolatino dal vassoio, "non ho

voglia di parlarne... Tutti e due..."

Il mattino dopo, in macchina, mentre tornavano a Praga, Thomas era seduto tranquillo accanto a Janicek, e guardava i boschi pieni di neve scorrere fuori dal finestrino, coi suoi capelli sulla fronte, ed un grosso maglione indosso, col collo alto, verde come gli abeti ai lati della strada, come i suoi occhi. Era il regalo di Janicek, che, quando lo aveva visto nella vetrina del negozio, non aveva avuto dubbi ed era entrato subito a comperarlo.

"Senti, Tom, posso chiederti una cosa?"

"Sì, dimmi..."

"C'è qualcosa che non va?"

"No, perché?"

"E' che l'altro ieri non hai voluto... Per la prima volta mi hai detto di no..."

"Non so cosa mi è capitato... Lo sai che ogni tanto mi succede, ma mai come ieri... Mi sono sentito stanco, stanco..."

"Vorrei chiederti un'altra cosa..."

"Dimmi..."

"Non c'entra niente Edward, o AnnCecilie, o il fatto che lui mi ha chiesto di fargli da agente qui? Ieri mi hai guardato in un modo..."

"Edward mi fa paura, ho paura che rovini tutto..."

"Sei scemo? Non sarai geloso di lui?"

"No, geloso no... Dovrei?"

"Non dirne più..."

"Me lo sono visto davanti ancora, con quell'orologio in mano... Se ci penso mi fa paura"

"Ma è una tua fissazione, Tom, una mania..."

"Sì. Lo so... Andiamo a casa... Come sto con questo golf?"

"Sei uno schianto... È un regalo?"

"Sì, di un amico..."

"Pensavo che fosse del tuo grande amore..."

"In effetti... Ma è un segreto... Non dirlo in giro..."
Tornati a Praga, ripresero la vita di tutti i giorni. Ma per poco. Si avvicinava la sera dell'ultimo dell'Anno, e festeggiare era un obbligo che non dispiaceva a nessuno. In casa, rilassati sul divano, Thomas stava leggendo un libro, mentre Janicek curiosava sopra la sua spalla, cercando di leggere qualcosa anche lui.
"Tom, non mi dire che stai imparando a leggere..."
"Sì... Questo libro è uno dei tuoi... Vedi, ci sono le figure, poi tra un po' esce l'uomo nero che ti mangia..."
"No, è già qui, e adesso ti prende..." e gli afferrò una mano, infilandosi le dita in bocca e mordendogliele non tanto delicatamente. Nel bel mezzo di questo salotto letterario, a Thomas venne in mente che bisognava organizzarsi per fare qualcosa la sera del trentuno. Stava per dirglielo, quando suonò il telefono.
"Sì, ciao, dimmi tutto... Va bene... Lo dico a Thomas".
Riappoggiando il telefonino sul tavolo, Janicek gli chiese: "Olga e Michal ci hanno invitato a casa loro... Cosa facciamo?"
"Andiamo... L'importante per me è che non ci sia AnnCecilie"
"Non credo. Da come ne parla mia sorella, ho l'impressione che sia successo qualcosa"
"Lo penso anch'io... Ho l'impressione che non ci abbiano detto tutto, e che tua madre sia stata coinvolta in qualche modo"
"Eh, sì... Vuoi che stiamo a casa noi due da soli?"
"Quasi quasi... No, dai... vediamo un po' di gente, stiamo un po' in compagnia"
"Le dico che andiamo?"
"Certo..."
Quella sera, a casa di Michal, a festeggiare l'Anno Nuovo, c'erano tutti, o quasi. Ben vestiti, contenti. Sarebbe stato un peccato aspettare mezzanotte per aprire qualche bottiglia di vino, e così Michal aveva già

fatto un paio di giri per riempire i bicchieri che si vuotavano con la velocità del lampo. Tant'è che Olga ad un certo punto gli aveva chiesto, "un'altra? ancora? A mezzanotte non ce ne sarà più..."

"Evapora, non so cosa dirti. Non ti preoccupare, lo champagne per mezzanotte è in posto sicuro..."

"Dov'è?" gli chiese Petr, parcheggiato davanti al buffet, speranzoso in qualche assaggio anticipato, che sapeva non ci si sarebbe stato... Era venuto anche lui, con Martina. Anche Denisa, sempre bella, era stata invitata, e girava per la sala con degli altri amici. Una sola brillava per la sua assenza. Olga era stata categorica. Lei non sarebbe dovuta venire e nessuno doveva dirle di essere stato invitato qui da lei. Che sbollisse da sola le sue isterie e le sue infatuazioni. Prima le sarebbe spiaciuto, ma il tiro che aveva fatto a suo fratello per cercare di bruciare i suoi rapporti con Edward le aveva fatto cambiare opinione.

"Come hai fatto a non farla venire, Olga?"

"Semplice, fratello. Non le ho telefonato, e lei non mi ha chiamato."

"Quindi qualcosa è successo..."

"Pensa ai fatti tuoi..."

"Ho l'impressione che siano anche fatti miei... e nostri, vero Tom?"

"Lascia perdere..." rispose Olga ad entrambi, allontanandosi.

Era ovvio che fosse così. Ed era altrettanto chiaro che Olga non aveva voglia di parlarne.

"Chiediamo a Dagmar?" domandò più tardi Janicek a Thomas, quando la videro per un attimo sola, al tavolo dei rinfreschi, che si versava da bere.

"Ottima idea. Sentiamo. Magari con lei ha parlato"

"Forse Edward le ha detto qualcosa. Potremmo sapere qualcosa in più"

Olga aveva preparato un buffet straordinario e

Dagmar lo stava guardando, ammirata.

"Per cortesia, Dagmar, lasciane un po' anche agli altri"

"Sono a dieta... Ho deciso di controllarmi per qualche tempo"

"Dagmar, non sarai innamorata?"

"No... sì, no, forse... Non lo so... Di certo cominciavano a starmi stretti i vestiti, e ho pensato di correre ai ripari"

"Senti, volevamo chiederti..."

"Dimmi, Janicek..."

Tu per caso hai sentito Edward?"

"Sì, sa che siamo qui, e dopo mezzanotte ci telefona per fare gli auguri... Ha voluto essere certo che AnnCecilie non ci fosse..."

"Già... Ne sai niente di come mai Olga non l'ha voluta?"

"Se non lo sai tu..."

"Dagmar, per cortesia, diccelo! Qui gli unici che non sanno siamo noi..." le dissero all'unisono Thomas e Janicek.

"Olga non vi ha detto niente?"

"Che è uscita di testa..."

"Ce l'ha con tutti... Con te, con me, con Thomas... È diventata più gelosa di un caimano in calore..."

"Non sapevo che i coccodrilli si innamorassero..."

"Sì, Thomas, e invece dei cioccolatini ti regalano le borse... Piantala..." gli fece Janicek. E rivolto a Dagmar, "questo lo avevamo capito... Ma cosa è successo?"

"Anche Edward, non vi ha detto niente?"

"Noi sappiamo solo che ha detto a mia madre che le è spiaciuto di Edward, che ha chiesto a me di fargli da agente e non a lei..."

"Questa non la sapevo... La mia fetta della torta è che la ragazza ha telefonato a Patrik e gli ha detto che io esco con Edward e ci vado a letto insieme solo per fare dispetto a lei, per farla soffrire..."

"Non male... E Patrik cos'ha risposto?"

"E' stato forte... Ha detto che anche lui scopa con Edward, e non pensava di farla soffrire... Ma purtroppo l'amore è cieco, e non può farci niente..."

"Sempre peggio..."

"Sì, Janicek. Il fatto è che lei non si è accorta di essere presa in giro, e adesso, come dire, Patrik ha un problema..."

"E con te?"

"Patrik ed io abbiamo capito di essere amici, e di andare d'accordo così. Amici con benefici, come si dice... Se abbiamo voglia di stare insieme, ci stiamo... Ah, eccolo... Patrik, stavo dicendo a loro di AnnCecilie..."

Patrik li raggiunse, si versò da bere un bicchiere di vino, e si inserì nel discorso.

"Quella... Ve lo ha detto?... E' pazza... Adesso pensa che sia diventato l'amante di Edward, che non gli bastava avere voi due..."

"Noi due?"

"Come, non lo sai? Edward ti ha chiesto di fargli da consulente così ha una scusa per vedervi, e venire a letto con voi... Tutti e due insieme o uno alla volta, decidete voi. Più ovviamente scopare con Dagmar, e con me... Avanti il prossimo, come si dice... Chissà se ha tempo anche per lavorare..."

"Questa poi..." dissero insieme, quasi a sé stessi, Thomas e Janicek. Si guardarono, poi abbassarono gli occhi. Janicek mise un braccio sulle spalle di Thomas, e lui lo abbracciò stringendolo alla vita. Dovevano aspettarselo, pensarono, troppo felici per non essere invidiati...

"Ragazzi, non prendetevela" disse loro Dagmar, "da che mondo è mondo esiste l'invidia e gente che si diverte a farti del male... Pensate se Patrik ed io avessimo avuto un altro tipo di rapporto... cosa sarebbe successo?"

"Dagmar," gli rispose Thomas, "cosa facciamo?"

"Lasciate perdere", disse Patrik, "se date retta a queste cose non ne uscite più. Siete felici insieme, e chi vi vuole bene è contento di vedervi così uniti. Non date retta alle carogne. Quelle non bisogna ascoltarle, altrimenti è finita... Vero, Dagmar?"

"Verissimo", rispose convinta Dagmar, che si era accorta di quanto i ragazzi fossero rimasti colpiti dalle accuse e dalle falsità di AnnCecilie. "Adesso basta pensare a queste cose. È una serata bellissima e tra poco è mezzanotte. Pronti a baciarsi sotto il vischio e ad esprimere un desiderio?"

"Certo che ce l'ho, un desiderio," ribatté Janicek, che quel caimano finisca sotto un treno..."

"No, Janicek, no... Mai desiderare il male degli altri, si ritorce contro di noi. Facciamone un altro, di desideri. Abbiamo solo da scegliere... Un viaggio insieme... Ti va?"

"Ne ho un altro... Insieme sì, ma non un viaggio... troppo poco..."

"Non si dice, altrimenti non si avvera... Non è così, Dagmar?"

"Sì, è così, se no non succede niente..."

Poco prima di mezzanotte come per incanto apparvero le bottiglie di champagne, i bicchieri per il brindisi, e tutti rimasero in attesa di quei fatidici secondi. I tappi volarono, e poi tutti a baciarsi sotto il vischio. Il bacio che si scambiarono Thomas e Janicek fu di quelli da far evaporare anche il ghiaccio al Polo Nord.

"Ehi, ragazzi", fu il commento a caldo di Dagmar, quando, a cose fatte, li vide ancora avvinghiati, sorriderle, colpevoli e felici, "attenti, se vi vede Edward è geloso..."

"Questo è niente, sai la faccia di quella strega" aggiunse Olga, poco lontana da loro, alla quale non era sfuggita la scena a luci rosse, "anzi, quasi faccio una foto e gliela mando, con tanti auguri..."

"Sì, di pronta guarigione... lascia perdere, Olga", le disse Michal, dietro di lei, "non ci pensare... Se, come credo, è rimasta a casa da sola e nessuno le ha telefonato, forse capirà di avere sbagliato..."

"Nessuno la vorrà più... Se Edward la manda al diavolo, e lei torna a cercarci, chi la vuole..."

"Sì, Olga," le rispose Dagmar, "nessuno la vorrà più vedere. Nemmeno adesso... Con quello che ha detto, e fatto..."

"Una foto ad Edward mandiamola", disse Patrik, intervenendo nel discorso, "sarà contento di riceverla..."

"Gli scriviamo che AnnCecilie non c'è perché è su un aereo e sta venendo a New York per stare con lui..."

"Dagmar, piantala... Povero Edward, ci mancherebbe anche questa..."

Più tardi Edward telefonò, ringraziando della foto e notando anche lui la mancanza significativa di AnnCecilie. Quando gli fu detto che era su un aereo e stava venendo da lui, ci fu un momento di silenzio, e, poi, attraverso il vivavoce, un grido strozzato pieno di panico...

"Ma non ha il mio indirizzo..."

"Glielo abbiamo dato noi, non sei contento?"

"Janicek, piantala!... Ho capito, mi prendete in giro..."

"Ce ne hai messo di tempo... Adesso cosa fai?"

"Sto andando a casa di amici... Saluta tutti... Ciao Thomas, ciao a tutti e grazie..."

Thomas rimase silenzioso. Ci mancava solo che salutasse me in particolare... Adesso chi lo sente... Quando si erano baciati sotto il vischio, Thomas aveva dato tutto sé stesso, gli si era abbandonato completamente. Anche Janicek, in verità. Se ne era accorto, tutti e due avevano paura di perdersi, le calunnie di quella strega li avevano impauriti. Ma non era solo quello. Aveva avuto l'impressione che Janicek cercasse di riaffermare il proprio diritto, la proprietà del suo cuore, del suo corpo. Gli aveva fatto capire che era suo, che avrebbe dovuto essere sempre e solo suo... Che non avesse in mente nessun altro, mai, e poi mai. Come fare, per rassicurarlo... C'era lui, e solo lui, soltanto lui, per adesso e per sempre... Quella maledetta... E ci si metteva anche Edward... Ciao Thomas... Ma non poteva stare zitto...

"Cos'hai, Thomas?, sei silenzioso..."

"Janicek, ce ne andiamo?"

"Adesso? E dove vuoi andare?"

"Voglio andare sul ponte, dove ci siamo baciati quando nevicava, ti ricordi?"

"Sì che mi ricordo... Come mai?"

"Voglio andare sul ponte, e voglio che mi baci fino a far sciogliere la neve..."

"Ma adesso la neve non c'è, l'hanno tolta..."

"Allora fino a far sciogliere il ponte..."

"Esagerato, non ho la fiamma ossidrica..."

"Ma sì che ce l'hai..."

"Dillo ancora e mi brucio i pantaloni, e non sta bene..."

"Andiamo..."

"Quando vanno via gli altri... Ce la fai ad aspettare?"

"Proverò. Tu resta in zona..."

A Thomas tornò il sorriso. Non solo per la promessa di tornare su quel ponte, e rivivere quel momento di felicità, ma anche per avere intuito che i sospetti di Janicek, le sue paure, si erano sciolti come la neve sulla strada, sulle rotaie del tram. Era tutto rientrato, e l'Anno Nuovo sarebbe stato un anno meraviglioso.

Era quasi mattina quando se ne andarono. Dopo aver salutato tutti, con l'accordo di vedersi e di sentirsi presto, si avviarono. L'aria era fresca, la città piena di luci, e la gente si attardava per le strade. Camminava, chiacchierava, si scambiavano gli auguri con gli altri passanti. A piedi, passando per il centro, per la piazza Venceslao, e poi, lungo la Narodni, senza premura, guardandosi intorno, arrivarono al ponte. La Moldava li aspettava, scura, silenziosa... Fredda.... Sopra di loro lontano, il Castello, coi palazzi, le finestre illuminate per qualche festa... Splendido, si trovò a pensare Thomas, osservandolo di sfuggita. In un altro momento no, si sarebbe fermato per ammirarlo, come faceva di solito, ma adesso voleva arrivare in fretta dove si erano baciati, a metà del ponte. Janicek lo abbracciava tenendogli una mano sul collo, e lui gli si appoggiava con la testa, piegandola appena sulla sua spalla. Arrivati a metà ponte, si fermarono, e si guardarono intorno. Il traffico era scarso, e la gente a piedi anche. Il fiume mandava un'aria fredda, e i passanti non indugiavano più di tanto per ammirare il panorama.

"Non nevica..." disse Janicek sottovoce, quasi nell'orecchio di Thomas, spostandogli delicatamente con le dita i capelli che spuntavano dal berretto...

"Tu bruciami lo stesso..."

Fu mentre lo baciava, mentre era perso per lui, che si sentì male un'altra volta. Per un attimo vide tutto nero, gli girò la testa, gli mancò il fiato...

"Cosa c'è, Tom?"

"Portami a casa, Janci, portami a casa..."

Capitolo 31

"Cos'hai, Tom?... rispondimi..."

"Non lo so... Non mi sento bene... Mi manca il fiato..."

"Andiamo a casa?"

"Sì, portami a casa... Andiamo..."

Si avviarono verso casa, lentamente. Janicek aveva preso Tom per la vita, abbracciandolo e sostenendolo insieme, guardandolo mentre camminavano. Thomas teneva gli occhi bassi, e si appoggiava a lui anche se, lo capiva, cercava di non pesargli troppo. Attraversato il lungofiume, sempre adagio, presero la Narodni. Janicek vide passare un taxi libero e lo fermò. Thomas non riusciva a camminare, era chiaro, e quel taxi capitava a proposito. Saliti che furono, e dato l'indirizzo di casa, Thomas gli prese la mano senza farsi vedere dal tassista, e gliela strinse. La stretta era debole, e la mano era fredda, più di quanto il freddo della notte potesse fare pensare. Rimase così, il capo chino, gli occhi socchiusi, senza una parola. Il tassista guardò nello specchietto retrovisore, con la voglia evidente di conversare, ma incrociò solo lo sguardo di Janicek. "Il suo amico ha esagerato, mi sembra. Va bene, non è importante, almeno a Capodanno non è un problema..."

"No, non ho bevuto", Thomas alzò la testa per rispondere. La voce era debole, e Janicek capiva che stava male, "ho preso freddo, tutto qui... Ho voglia solo di andare a casa..."

"Dai, Tom, tra cinque minuti ci siamo, non ti preoccupare".

Mentre parlava continuava a tenergli la mano. Era sempre fredda, anche se la stretta diventava più salda. Poi Tom rialzò il capo, e lo guardò. Janicek si sentì subito meglio, era davvero spaventato, e vedere che le cose stavano rientrando nella normalità lo confortava.

"Mi dispiace, devo avere preso freddo... Ho rovinato tutto quanto..."

"Non dire stupidaggini... Adesso come va?"

"Andrà meglio a casa..."

"Siamo quasi arrivati, non ti affaticare..."

Salire le scale fu un problema. Furono costretti a fermarsi più di una volta. Thomas si appoggiava al corrimano, prendeva fiato, e poi saliva qualche altro scalino. Fino a casa.

"Ti aiuto ad andare a letto?"

"No, grazie, vorrei stare un po' qui, seduto sul divano..."

"Sicuro?"

"Sì, va meglio, anzi va bene... Non ho voglia di andare a letto subito..."

"Chiamiamo il medico?"

"No, non c'è bisogno... Devo avere preso freddo per davvero, e adesso sta passando... Non c'è la slivoviz?"

"Sì... Mi hai fatto prendere uno spavento..."

"Esagerato... Dai, prendi la bottiglia, versiamone un po'..."

Janicek si alzò dal divano, prese la bottiglia, i due bicchieri e li riempì. Ne diede uno a Thomas, e lo osservò. Beveva lentamente, come assaporando il liquore, non tutto d'un fiato come faceva di solito. Lui bevve il suo.

"Ne vuoi ancora?" gli chiese quando ebbe finito.

"Sì, grazie"

Mentre beveva il secondo bicchierino lo osservava. Riprendeva colore, lentamente, lo sguardo tornava vivido, non era più spento come prima. Era stato male, era evidente. Era stato male davvero, e non capiva cosa poteva essere stato. Non era il freddo, era qualcos'altro. Si sedette di nuovo vicino a lui.

"Cos'hai voglia di fare?"

"Stiamo ancora qui, ti dispiace?"

"No, figurati"

Thomas si appoggiò a lui, mise la testa sulla sua spalla, e si addormentò quasi subito. Janicek gli mise un braccio intorno, e lo osservò mentre dormiva, con gli occhi chiusi, preso dalla stanchezza. Qui c'è qualcosa che non va, pensò, c'è davvero qualcosa... Non era possibile che sempre sul più bello lui si sentisse male. E questa volta peggio dell'altra. E non finge... La volta scorsa aveva avuto un dubbio, per la storia di Edward, ma questa volta no, per davvero. Edward non c'entrava per niente. Lo osservò ancora, abbandonato fra le sue braccia, suo, completamente suo... No, non c'è nessun altro, pensò, nessun Edward, nessuno... Sempre sul più bello... Oh, cavoli... Il pensiero lo colpì come una frustata. È colpa mia! Mi sono abituato a lui, e non ho più pensato alla sua sensibilità, a come lo colpiscono le emozioni... Non ci pensavo più... Mi vuole bene, certo che mi vuole bene... Mi ama, mi ama moltissimo e... anzi, troppo... Non è possibile... è così... È così. L'emozione di stare con me lo uccide... Questo ammazza anche me... Non si può andare avanti così... Cosa faccio, come fare? Rimase così, con questi pensieri, per un tempo di cui non si accorse, fino al momento in cui sembrò che si risvegliasse. Allora lo scosse un poco, lo aiutò ad alzarsi e, sempre tenendoselo abbracciato, lo portò in camera, lo aiutò a spogliarsi e lo mise sotto le coperte, accanto a lui. Thomas si riaddormentò immediatamente, con la testa sul suo petto.

Il giorno dopo passò tranquillamente. Nonostante le insistenze di Janicek, che voleva restasse a letto e si riposasse, Thomas si alzò e si vestì come gli altri giorni, assicurandolo che tutto era passato e che si sentiva bene, anzi, benone. L'unico guaio era che domani doveva andare a lavorare, e non ne aveva nessuna voglia.

"Ti porto e ti vengo a prendere, ma non mi fare scherzi, okay?"

"Sì, capito, non ti preoccupare..."

"C'è anche Patrik?"

"Sì, Patrik, Martina, Petr... Ci sono tutti"

"Sono simpatici, dovresti invitarli, dovresti uscire con loro qualche volta..."

"Tu dici?"

"Ma certo, sono i tuoi colleghi, dovresti vederli di più... Sono persone allegre, ci si sta insieme volentieri..."

"Se lo dici tu..."

Dopo qualche giorno, al lavoro, Janicek ricevette una telefonata.

"Oh, Edward, che piacere..."

"Sono tornato ieri, e avevo voglia di sentirvi..."

"Anche noi, anch'io... E con AnnCecilie?"

"L'ho vista stamattina. Sempre uguale..."

"Senti, hai voglia di venire a cena da noi? Sono sicuro che anche Thomas ti vedrebbe volentieri. Domani sera non suona, e abbiamo la serata disponibile"

"Perché no?"

"Okay? Ti aspetto alle sette, va bene?"

"Alle sette, a domani. Grazie"

Non si erano visti per tutto il giorno. Thomas aveva dei colloqui con la direzione, poi le prove, e infine la recita. Non era riuscito nemmeno a telefonare come al solito. Janicek lo aspettava all'uscita degli artisti e non lo vedeva arrivare... Non arrivava più... Quando apparve, fece finta di niente...

"E allora? Come è andata oggi?"

"Bene... Indovina..."

"Indovina cosa?"

"Mi hanno confermato il contratto per altri due anni..."

"Benissimo..."

"E mi danno due settimane di vacanza, il mese prossimo..."

"Questa è una buona notizia. Cosa pensi di fare?"

"Non lo so... Tu cosa hai in mente?"

"Sono le tue vacanze, non le mie..."

"Cosa vuol dire?"

"Vuol dire che io dovrò andare in ufficio tutti i giorni come al solito..."

"Non ci pensavo... Non puoi prenderti qualche giorno, per andare da qualche parte..."

"Chiederò, ma non penso proprio..."

"Che peccato..."

In macchina, mentre tornavano, Janicek lo guardò. Seduto accanto a lui, aveva ripreso quella sua abitudine di tenere gli occhi bassi, nascosti dal ciuffo di capelli che gli scendevano sulla fronte. Gli occhi nelle scarpe, come gli diceva lui i primi tempi che si conoscevano...

"Thomas, mi sono dimenticato di dirti..."

"Cosa?..."

"Domani sera viene a cena Edward... L'ho sentito oggi, e ha detto che ha voglia di vederti..."

"Ah sì?..."

"Sì, e allora gli ho detto di venir da noi..."

"Bene..."

"Sai, ha detto che con AnnCecilie le cose non sono cambiate, e voleva vederci, stare con noi, parlare con me, con te..."

"Va bene, gli chiederò come sta..."

"Thomas, non è colpa mia se non mi danno due settimane di vacanza quando le hai tu... "

"Non hai nemmeno detto che le chiederai..."

"Sì che te l'ho detto, ma non mi ascolti... Ti ho detto che le chiederò, ma sarà difficile..."

"Se tu volessi..."

"Thomas, non fare il bambino... Non si può avere tutto nella vita, lo sai, no? Non dipende da me... Febbraio è un mese pieno di lavoro..."

"Avremmo potuto andare a sciare, in Svizzera, in Austria... Sarebbe stato bello..."

Così muori sulle piste, pensò. "Glielo chiedo, proverò a chiedere, ma so già che è no... Troverai qualcos'altro da fare..."

Troverai? Thomas lo guardò. Ma cosa c'è? Che cosa ha in mente?...

"A che ora hai detto che viene Edward?"

"Sarà da noi per le sette. Domani hai detto che non suoni, e mi è sembrata la serata giusta. Ci sei anche tu... E poi è più contento di vedere te, di me..."

Ci risiamo, pensò. Ma non capisce che non mi importa niente di Edward, che ci sia o non ci sia su questa terra per me è del tutto indifferente... Adesso capisco...

"Guarda che a me di Edward non importa niente..."

"Non dire così... È un ragazzo simpatico, in gamba... Ci vede volentieri... è anche bello, te ne sei accorto?... Te lo ricordi, in costume, quando siamo andati a trovarlo sul set?... Sicuramente deve avere un gran bel fisico..."

"Non lo so, chiedilo ad AnnCecilie... Lei lo sa senz'altro..."

Ho esagerato, pensò Janicek, ma come faccio? Se succede qualcos'altro questo mi muore fra le braccia... Ma non potevi essere diverso, come tutti gli altri, senza metterti a piangere ogni volta che starnutisce un passero?

"Dai, domani lo facciamo parlare, ci facciamo raccontare i suoi guai... ci divertiamo un po'. Così impara a stare dietro a quella là, cosa ne dici?"

"Compriamo una bottiglia di vino..."

Salvato, pensò Janicek. Il giorno dopo, nell'intervallo per il pranzo, comprò il vino. In mattinata, per scrupolo, aveva chiesto se avrebbe potuto avere qualche giorno di vacanza a febbraio, e con suo disappunto, gli fu risposto di sì. Non ci sarebbero stati problemi. Poteva senz'altro stare via una settimana, anche due, se lo avesse voluto. Non lo avrebbero pagato, ma poteva andare. Janicek aveva risposto che ci avrebbe pensato, che due settimane senza esser pagato gli pesavano un po'. Il discorso si era concluso così, e nessuno aveva insistito. Arrivato a casa, Thomas gli domandò se aveva chiesto per le vacanze.

"Niente da fare... Al massimo mi danno due giorni da appicciare a un sabato e domenica, e me li tolgono dallo stipendio... Sai cosa pensavo?"

"Dimmi..."

"Perché non torni a Londra dai tuoi? Sarebbero contenti di rivederti..."

Ci stavo pensando anch'io... Una settimana a Londra, e una in montagna... Potresti raggiungermi, da una parte o dall'altra. Quattro giorni sono meglio di niente..."

"Potrei venire a Londra, a conoscere i tuoi..."

"Sì... Se vieni a Londra allora non vado in montagna..."

Meno male, pensò Janicek. A Londra rivede sua madre, le sorelle... Sta tranquillo... Anzi, quando le vedo chiedo se sanno qualcosa della sua salute... Forse, se si cura, non fa star male anche me...

Alle sette, puntuale, arrivò Edward, portando, come da copione, un'altra bottiglia di vino.

"Veniamo al sodo", disse Janicek, dopo che si furono seduti a tavola, aperto la bottiglia di vino portata da Edward, e Thomas aveva messo fra loro tre la pentola col gulasch, "come sta andando con AnnCecilie?"

367

"Non mi chiedi neanche come è andata a New York dai miei?"

"Com'è andata a New York dai tuoi?"

"Bene..."

"Ecco, adesso dicci cosa è successo sul set con quella invasata"

"Non è cambiato niente, purtroppo..."

"E allora cosa conti di fare?"

"Non lo so... Per la fine del mese le riprese di questo film sono finite... Vedremo... Può anche darsi che vada a Londra col regista..."

"A Londra?" gli chiese Thomas.

"Sì. Lui è di lì, forse mi trova qualcosa da fare là..."

"E qui, scusa?", lo interruppe Janicek, "i nostri accordi, i contratti per la pubblicità?"

"Torno qui, e poi non è detto... Può darsi che il contratto per il serial arrivi lo stesso, e che AnnCecilie si metta calma, o almeno non peggiori..."

"Basterebbe che se ne trovasse un altro", fece Thomas.

"Potrebbe anche bastare che le schiarisca le idee una volta per tutte, e le dica chiaramente: mi hai sfracellato le palle, togliti di mezzo, basta così, vai via per sempre..."

"Magari funziona", concluse Janicek. "Hai detto che vai a Londra per la fine del mese?"

"Sì. L'idea è quella. Avrei comunque due o tre settimane prima di iniziare il serial, e vorrei farmi vedere negli studi di quelle parti. Sono molto importanti, ed essere conosciuti lì è sempre un miglioramento della carriera..."

"Anche Thomas sarà a Londra in quei giorni, vero Tom?"

"Sì. Molto probabilmente torno a Londra per un paio di settimane. Mi hanno dato delle vacanze e ne approfitto per vedere i miei"

"E vai a casa loro?"

"Ho un appartamentino, dove vivevo prima di venire qui. Adesso è affittato, ma l'inquilino alla fine del mese va via, e rimane libero. Mia sorella ha fatto un salto a vederlo, e mi ha detto che è in ordine..."

"A Londra dove?"

"A Chelsea..."

"Sei ricco... Sarai lì da solo?"

"No, viene Janicek. Riesce a avere quattro giorni, e viene a conoscere i miei, mia madre, le sorelle..."

"Edward, se sei su telefonagli... Vi potete vedere, uscire qualche sera insieme... non c'è niente di male, vero, Tom?"

"Se lo dici tu, magari quando arrivi tu..."

"Questo senz'altro, ma anche se non ci sono... Edward, se lo tratti bene..."

"No, non te lo butto nella spazzatura..."

Mentre Thomas e Edward continuavano fra loro la conversazione, Janicek li guardava. Osservava soprattutto Thomas, che finalmente gli sembrava rilassato, e per un paio di volte aveva riso alle battute di Edward, quando parlava dei modi più atroci per eliminare AnnCecilie e le streghe in genere dalla sua vita, e dalla vita di tutti i maschi vittime di analogo destino. Basterebbero un paio di amici in più, pensava, che non mi stesse più così addosso... Dei nuovi interessi, qualcos'altro... Un po' di libertà...

"Edward?..."

"Sì, Janicek?"

"Ce lo vedi Tom come attore?"

"Un attore?" Edward osservò Thomas attentamente. "Non lo so... Il viso è regolare, bisogna vedere come rende in fotografia, in due dimensioni... Bisognerebbe anche saper recitare, ma per molti è un optional..."

"Guarda che Tom fisicamente è uno schianto, lo so benissimo..."

"Janicek, per cortesia..." gli rispose Thomas mentre Edward si metteva a ridere, "Guarda che a lui di come sono io non gliene frega niente..."

"Se torno qui per il serial posso vedere... Magari qualche comparsata... Non è una cattiva idea, Janicek, anzi... Magari AnnCecilie cambia idea e si mette a sfracellare lui..."

"Noo, pietà..." fu l'urlo strozzato e divertito di Thomas.

La serata non finì male. Più tardi aprirono anche l'altra bottiglia di vino, e quando Edward se ne andò, chiamando un taxi per farsi portare in albergo, Thomas si rivolse a Janicek.

"Sai una cosa?..."

"Dimmi, Tom"

"Per la prima volta, questa sera, Edward non mi ha fatto paura... Non mi ha spaventato, non l'ho visto con l'orologio in mano..."

"Hai visto? Sono solo tue manie, era una fissazione... Sono contento che ti sia passata. A Londra cerca di vederlo, di uscirci un paio di volte..."

"E tu?"

"Anch'io, quando arrivo, ma intanto tu cerca di distrarti... Esci con lui, portalo in casa, fargli conoscere i tuoi..."

"Io, un attore?... Come ti è venuta in mente una cosa simile?"

"Non lo so, è venuta..."

I giorni passarono in fretta e l'idea di tornare a Londra a Thomas piaceva sempre di più. Sua madre e le sorelle lo aspettavano e avevano voglia di rivederlo dopo tanto tempo, e poi Janicek lo avrebbe raggiunto, sarebbero stati insieme a casa sua a Chelsea. Quando avrebbero avuto più tempo libero avrebbero potuto fare avanti e indietro più volte, passare dei week end su da lui. Anche Edward era simpatico, non gli faceva più paura, era un amico, e lo vedeva volentieri. Aveva avuto di nuovo qualche affanno, per un paio di volte gli era mancato il fiato, ma appena, ed era passato tutto subito. Una sera erano in casa tutti e due, e suonò il telefono di Janicek.

"Era Edward..."

"Ha ammazzato AnnCecilie?"

"No, ha detto se andiamo a trovarlo di nuovo sul set prima che tu parta per Londra..."

"Si può fare... Hai idea del perché?..."

"Secondo me vuole che gliela ammazziamo noi..."

"Magari hai ragione..."

Andarono di nuovo. Janicek era riuscito a ritagliarsi il pomeriggio libero, e Thomas non aveva né prove né recite.

"Ciao Denisa..."

"Ciao ragazzi, vi aspettavo. Edward mi ha detto che sareste venuti... Oramai fate parte del cast..."

"Potresti avere più ragione di quanto immagini... Sai che Edward ha detto che Thomas potrebbe fare l'attore?"

"Allora non sapete niente... AnnCecilie!" chiamò, rivolgendosi a lei che, poco lontano, li aveva visti e stava arrivando, "sono arrivate le due comparse che volevi per questo pomeriggio..."

"Forza, ragazzi, muoversi. Andarsi a cambiare. Tra venti minuti in scena... Leo vi dirà cosa fare..."

Era tornata lei. Non aveva più lo sguardo fisso e perso nel vuoto. Era fredda, determinata e divertita davanti allo sguardo interrogativo e perplesso di loro due, che guardavano lei e Denisa senza capire cosa dicessero, l'una e l'altra.

"Ehh?..."

Davanti alle loro facce si misero a ridere. Denisa più apertamente, AnnCecilie più fra sé e sé.

"Io non volevo, so che siete negati" spiegò loro AnnCecilie, "ma Edward ha tanto insistito, e abbiamo ceduto... E poi oggi dei figuranti non si sono presentati... "

"E allora?"

"Andatevi a cambiare. Sarete due contadini mezzo farabutti e mezzo cialtroni, che scappano nel bosco quando arrivano i soldati e i cavalieri... Leo vi dirà esattamente cosa fare, e poi siete con Edward. Lui è bravissimo, fa recitare anche i sassi"

"Dov'è?"

"E' quello là, piegato in due dal ridere, che vi aspetta..."

Catapultati nel mondo del cinema, il pomeriggio volò, e per loro fu divertente fare i contadini beoti e mascalzoni che scappavano ogni volta che vedevano Edward arrivare a cavallo. A fine giornata, rivestiti e risistemati, si videro con tutti gli altri sotto il tendone della mensa.

"Vi è piaciuto?" chiese Edward a loro.

"Sì, molto. Non ce lo aspettavamo proprio..."

"Janicek, l'idea è stata tua... sei stato tu a chiedermi se Thomas poteva diventare un attore..."

"Sì, ma non pensavo così in fretta..."

"Pensa, Thomas, adesso quando torni a Londra, potrai dire ai tuoi di aver recitato in un film, di essere un attore..."

"Davvero, Thomas?" gli chiese AnnCecilie, "davvero torni a Londra?"

Capitolo 32

AnnCecilie lo guardava interessata. "Davvero torni a Londra? E come mai?"

"Ho avuto due settimane di vacanza e vado a trovare i miei, le sorelle..."

"E quando parti?"

"Ho le prime due settimane di febbraio... partirò il sabato mattina, non so ancora, devo vedere gli aerei..."

"E tu, Janicek, cosa farai?"

"Sto qui... Lo raggiungerò quando potrò, per tre o quattro giorni..."

"Gli farò compagnia io", disse Edward, "sarò a Londra anch'io, proprio in quei giorni, e ci potremo vedere qualche volta... Ho il permesso di Janicek", aggiunse ridendo e strizzando un occhio verso di lui.

"Vai a Londra anche tu? Non mi hai detto niente..."

"Lo sai anche tu, le riprese qui sono quasi finite, così vado a Londra a farmi vedere, a cercare qualche scrittura, se la trovo..."

"E qui? Non hai quel contratto per il serial, quello dove devi essere il maestro del villaggio?"

"Non ho ancora firmato niente. Peggio, non mi hanno ancora dato niente da firmare, quindi non so cosa dirti..."

"Parlo io con Leo... Denisa, tu ne sai niente?"

"No, ho l'impressione che le cose slitteranno di un paio di mesi, e che per un po' Edward non sarà dei nostri..."

E' fatta, pensarono insieme Edward, Denisa, e gli altri. Vediamo se le passa... AnnCecilie non rispose. Si limitò a guardare prima Edward, e poi, a lungo, Janicek. "Ma poi torni, vero, Edward?"

373

"Dipenderà da te, sei tu che comandi qui..."

"E la pubblicità? I tuoi contratti commerciali?"

"Janicek non mi ha ancora trovato niente... Se trova qualcosa arrivo, vengo subito, non è così, Janicek?"

"Sì, purtroppo è così. Per questo mese non c'è niente all'orizzonte. È molto probabile che ci sia qualcosa di interessante, di adatto al suo livello, per la fine di febbraio, o marzo, ma per il momento tutto tace..."

In effetti i contratti c'erano già, proprio per il mese di marzo. Sarebbe stato impegnato quasi tutto il mese, ma erano rimasti d'accordo di tenere nascosta la cosa, per cercare di liberarsi dalla morsa di AnnCecilie, che però sembrava stesse perdendo l'interesse morboso che aveva per lui.

"E così per un po' ci lasci, vai a Londra, con Thomas... Sono sicura che ti divertirai. Poi tornate insieme, negli stessi giorni, intendo..."

"Non lo so", rispose Thomas, "io di certo sto via due settimane, e torno con Janicek quando viene a trovarmi, Edward non lo so... Quanto pensi di fermarti?"

"Dipende, Thomas. Se trovo lavoro, se mi danno il lavoro qui, non so ancora..."

AnnCecilie guardò ancora Janicek, poi Thomas, poi Edward. "Denisa", disse, voltandosi verso di lei, "quando potremo sapere qualcosa?"

"Presto, spero presto, ma non prima di due o tre settimane. Purtroppo è così, non dipende da me..."

"E' un peccato..." AnnCecilie sembrava avere assorbito la botta meglio di quanto si temesse, o almeno così sembrava. D'accordo, non era da lei asciugarsi le lacrime con l'angolo del fazzoletto, o implorare l'ultimo bacio mentre il treno partiva perdendosi nella nebbia, ma, viste le premesse, qualcosa di più sentito di "è un peccato", se lo aspettavano tutti. Edward la guardava. Non sarà tornata normale? pensava tra sé. Sarebbe troppo bello, tutto sistemato. Potrei tornare qui a lavorare, altro che Londra. Su non ho assolutamente niente da fare, andrei a vendere le noccioline all'angolo di Piccadilly...

Oramai mancavano pochi giorni alla partenza di Thomas. A Londra lo stavano aspettando, e il suo appartamentino era tornato libero. Poteva stare a casa sua, e godersi le sue ferie in libertà. Janicek si era abituato all'idea di stare dieci giorni senza di lui, ed anzi, visto tutto quello che era successo, gli sembrava un'ottima idea allentare i rapporti almeno per un paio di settimane. Lo avrebbe raggiunto alla fine delle vacanze, forse, ed Edward gli poteva fare compagnia per due o tre serate. E poi lui aveva i suoi amici di Londra. Non ne parlava quasi mai, ma qualcuno doveva avere, qualcuno che avesse piacere di rivedere, con cui passare una serata in qualche pub. Si sarebbe distratto, e gli avrebbe fatto solo bene. Ci voleva questa vacanza, ci voleva davvero. In ufficio le cose procedevano senza più problemi del solito, e l'avere agguantato uno del calibro di Edward per i contratti pubblicitari gli era valso il rispetto dei colleghi, e del suo capo, che l'aveva chiamato un giorno, facendogli i complimenti e facendogli capire che stava considerando un suo avanzamento di livello, o addirittura una futura partnership. Meglio di così... Era con questo stato d'animo che un pomeriggio in ufficio, proprio due giorni prima della partenza di Thomas, ricevette una telefonata.

"AnnCecilie? Che sorpresa..."

"Spero di non disturbarti..."

"No, dimmi tutto..."

"Volevo solo sentirti, e poi, visto che Thomas ed Edward tra poco vanno via, se hai voglia, potremmo rivederci, e fare due chiacchiere... Così, come amici, senza nient'altro..."

"Non lo so, mi lasci perplesso..." e intanto pensava, in fondo, perché no?

"Io posso avere sbagliato molte cose, ma ci conosciamo da tanto... Avremmo un sacco di cose da dirci, se non altro parlare dei bei tempi passati, dei nostri nuovi amori... Cosa ne dici?"

"Si potrebbe anche fare... adesso non so dirti quando, ma se vuoi, una sera ci possiamo vedere..."

"Okay, d'accordo. Una di queste sere. Ci sentiamo, va bene?"

"Sì, a presto"

In fondo, pensava, perché no?... Quando diceva dei giri a tre... Chissà se li ha ancora in mente... Magari a quattro, con Edward... Sono quasi sicuro che a Tom non dispiacerebbe... No, c'è AnnCecilie... Quella, lui non la vuole vedere... Lasciamo perdere. Non è ancora partito, sta via due settimane, e io ho già in mente queste cose... Però...

Sabato mattina Janicek aveva accompagnato Tom all'aeroporto.

"Ho lasciato il violino a casa, non lo vendere..."

"Veramente pensavo di regalarlo a Patrik, o di buttarlo via... Tanto, per quello che vale..."

"Niente scherzi, chiaro?"

"Scusa, ma a cosa ti serve? Oramai sei un attore affermato, un divo dello schermo... non vorrai continuare ad andare su e giù con quell'archetto per tutta la vita..."

"Janicek..."

"Vai, muoviti, la coda al metal detector è lunga un chilometro, va a finire che non parti più..."

"Tu arrivi?"

"Sì, vai..."

Aspettò che passasse il controllo dei documenti, lo salutò ancora quando si voltò prima di raggiungere i detector, poi si girò e si avviò verso casa. Più tardi aveva appuntamento con Olga e Michal, e la sera sarebbero usciti a cena insieme. Dopo sei mesi, senza Thomas. Era quasi contento. Un po' di libertà, finalmente... Il potere stare qualche giorno per i fatti suoi gli dava un'ebbrezza leggera, e sapeva di proibito. Non avrebbe combinato niente, forse, ma se avesse voluto, avrebbe potuto fare di tutto e di più. Fantastico. Per stasera basta la pizza.

E così fu. Il mattino seguente si svegliò di malumore. Per la prima volta, dopo tanto tempo, aveva dormito in un letto vuoto, e non gli era piaciuto. Si era abituato a Thomas, ad averlo per lui ogni volta che voleva, al suo respiro. Gli mancavano i suoi capelli, la sua testa, quando si appoggiava a lui prima di dormire, le confidenze stupide prima di spegnere la luce. Sentiva che questa volta era come se dei fili si fossero staccati. E poi, inutile girarci intorno, ieri sera avrebbe voluto scoparselo, e non c'era... Gli era rimasta solo la voglia... La giornata passava pigramente. Nel pomeriggio, a casa, stava pensando di telefonare a Dagmar per vedere se avesse voglia di uscire a mangiar qualcosa, o semplicemente bere una birra, quando lo chiamò Edward.

"Ciao Edward, ti pensavo già in viaggio..."

"Parto martedì. Potrei passare da te tra venti minuti?"

"Vieni quando vuoi... Quando arrivi beviamo qualcosa insieme..."

"Okay..."

Quando Edward arrivò, e suonò il campanello della porta, Janicek, aprendo, non riuscì a trattenersi...

"Come mai sei qui? Ero convinto che fossi a letto con AnnCecilie..."

"Sta zitto..."

"Come, non è il tuo grande amore?" gli rispose ridendo mentre chiudeva la porta.

"Venerdì ho finito le riprese e sabato ci ho litigato. Non ne potevo più..."

"Parla"

"Sabato c'è stata una festa nel tendone della mensa. Del vino, delle tartine..."

"Un cocktail per la fine delle riprese qui a Praga, un cocktail di arrivederci, insomma..."

"Esattamente, e lei si è appiccicata come una medusa, si è messa a fare la gattina tutta mielosa..."

"Lei?, AnnCecilie?..."

"E io non ci ho visto più... Le ho detto che non ne potevo più di lei, che avevo altri interessi sentimentali, e per lei non c'era posto... Il problema è che c'erano altre persone vicino, e hanno sentito tutto, anche Denisa e il suo capo..."

"Leo?"

"Sì, proprio lui... Per fortuna sono riuscito a stare calmo, a comportarmi civilmente, senza urli e senza metterle le mani al collo..."

"O darle un calcio nel sedere..."

"Esattamente. Comunque Leo mi ha sentito mandare al diavolo la sua pupilla, e adesso chissà..."

"Le hai detto che avevi un'altra? Che hai una donna a New York, o qualcosa del genere?"

"No, le ho detto che non era lei che mi interessava, ma un'altra persona..."

"Non le avrai detto che esci con Dagmar?..."

"No, non ho fatto nomi... Le ho solo detto che nel mio cuore non c'è lei ma qualcun altro..."

"E come l'ha presa?"

"Tu lo sai? Mi ha sorriso, si è voltata ed è andata via..."

"E Leo?"

"Mi ha detto che non sapeva di questa situazione, che gli spiaceva, e che AnnCecilie è una così bella ragazza da trovare difficile che le abbia detto di no..."

378

"In pratica è come se avessi detto di no a lui..."

"Proprio così... Stiamo a vedere... Al momento ho poche speranze..."

"Non è detto... Denisa sa quello che è successo, e ne parlerà con Jirina. Vedrai che insieme convinceranno Leo... E poi..."

"E poi?..."

"Conoscendo AnnCecilie, forse aveva già cambiato idea... Si è messa a far la scema con te tanto per divertirsi, e in mente ha già qualcun altro... Con me ha fatto così... Io stavo già con Thomas, ma lei non lo sapeva... Faceva finta di pensare a me, e intanto si era messa con te..."

"Però... Sapevo della storia, ma non immaginavo che i tempi fossero così compressi..."

"Pensavi uno alla volta? Non è da lei..."

"Che ragazza previdente... Ma anche tu..."

"Ho fatto il tuo errore, ma è andata meglio... Con Thomas è stata una valanga, e lei era così impegnata a pensare a sé stessa che non si è accorta di niente, e quando sono andato per dirle basta, lei ha fatto la cortesia di liquidarmi prima. Quindi, anche con te può essere la stessa storia... Per me ha già in mente un altro..."

"Sai chi è?"

"No, non lo so... Non so a chi pensare..."

"Si mettesse con Leo..."

"No, è troppo furba per farlo... C'è Jirina... Sono troppo legati... Avrà in mente qualcun altro..."

"Se dici così, forse ci sono delle speranze..."

"Potrebbe essere, parla con Denisa..."

"Parlerò... E quella birra?"

"Andiamo... Vuoi che chiamiamo Dagmar?"

"Perché no?"

Durante la serata, anche Dagmar convenne con l'analisi di Janicek. Sì. AnnCecilie era fatta così. Per lei l'amore era un gioco in cui le piaceva vincere. Se la partita si metteva male, abbandonava, come negli scacchi, ed era bravissima a lasciare il campo per prima. Una vera maestra...

"E Thomas, Janicek? È già a Londra? Mi sono talmente abituata a vedervi insieme che avere davanti te senza lui al tuo fianco mi suona strano."

"Non dirlo a me... La casa è vuota, il letto è vuoto..."

Domani vai in ufficio, non ci pensare... Poi ci siamo noi, e due settimane passano in fretta. E tu, Edward, quando torni?"

"Tra un mese, Dagmar, ma non dirlo a nessuno..."

"Scusa, Ed, ma oramai cosa ti importa?"

"E' vero, Janicek, ormai mi sono liberato del problema... Sì. Torno tra un mese, Dagmar. Janicek mi ha procurato dei bei contratti per la pubblicità, e sicuramente starò qui tutto il mese di marzo. Poi si vedrà..."

"Ti piacerebbe venire ad abitare qui?"

"Non è New York... Ma tutto è possibile... Siamo nel cuore della vecchia Europa, e tutto sembra una danza... Segnata dal Destino..."

"Questa sono le parole di Thomas, le prime volte che ci vedevamo, vero Janicek?"

"Sì, Dagmar, il Destino... Per un po' ci lascia liberi, poi ci fa passare sotto qualche porta, e poi avanti, fino alla prossima... Thomas ha questa ossessione, che non possiamo fuggire dalle nostre prove su questa terra..."

"Non è stupido..."

"Neanche un po', Edward... Se non avesse quella sensibilità esasperata, patologica..."

"Janicek, lo hai sempre saputo fin da quando lo hai visto..."

"Sì. Vive gli avvenimenti, le emozioni, più intensamente degli altri. Su di lui lasciano il segno..."

"Di questo me ne sono accorto subito, fin da quando

siete venuti a trovarmi sul set..."

"Sì, eravamo venuti per parlare con AnnCecilie e dirle che era finita, ed è stato quando lei ci ha preceduto... Era naturale che Thomas fosse nervoso... Per fortuna, sì, posso dire per fortuna, appena arrivati abbiamo visto che vi stavate baciando, e tutto è stato più facile..."

"Aveva ragione Olga, allora...", lo interruppe Dagmar, "e pensare che non ho detto niente in giro... da buona amica avrei potuto romanzarci per un mese..."

"Sì, se poi aggiungi che era andato col suo nuovo amore, che oltretutto, casualmente, non era un'altra donna, ma Thomas..."

"Già, niente male, Edward..."

"Già, niente male... Comunque, tornando al discorso, quando eravate di fronte a me, a pranzo, vi osservavo, e capivo che lui viveva tutto in modo più intenso degli altri, e..."

"E..."

"E intanto era evidente che stavate insieme, tanto è vero che pensavo che AnnCecilie lo sapesse e non desse peso alla cosa..."

"Non male, ero andato lì per piantarla..."

"Sì, l'unica a non notarlo è stata lei... A parte questo, è stato il modo in cui Thomas guardava gli altri, a come abbassava gli occhi per pensare, ai suoi silenzi..."

"Sì, non ha detto niente tutto il tempo..."

"Piantala, Janicek... Si capiva che dentro aveva il fuoco, ti guardava e intanto chissà cosa pensava, cosa vedeva... Ha qualcosa, è un ragazzo straordinario..."

"Sì, ma certe sue reazioni sono eccessive..." Janicek pensava a quelle volte che Thomas si era sentito male e, accidenti, si era sentito male anche lui, per lo spavento, "reagisce in modo sproporzionato a quello che gli capita, non va bene, fa star male tutti..."

Dagmar lo redarguì. "Proprio tu dici così, che se ha un colpo di tosse lo porti all'ospedale..."

Ecco, pensò Janicek... Dovevo portarlo in ospedale e lasciarlo lì... Boh, adesso è a Londra, ci penseranno i suoi...

"Poi, conoscendolo", continuò Edward, "ti rendi conto che ha dei numeri..."

"Sì, col telefono è bravissimo... Come è bravo a rispondere solo quando ne ha voglia è una cosa da non credere..."

"Non dire così", gli rispose Dagmar, "è naturale che quando prova, o è impegnato in qualche recita, non possa rispondere. Anche quando studia e si deve concentrare molto, non può piantar lì per rispondere a sua madre che sì, si è messo la maglietta di lana..."

"Qualche volta non risponde neppure a me..."

"Janicek, per non rispondere a te vuol dire che sta male, o che ha paura di sentirsi male a risponderti..."

Janicek fece finta di niente, ma aguzzò le orecchie.

"Cosa vuoi dire, Dagmar?"

"Vedi, qualche volta, quando sei follemente innamorato di una persona, ed è lui che ti chiama, hai quasi paura di rispondere al telefono... è quasi come tornare sulla terra e rompere l'incanto, la magia di un sogno d'amore..."

"Dagmar, ma sono io, viviamo insieme..."

"Sì, ma sei la realtà... Forse qualche volta gli piace sognarti, e poi, al momento giusto, risponderti, e trasformare il suo sogno in realtà..."

"Siamo al delirio... sono qua, vero, in carne e ossa... Viviamo insieme, dormiamo nello stesso letto, e lui non mi risponde perché preferisce sognarmi... Follie..."

"Coraggio, Janicek", gli rispose Edward ridendo, "benvenuto nel mondo degli artisti. Per noi è importante anche sognare, non solo vivere... Vivi i tuoi sogni e convinci gli altri che è tutto vero, che anche i sassi parlano..."

"E gli asini volano... A proposito, hai detto che parti martedì... sei da solo o con tutto lo staff?"

Edward si mise a ridere, insieme a Dagmar. "no, siamo solo io e il regista... Mi ha trovato posto in un residence vicino a casa sua. L'ho prenotato per un mese soltanto. So di tornare, e anzi dovrò pensare a una sistemazione quando sarò qua, alla fine del mese..."

"Nel mio letto!... Vieni nel mio letto!" L'invito di Dagmar non si fece attendere. "Ci starai comodissimo, ci saremo solo noi due..."

"Grazie, Dagmar, pensavo a qualcosa di più autonomo..."

"Edward, per davvero. C'è l'appartamento di mia sorella, che è vuoto. Lei è andata a vivere con Michal e la casa è vuota. È in centro, e per una persona sola è perfetto."

"Tu dici?"

"Sì. Se vuoi la chiamo subito e glielo dico. Cosa ne pensi, Dagmar?"

"Preferivo nel mio letto, ma così va benissimo. È una bella casa, ti troverai bene, Edward. C'è anche un posto per la macchina, quindi se vuoi puoi prenderne una, o noleggiarla, e non hai problemi di parcheggio."

"Aggiudicata?"

"Okay, Janicek. Aggiudicata."

"Senti, c'è un'altra cosa, e resti fra di noi. Mi raccomando, Dagmar, non una parola..."

"Senz'altro, fidati. Cosa c'è?"

"Edward, adesso vai a Londra..."

"Sì..."

"Da' un occhiata a Thomas... Ha dei problemi di salute, e ogni tanto non si sente bene. Non riesco a capire che cos'ha, penso che le emozioni gli facciano dei brutti scherzi..."

"E cioè?"

"Vede nero, gli manca il fiato, e poi sta male, e si sente stanco, molto stanco. Cerca di vederlo una volta in più, e casomai parla coi suoi... Okay?"

"Non sapevo. Mi spiace... Fidati"

Dagmar osservò Janicek, perplessa.

Capitolo 33

"Scusa, cos'hai detto che ha?"

"Non lo so, Dagmar, è quello che ti ho detto. Ha un problema, ma secondo me deve smettere di star male ogni volta che appassisce un fiore. Non è questo il modo di affrontare l'esistenza. La vita è fatta anche di lotte, e di pugni in faccia..."

"Sì, questo senz'altro", convennero insieme Edward e Dagmar.

"Lui ottiene tutto senza lottare, senza dover mai tirar fuori le unghie... Nel lavoro... E anche nella vita, ha trovato me che sono caduto ai suoi piedi appena l'ho visto, appena ha aperto la porta del taxi e me l'ha sbattuta sulle palle... Aveva già vinto e non lo sapeva. Non lo sapevo neppure io, ma ho fatto in fretta a rendermene conto..."

"Posso capire..." disse Edward, pensando al fremito che aveva provato quando, per la prima volta, lo aveva baciato sulle guance, e poi a quello, ancora più intenso, a Natale, quando gli aveva sfiorato le labbra baciandolo con la scusa di fargli gli auguri. "Posso capirti, con lui è facile caderci..."

Janicek lo guardò. "Solo che adesso è troppo... Sul ponte, a Capodanno, quando siamo andati dopo la festa di Olga. Sul ponte, ci siamo abbracciati per darci il Buon Anno, e a momenti mi muore tra le braccia..."

"Addirittura?"

"Sì. Dagmar. Uno spavento che non ti dico... Non è un modo di vivere da persone normali. Qualche volta sono stanco..."

"Forse non sono le emozioni, ma qualcos'altro..."

"Tu dici?... Non so... Ti risparmio i dettagli, ma non era la prima volta che succedeva..."

"Un medico?..."

"Non vuole andare. Dopo si sente bene e dice che non è niente, che sta benissimo."

"Però..."

"Sì, Edward, quando sei a Londra devi fargli capire che ha bisogno di curarsi. A me non da retta, a te forse sì"

"Ne parlerò con sua madre, le sorelle... Sentirò cosa dicono..."

La serata finì così. Edward senz'altro avrebbe visto Thomas e lo avrebbe tenuto informato. Avrebbe chiamato anche Dagmar, che gli aveva chiesto la stessa cosa. Il lunedì passò in ufficio, come il martedì. Thomas gli telefonava tre volte al giorno, e la voce era tornata allegra, e normale. Lo aspettava, sua madre voleva conoscerlo, e si decidesse a prenotare il volo. E poi, va bene, quando telefona Edward gli dico di venire e usciamo insieme, contento? Sì, contento. Al martedì sera, rientrato dall'ufficio, si tolse le scarpe, si sedette sul divano, e non fece in tempo ad aprire la bottiglia della slivoviz che suonò il telefono.

"Ciao, sono AnnCecilie, ti disturbo?"

"No, sono appena tornato a casa... Come va?"

"Bene. Abbiamo appena finito le riprese di Edward. Adesso abbiamo un documentario, qualche spot. Il lavoro non manca... E tu? Thomas è partito?"

"Sì, è a Londra, è partito sabato..."

"Senti, hai voglia di vederci una di queste sere? solo per fare due chiacchiere, parlarci un po'..."

"Una birra?"

"Perché no?"

"Stasera?"

"La birreria sotto casa tua, alle otto e mezzo, va bene?"

"Perfetto. A più tardi".

Quando arrivò, Janicek era già seduto ad un tavolo ad

aspettarla da quasi dieci minuti. Era splendida, Janicek non se la ricordava così bella. I suoi occhi blu brillavano, e i capelli neri incorniciavano il viso dall'ovale perfetto.

"AnnCecilie, sei uno schianto..."

"Sei tu che hai cambiato gusti..."

"Si può sempre rimediare..."

"Povero Thomas, non è ancora partito e già pensi a queste cose..."

"Con te, è impossibile non pensarci..."

"C'è chi non ci pensa proprio..."

"Non parlerai di Edward?"

"Proprio lui... Lo sai che sabato mi ha mandato a quel paese..."

"Non ci credo... Uno che è riuscito a mollarti prima che lo piantassi tu... "

"Spiritoso..."

"Cosa è successo?"

"Ammetto di avere esagerato... Forse ho sbagliato tattica, ma credimi, Janicek, per la prima volta in vita mia mi sono davvero innamorata..."

"Grazie... Ed io?"

"Era un'altra cosa. Lo abbiamo sempre saputo, tutti e due, non raccontiamoci storie. Ci vedevamo per scopare, finché hai conosciuto Thomas, e ti sei innamorato di lui. Ti ricordi quando, per scherzare, dicevo dei giri a tre..."

"Sì che mi ricordo..."

"Tu mi guardavi in un modo che diceva sta alla larga da lui, e io ho lasciato perdere..."

"Davvero ti guardavo così?"

"Sì, e io non capivo, pensavo che fossi geloso di me, e non di lui. L'ho capito alla festa, al concerto a casa di Pavel, quando Edward me lo ha detto chiaro in faccia... Ho fatto anche la figura della scema..."

"Non male... Tu?"

"Sì. Io... Comunque ero persa per Edward, e i fatti tuoi non mi interessavano più..."

"E poi?"

"E poi, un po' alla volta, ho capito che Edward è un nato libero. Che viene con te solo perché è un curioso della gente, vuole provare nuove esperienze, nuove emozioni. Tutto per il suo mestiere di attore..."

"Tu dici?"

"Sì, penso proprio di sì. Vuol capire le persone per farle diventare i suoi personaggi, i caratteri che interpreta sullo schermo. Non è cattivo, è così. Può anche essere un buon amico, ma un amante fedele mai..."

"Oh, povera AnnCecilie... Hai trovato uno come te..."

"Spiritoso... Sono riuscita a liberarmene, a togliermelo dalla mente. Peccato che lui sia stato più svelto, e mi abbia rubato la scena..."

"Non dire così, proprio tu..."

"Proprio io... Mi sono messa a fare la gatta in calore, e ho sbagliato. Si paga. Spero che torni e che mi possa spiegare..."

"La storia del serial?"

"Per me è una questione di costi. Tirano in lungo perché sanno che non ha altri lavori in vista, e così gli abbassano il cachet..."

"Però..."

"Leo è tutt'altro che stupido, e Jirina è ancora più sveglia di lui. Tra due settimane lo chiamano, gli chiedono come vanno le cose, e gli fanno cadere dall'alto un contratto che hanno già nel cassetto..."

"Ah..."

"Sì. Lui pensa di conoscere gli altri, ma anche gli altri conoscono lui..."

"Questa poi... E se non viene?"

"Viene, viene..."

"Come fai ad essere così sicura?"

"Non hai ancora capito?"

"No... è per Dagmar?"

"Oh, Janicek... Non viene per Dagmar..."

"E perché allora? Per chi?"

"Janicek, non mi dire che non te ne sei reso conto..."

"No, di cosa?..."

"Viene per te, e per Thomas..."

Janicek la guardò dritto in faccia. Pensò a Patrik, e a quello che gli aveva detto a Capodanno. "Ma cosa dici?"

"Quello vuol venire a letto con voi due, tutti insieme o uno alla volta, vuol provare..."

"Non dirne più..."

"Janicek, sia tu che Thomas siete due bei maschi, inutile negarlo, e se uno vuol provare certe cose, siete un obiettivo da non trascurare. Poi, tu biondo e lui bruno, c'è anche da scegliere..."

"AnnCecilie, per cortesia, piantala di dire stupidaggini..." Janicek la guardò. Avesse ragione, si scoprì a pensare...

"Sì?... Dov'è in questo momento? A Londra, dove è andato Thomas... Che bisogno aveva di andare a Londra? A vedere il cambio della Guardia?"

"Mi ha detto che andava a cercar lavoro..."

"In due settimane? Non ha nemmeno un agente. Mi dici cosa trova in due settimane?"

"E io che gli ho detto di andare a trovarlo spesso, e di avere cura di lui, della sua salute..."

"Oh, Janicek, certo che avrà cura di lui, della sua salute e di tutto il resto..."

"Thomas non sta bene, questa vacanza a Londra dovrebbe servire per rimettersi..."

"Cos'ha? Non mi sembra che abbia dei problemi, messo com'è..."

"Qualcosa ha... Quando siamo insieme, soprattutto quando stiamo insieme, vede tutto nero, e gli manca il fiato..."

"Non è che lo strozzi? Magari, senza rendertene conto, gli metti le mani intorno al collo, e poi stringi..."

"Non mi far ridere... Magari... Penso che siano le emozioni... Sai come è fatto..."

"Sì. Non so come fai a sopportarlo, coi suoi sbalzi di umore..."

"Non lo so neanch'io. Penso che si emozioni per me, che i sentimenti che prova per me in certi momenti siano così intensi che si sente male..."

"Così, se va all'ospedale è colpa tua..."

"Colpa mia?"

"Certo. Lo hai plagiato fino al punto che si sente male quando ti vede, quando viene a letto con te..."

"Piantala, AnnCecilie..."

"Scusa la mia concretezza, Janicek, ma se sta male per davvero, li vedi i suoi? Il grande artista all'ospedale, plagiato dal suo amante praghese, che lo ha circuito fino a ridurlo in queste condizioni..."

"Questa, poi..."

"Pensaci, Janicek, non vorrai rovinarti per lui?"

"Rovinarmi per lui?"

"La prima cosa che mi viene in mente... Pensa se mentre sei a letto con lui, si sente male... Cosa dici ai medici, magari alla polizia? Come minimo pensano a un gioco sadomaso andato male... Sei rovinato finché vivi... Sarai sempre quello che per poco non ha ammazzato il suo amante mentre a letto faceva chissà cosa..."

"Non ho parole... Certo che ne hai di fantasia, immaginare una cosa del genere..."

"Meno di quanto credi... Se, come dici tu, sta male ogni volta che scopate, sai se una sera esageri... Tu coi giochini ci sai fare, ti sono sempre piaciuti, no?. Pensaci..."

"Non ho detto che sta male ogni volta che scopiamo...

È quando si emoziona in modo particolare, che gli succede, ma per il resto è tutto normale..."
"Fatti tuoi, Janicek. Io te l'ho detto..."
Le parole di AnnCecilie continuarono a risuonargli nella mente anche dopo che si furono salutati, e lui era di nuovo a casa, a letto. Da solo. Le affermazioni di AnnCecilie su Edward, adesso, gli sembravano eccessive. D'accordo, si faceva vivo spesso, gli ronzava sempre intorno, ma non aveva nessuno con cui parlare, uscire una sera. Però, pensandoci, forse era vero... cercava più volentieri loro di Dagmar. O anche di sua sorella Olga, e Michal, o della stessa Denisa, o degli altri della troupe... E quello strusciarsi su Thomas, e anche su di lui... Forse aveva ragione ad essere geloso... E un bel giro a tre?... Tutto sommato Edward non è male, e sai la faccia di AnnCecilie... Lei lo ha detto perché ha il dente avvelenato, perché è stata piantata. E c'è la storia dell'incarico... Quando ha telefonato alla mamma perché si è rivolto a me e non a lei... Le ha dato fastidio, e cerca vendetta, con lui e anche con me... Ci prova. Però l'idea non è male... Un giro a tre, o anche a due, io e Edward... Sai la faccia di Thomas... Quello ci muore... E se fosse un giro a due, Thomas ed Edward?... Fine dei problemi... A Natale non gli ha messo la lingua in bocca solo perché ero lì anch'io, altrimenti l'avrebbe fatto... Ha ragione lei, altro che storie... Ha ragione lei... Anche quella storia che se schiatta mentre scopo... È vero. Se sta male mentre siamo a letto insieme, cosa dico all'ospedale?... Come minimo dicono che ho esagerato... E se sta male per davvero? A Capodanno a momenti mi sviene tra le braccia... Cosa faccio, cosa cavolo faccio?... Che palle... Ma cosa ti ho conosciuto a fare...
Con questi pensieri spense la luce, questa volta senza che niente seguisse, e si mise a dormire.

Il mattino dopo, in ufficio, gli venne in mente che non aveva ancora telefonato ad Olga per l'appartamento che aveva promesso ad Edward, e si affrettò a chiamarla prima di eventuali sorprese.

"Va bene, digli pure che va bene. Dopo lo chiamo anch'io. E per il resto? Come va con Thomas?"

"Non so cosa dirti, mi sento in vacanza anch'io..."

"Un po' di respiro non fa male a nessuno. Si vedono meglio le cose, si è più sereni. Poi, quando torna, sei contento di vederlo..."

"Sì, penso che sia così..."

Certo, sono contento di vederlo, pensava, una volta chiusa la comunicazione, però sarei contento di vedere anche Edward... A ben guardare, non è niente male, e variare il menù ogni tanto non guasta, anzi... Se ci penso, è uno schianto... AnnCecilie, proprio tu, non potevi stare zitta? Cosa mi hai messo in testa? Se Thomas lo sa, anche solo che le penso, queste cose, mi muore sull'aereo mentre torna... Magari viene con Edward, e la cosa piace anche a lui. Si distrae un po', smette di pensare a me in modo così ossessivo... Certo che mi vuol bene, poverino, però che scassa palle... Quando chiama tasto il terreno e sento come va...

Questo pensiero continuò a ronzargli nella mente per tutta la giornata. Quando Thomas chiamò, nel primo pomeriggio, era ancora in ufficio, c'era altra gente intorno, e non era il caso di affrontare un argomento del genere.

Alla sera, arrivato a casa, telefonò ad Edward.

"Hai già sentito mia sorella?"

"Sì, tutto a posto, grazie. Ha detto che la casa è in disordine, e tu andrai a dare una sistemata..."

"Sì, di cose sue non ce ne sono più, occorre solo rimettere a posto il letto, e poche altre cose. In un paio di pomeriggi dovrebbe essere tutto in ordine"

"Ti ringrazio... Posso fare io quando torno..."

"Figurati... Per il grande attore questo ed altro... A proposito, il letto come lo vuoi?... A un posto, due posti... Dimmi tu... Tre?"

"Cosa stai dicendo?"

"Non so... magari stai pensando a qualche serata particolare, a qualche cosa di affollato... Adesso che non hai più AnnCecilie tra i piedi, magari vorrai distrarti, rifarti del tempo perduto..."

"Questo senz'altro, ma un letto a tre piazze... Cosa ti viene in mente... Però, che idea..."

"Qui siamo a Praga, tutto è possibile..."

"Janicek, smettila, se no nel letto ci metto te. Okay?"

"Okay... E senti, a proposito, hai già visto Thomas?"

"No, non ancora. Ci siamo sentiti poco fa, e mi sembra che stia bene. Lo dirò anche a Dagmar, che voleva sapere... Ma da dove sono io è lontano, tra bus e metropolitana ci vuole un'ora per arrivare da lui. Rimane scomodo, non pensavo ci fosse tanta strada... Anche in taxi, è molto lunga..."

"Puoi fermarti da lui a dormire..."

"Così quando torno prima mi ammazzi, e poi mi stracci i contratti... No, grazie..."

"A proposito, ho visto AnnCecilie..."

"Chi hai visto? Se lo sa Thomas ti spara..."

"Non dirglielo... Sai che il tuo contratto per il serial va avanti?"

"Questa sì che è una buona notizia..."

"Vanno per le lunghe perché vogliono tirare sul prezzo, ma è tutto pronto"

"Fantastico! Quando torno festeggiamo, okay?"

"Nel letto a tre piazze, va bene?"

"Piantala, scemo..."

Non ha mai detto di no, pensò Janicek, dopo che si furono salutati... Io l'ho detto per ridere, e lui ci ha scherzato sopra, ma non ha detto mai di no... Ha ragione AnnCecilie, quello, se gli salto addosso, non si sposta... Guarda che fantasie mi stanno venendo... È via da quattro giorni, e già penso a scopare qualcun altro...

Quando Thomas lo chiamò era già piuttosto tardi, e lui era sdraiato sul divano, davanti ad una birra, e faceva finta di guardare qualcosa in televisione.

"Finalmente..."

"Ero a cena fuori, con mia madre e le sorelle..."

"Adesso sei a casa?"

"Sì, sono arrivato da poco... Allora, hai prenotato l'aereo?"

"Non ancora. Aspetto che il boss mi dia le giornate libere. Un posto lo trovo sempre..."

"Mi ha telefonato Edward. È molto lontano da Chelsea, per lui sarà scomodo venire da me..."

"Pensi di andare tu da lui?"

"No. Non ho capito, ma mi sembra che sia in un residence vicino a casa del regista, comunque è dall'altra parte di Londra..."

"Come pensi di fare?"

"Penso che se anche non lo vedo, fa niente..."

"Eh là, prima grandi amicizie, e adesso chi se ne frega..."

"Esagerato... Se viene lo vedo volentieri... Ho sentito che quando torna viene a vivere a casa di Olga..."

"Sì, gliela devo mettere a posto..."

"Non ti manco?"

"Neanche un po'..."

"Nemmeno in camera da letto?"

"Sta zitto... E io ti manco?"

"Neanche un po'..."

"Nemmeno in camera da letto?"

"No... Se viene Edward ti sostituisco con lui..."

"Tu provaci, e io torno con AnnCecilie..."

"Chi ci guadagna di più?"

"Io..."

"No caro, quello che ci guadagna di più è Edward, perché si mette con me, trova me nel suo letto, e tu niente, fuori a guardare. E poi AnnCecilie certe cose con te non le fa, non ti dice niente..."

"Allora vuol dire che con Edward mi ci metto io, e tu stai a guardare... "

"Peccato che Edward è a Londra qui con me..."

"Allora faremo un giro a tre, tu, io e Edward... Un momento, come hai detto? Edward è lì con te?"

"Non qui in casa, qui a Londra..."

"Tom, se so che Edward è lì con te e non mi dici niente..."

"Janci, cosa ti prende?"

"Mi prende che tu a letto con lui non ci vai, chiaro?"

"Janicek, cosa stai dicendo?"

"Certe cose tu le fai con me e basta, chiaro?"

"Ma sei uscito di testa? Guarda che Edward è solo un amico, ed è più simpatico a te che a me. Quindi certe cose dovrei dirle io, e non tu... E poi, AnnCecilie... Tu prova solo ad avvicinarti ancora a lei e facciamo i conti, li facciamo per davvero..."

"No, Tom, sta tranquillo... Non vado da nessuna parte, ma anche tu, per cortesia, non mi tradire..."

"Non mi è mai venuto in mente... Ma scusa, hai bevuto?"

"Un paio di birre..."

"E il resto?"

"Forse una slivoviz..."

"Non mi fare stare male, Janci. Sai che se mi emoziono non sto bene... E se viene Edward non me lo porto a letto, sta tranquillo, preferisco venire a letto con te, e solo con te...

"Sì... non tradirmi..."

"Piantala, deficiente ..."

"E se viene Edward?"

"E se viene Edward gli dico che il mio grande amore è un cretino, senza perdermi in particolari, altrimenti non ti saluta più. Contento? E se passa la notte qui perché è troppo tardi per tornare a casa lo metto sul divano in soggiorno, e gli do quattro pastiglie, così sono sicuro che dorme e non mi viene a cercare"

"Mi fido?"

"Sì, amore, fidati, e vieni qui appena puoi. Se non ce la fai torno prima, non ti preoccupare. Ma vedi di farcela, okay?"

"Okay..."

Capitolo 34

Era lui che voleva andare a letto con Edward, non Tom. Era abbastanza chiaro, però... Almeno tutti e tre insieme... La bottiglia della slivoviz stava finendo, si rendeva conto di avere bevuto qualcosa in più, forse troppo, ma l'idea di Thomas a letto con Edward gli restava incollata nella mente, era un tarlo, un chiodo che non voleva venir via dalla parete. Accidenti. E Tom se lo rigirava come voleva, gli faceva fare quello che voleva lui. Come al solito. Dal primo momento, da quella portiera nelle palle, il gioco era sempre stato in mano sua. E poi a letto ci sapeva fare... Accidenti se ci sapeva fare... Anche in quello... Meglio andare a letto, il mal di testa comincia ad aumentare...

Finita la telefonata con Janicek, Thomas rimase perplesso a guardare la parete del piccolo soggiorno del suo appartamento. Adesso che ci era tornato, sia pure per poco, si rendeva conto di starci bene e di viverci più rilassato che a Praga. Le stesse parole, le stesse frasi di Janicek, che a Praga lo avrebbero innervosito e turbato non poco, qui, al sicuro nel suo guscio, avevano avuto un altro effetto. È ubriaco perso, si trovò a pensare, guarda che fantasie si ritrova per la mente. Io con Edward... No tutti e due con Edward... Un bel giro a tre, e lui è partito... Sta a vedere che gli piace, ed è geloso di lui e non di me... Siamo a posto... Io mi fermo a Londra e a Praga non torno più... Vorrei sapere perché ti ho conosciuto, te e anche Edward. No, io sto qui, lasciatemi in pace, buonanotte e non disturbatemi.

La notte fu tranquilla, e le telefonate del giorno dopo, e anche quelle dei giorni seguenti, furono senza risvolti melodrammatici. La sbornia a Janicek era passata, e gli era rimasto solo il mal di testa. "Ti sta bene, così impari a dire tante scemenze tutte in una volta", fu il commento di Thomas quando entrarono in argomento. "Ne ho dette troppe..." disse a Thomas, quasi scusandosi.

"Sì, ne hai dette troppe..."

"Vuol dire che le pensavo..."

"Ecco, così siamo a posto. Perfetto"

"Hai visto Edward?"

"No... Anzi, sì, ma non te lo dico..."

"Sì o no?"

"Chiedilo a lui..."

"Ho capito... No, dai, per davvero, sì o no?"

"No. Se mi va gli telefono oggi, ma sto bene anche per i fatti miei... Tanto ci si rivede a Praga. E poi sei tu, quello cui piace tanto, vero, Janci?"

"Smettila, Tom, non è vero..."

"Non c'è niente di male, basta che tu non rompa le palle..."

La telefonata di Edward arrivò, il pomeriggio successivo, e si misero d'accordo che sarebbe venuto a casa sua verso le sei, e poi avrebbero deciso cosa fare. Quando arrivò, e Thomas gli aprì la porta, Edward si guardò intorno, diede un'occhiata al piccolo appartamento, poi a lui. Era in forma, con una maglietta e dei blue jeans, rilassato, sorridente. Il suo ciuffo gli cadeva sempre sugli occhi verdissimi. Intuì subito che si sentiva a casa sua, che quello non era il Thomas che aveva conosciuto a Praga, che la lontananza da Janicek lo rendeva diverso. Il fascino di cui era stato vittima a Praga qui era moltiplicato. Lo charme di Thomas lo attraeva, lo attirava molto più di quanto si aspettasse. Ecco chi conduce i giochi, pensò, povero Janicek...

"Che strano vederti qui, in un'altra casa, in un'altra città, da solo..."

"Sono sempre io, e questa è la mia casetta londinese... Vieni, Edward, mettiti comodo. Non c'è molto spazio, ma in due ci si sta... Whisky va bene?"

"Grazie okay... Hai sentito Janicek?"

"Gli manchi tanto, poverino" rispose Thomas ridendo, "mi chiede sempre di te..."

"Questa poi..." Edward si accomodò sul divano, e prese il bicchiere di whisky dalle mani di Thomas.

"Proprio così", continuò Thomas, "telefona a me, e chiede di te... gli ho consigliato di chiamare te direttamente, così ha notizie di prima mano"

Allora, forse Janicek non è così importante per lui, non ne parlerebbe in questo modo, seduto in poltrona, col whisky in mano, pensò Edward. Lontano da lui è un altro, altro che sentirsi male...

"Ah sì? E lui cosa ha risposto?" gli chiese Edward.

"Di non tradirlo con te" gli rispose Thomas sorridendo e continuando a guardarlo negli occhi.

"Di non tradirlo con me? Di non venire a letto con me?"

"Proprio così..."

"E tu cosa dai detto?"

"Che non glielo rubo, il suo Edward... E se ha dei problemi, si sbrighi a venire..."

"Quando viene?"

"Secondo me non ne ha nessuna voglia, altrimenti avrebbe già preso il biglietto. Dice di dover chiedere al suo capo... non sa se gli danno dei giorni liberi..."

"Forse è così..."

"Figurati, ha sempre fatto quello che voleva lui. Se non va in ufficio un giovedì e un venerdì non casca il mondo... No, è lui, non vuol venire..."

"E tu?"

"Non so cosa dirti, Edward. Quando sono con lui sono attratto non ti immagini quanto, fino a sentirmi male..."

"Mi ha detto Janicek, che non ti sei sentito bene un

paio di volte..."

"Sì, purtroppo non è solo lui, ogni tanto mi succedeva anche qui a Londra. Mi manca il fiato, e mi sento svenire. A Praga sono stato bene fino a poco tempo fa, ma mi è successo di nuovo..."

"Janicek ha detto di essersi spaventato..."

"Anch'io... Non gli ho detto niente, ma ho avuto paura anch'io. Soprattutto a Capodanno, sul ponte della Narodni, sono stato male per davvero..."

"Cosa pensi di fare?"

"Devo evitare gli eccessi... trovare una via di mezzo... Continuare ad avere delle emozioni forti, intense, e riuscire a controllarle... al momento non ci sono ancora, spero di farcela..."

"E Janicek, in tutto questo, cosa c'entra?"

"C'entra che ovviamente mi prende moltissimo, che quando sono vicino a lui ho la lingua fuori, e me lo mangerei due volte al giorno..."

"E adesso?"

"Adesso è tutto più calmo. Scherzo anche sulle sue scenate di gelosia..."

"E' geloso?"

"Senz'altro. È molto possessivo. Anche se ho il dubbio che abbia preso una sbandata per te..."

"Per me? Non dirne più..."

"Per me gli piaci, ed è geloso di te..."

"Geloso di me?"

"Di te, ed anche di me, ovviamente... Insomma, non sa che pesci prendere..."

"Pensi che gli piaccia?"

"Sì, penso di sì..."

"E a te, piaccio?"

"Fish and chips va bene? Preferisci un sushi, o un cinese? Direi che è ora di andare a mangiare qualcosa, ti va?"

"Ho capito... Se hai voglia... Qui in zona c'è

qualcosa?"

"C'è solo da scegliere... Vestiti e andiamo..."

Che figlio di... Non mi ha risposto, pensava Edward guardandolo mentre andavano, a piedi, in un ristorante poco lontano. Ma la serata è appena iniziata, e stai tranquillo che non te la cavi così... Il ricordo di quel fremito che lo aveva preso quando gli aveva sfiorato le labbra, a Praga, e l'indipendenza che dimostrava qui a Londra, lo spingevano ad osare, a voler insistere per ottenere qualcosa di più. Forse l'impensabile. AnnCecilie non lo sapeva, lo aveva detto solo per astio, e per mettere discordia, ma aveva ragione. Ci voleva provare, con Thomas, con Janicek, con tutti e due, e la serata non sarebbe finita al ristorante. A tavola gli sembrò che il tempo non passasse mai... Thomas conversava amabilmente del più e del meno, della musica, del lavoro, di come si fosse divertito a fare la comparsa nel suo film. Lui voleva solo tornare a casa. Di lui. Finalmente, dopo un tempo infinito, anche se in realtà era passata poco più di un'ora, pagarono, ed uscirono dal ristorante.

"Che si fa?"

"Torniamo a casa tua, cosa ne dici?"

"Andiamo..."

Quando furono di nuovo a casa, e seduti sul divano, di nuovo davanti ad un piccolo whisky, Edward tornò sull'argomento.

"Davvero dici che Janicek è geloso di me?" gli domandò con noncuranza.

"Ho proprio questa impressione, Edward. È geloso di te, di me, e non sa dove sbattere la testa..."

"Allora davvero pensi che gli piaccia... Fisicamente, intendo..."

Thomas gli sorrise. "Penso di sì... Chiedilo a lui... Non è che hai in mente qualcosa?... Te lo si legge lontano un miglio..."

"Sai, sono dell'idea che nella vita bisogna provare un po' di tutto..."

"Ecco, e vieni a dire a me che vuoi andare a letto col mio uomo? Non ti sembra di esagerare?"

"Non intendevo proprio con lui... Pensavo così, in generale..."

"Insomma, se non è lui è un altro... Non ti bastano tutte le donne che hai. AnnCecilie, Dagmar, più tutte quelle che non so... Proprio Janicek ti è venuto in mente?"

"Non necessariamente, Thomas, non necessariamente..."

La serata proseguì ancora, conversando su temi più leggeri. Thomas versò da bere, sia a lui che a sé stesso, più di una volta, e quando fu l'ora di andar via, in piedi quasi sulla porta, Edward gli si avvicinò, con gli occhi bassi.

"Senti, prima ti ho fatto una domanda, e non mi hai risposto..."

"Sì, dimmi..."

"Quando ti ho chiesto se ti piacevo..."

"Sì..."

"Non mi hai risposto..."

Thomas lo guardò. Edward aveva alzato la testa e teneva gli occhi voltati da un'altra parte. Era più alto di lui, forse ancora più alto di Janicek. Aveva i capelli corti, scuri, i lineamenti fini, il viso regolare, le labbra socchiuse. Thomas gli prese la testa con le mani, delicatamente. Lo tirò a sé e lo baciò sulla bocca, a lungo, dolcemente, senza lasciarlo mai... Questa volta fu ad Edward che mancò il fiato. Senza staccarsi da lui, gli mise le braccia intorno, lo abbracciò, lo tenne stretto a sé più forte che poteva. Sentiva il suo corpo sotto la maglietta, vibrante, tonico. Sentiva i suoi muscoli, lui che si muoveva, per stargli più vicino, le sue braccia, il ventre addosso al suo. Poi, lentamente,

Thomas si staccò da lui, lo guardò negli occhi, e gli disse, "Sì, Edward, mi piaci..."

Edward era ancora senza fiato, appoggiato alla parete. Thomas continuò, "adesso va a casa, basta così"

Edward lo guardò. Era senza parole, non sapeva cosa rispondere, non riusciva a pensare. "Va a casa" gli ripeté Thomas piano, "buonanotte".

Sul taxi che lo riportava al residence, Edward si guardò in mezzo alle gambe. Aveva ancora il fuoco nei pantaloni,e gli sembrava di essersi bagnato, ma non c'era niente di imbarazzante da nascondere. Tenne la testa bassa, chiuse gli occhi, e si mise una mano sulle tempie. Il tassista lo vide, dallo specchietto retrovisore.

"Tutto bene, signore?"

"Sì, tutto bene, grazie"

"Se vuole ci possiamo fermare davanti ad una farmacia, a prendere qualcosa..."

"No, grazie... È che per un momento mi è mancato il fiato, e mi è sembrato di vedere tutto nero..."

"Non sarà stato un whisky in più, signore?"

"Caro lei, è stato il miglior whisky della mia vita..."

Nel piccolo appartamento di Chelsea l'atmosfera era diversa. Cosa ho fatto?, si chiese Thomas. E adesso? Mi sono lasciato andare, era tutta la serata che ci girava intorno... Il fatto è che mi è piaciuto... E poi sono stato io... Lui non avrebbe mosso un dito. Avrei potuto dirgli cercati qualcuno, fa da solo... No, gli sono saltato addosso, e lui non si è spostato di un millimetro... Janci, avevi ragione ad essere geloso, però mi sono fermato subito. Non ci ho scopato... Ma se avesse insistito non so cosa avrei fatto, probabilmente non mi sarei tirato indietro. Mi spiace, Janci, mi sono lasciato andare... Di certo lui non andrà in giro a dirlo, ma sa che è successo. E anch'io, lo so anch'io. In fondo voleva solo provare. E gli ho dato un assaggio. Ho l'impressione che gli sia piaciuto, a giudicare dal gonfiore che mi sono sentito addosso... Ho bevuto anch'io, come Janci, ho bevuto troppo. È meglio andare a letto, domattina ci penserò...

Quando si svegliò, il mattino dopo, ripensò alla serata del giorno prima. Edward era un bravo ragazzo, gli era affezionato, e aveva voluto provare. Gli era già capitato, prima di conoscere Janicek, che qualcuno, sapendo di lui, ci avesse provato, senza perdersi in eccessive spiegazioni con la ragazza del momento. Qualche volta aveva detto di sì, quasi sempre di no. Adesso era diverso. C'era Janicek. Lo amava, se ne rendeva conto, lo amava perdutamente, e quello che aveva fatto gli pesava. Lui non lo avrebbe mai saputo, ma lo aveva fatto e questo bastava. Non era importante se era tanto simpatico anche a lui, e in fondo non lo aveva proprio tradito, ma se Edward avesse insistito, sarebbe successo. Cosa ho fatto, ancora, si trovò a pensare. Ma non è cosa ho fatto, è che l'avrei fatto, se avesse voluto. Forse quella storia dei giri a tre non è così male, e questo è solo un piccolo assaggio, un'anticipazione. Ma non cambia niente. È colpa mia, non dovevo. Chissà cosa voleva dire quando lo vedevo con quell'orologio in mano... È ora che ti metti con me, che pianti Janicek... Oppure io sono il destino, e questo è il nostro tempo, tocca a noi... O niente ancora, io sono la prova che tu devi affrontare... No, questo no... Lui non è una prova, è una causa, me lo sento... È colpa mia, solo mia, non dovevo... In fondo l'ho solo baciato, non ci sono andato a letto per un mese di fila... E poi è lui quello che mi ha messo in testa l'idea, di andarci insieme. Non l'ho fatto, non del tutto almeno... Anzi, appena un po'... però mi spiace, Janicek, mi spiace lo stesso. Non succederà più. Te lo prometto. Queste erano le frasi che Thomas si diceva, ma dentro di sé sentiva un senso di colpa, e il timore di qualcosa che gli si sarebbe ritorto contro. Si sentì male ancora. Ancora una volta gli mancò il fiato, e vide tutto nero. Non cadde, si sedette sul divano e aspettò che gli passasse. Doveva andare da un medico, se ne rendeva conto... Non poteva continuare a svenire, o quasi, ogni volta che un'emozione prendeva il sopravvento. Questa era stata forte, ma perché adesso e non ieri sera... Eh, sì, ieri sera gli era piaciuto, e basta. Stamattina ci ha ripensato, ha pensato a Janicek, alla sua reazione, e si è sentito male. Non va bene...

Mentre Thomas si riprendeva, si metteva davanti ai fornelli e continuava a litigare con la sua coscienza davanti alla prima colazione, Janicek, a Praga, era in ufficio, a sbrigare delle pratiche rimaste indietro, da sistemare urgentemente.

"Ciao, ti disturbo?"

"Direi di sì, AnnCecilie. Sto sistemando delle faccende urgenti... Dimmi pure..."

"Hai voglia di vederci stasera? Come la volta scorsa, solo una birra sotto casa tua..."

"Okay... Otto e trenta, va bene?"

"Sì, a stasera"

Chissà cosa vuole ancora, pensò Janicek mentre rimetteva la testa nelle pratiche sulla scrivania. Vedremo...

Alla sera arrivò. Puntuale. Era sempre uno schianto. La prima cosa che Janicek pensò, quando la vide entrare, fu io ci riprovo, è mai possibile che abbia lasciato perdere una ragazza così? In effetti, questa era l'idea anche dei molti avventori maschi che sedevano nei tavoli vicini e l'avevano vista entrare, e sedersi di fianco a lui.

"A Londra cosa succede?" fu la prima domanda di

AnnCecilie quando ebbero ordinato da bere ed esaurito i primi convenevoli. "Con Thomas tutto bene?"

"Sì, tutto bene, grazie. So che ha visto Edward..."

"Davvero? Non ci posso credere..."

"Taci, vipera, tu se non pensi male non sei più tu"

"Non ho detto niente, sei tu che pensi male"

"Al contrario, di te penso benissimo. È che ti conosco, si può sapere cosa hai in mente?"

"Niente, avevo solo voglia di rivederti..."

"Mentre sono solo o anche se ci fosse Thomas?"

"Per te fa qualche differenza?"

"Non so... Quando lui non c'è possiamo parlare delle nostre cose, forse essere più liberi..."

"Senti, approfittiamone..."

"Cosa vuoi dire?..."

"Intanto che siamo soli e possiamo parlare liberamente, mentre lui è a Londra con Edward..."

"Piantala, carogna..."

"Posso sapere come mai ti sei messo con lui? Per me è stata una novità, non pensavo..."

"Che mi piacessero i maschi? È questo quello che vuoi dire?"

"Più o meno..."

"Io non mi sono sorpreso. È arrivato lui, ed è stata la mia follia, la più dolce delle mie follie..."

"Ti sei davvero innamorato di lui?"

"Sì, penso di sì... Di certo a letto mi prende moltissimo..."

"E adesso che non c'è?"

"Bella domanda... Diciamo che la fantasia galoppa..."

"Con lui, senza di lui, con qualcun altro?"

"O qualcun'altra..."

"Tra pochi giorni è qui di nuovo..."

"Sì, bisogna spicciarsi..."

"Faccio finta di non aver sentito... Cosa ha detto di

Edward?"

"Perché ti interessa tanto?"

"Vorrei riallacciare i rapporti. Anche solo di amicizia. È uno molto in gamba, e forse, come hai detto tu, è un amico, e non un amante... Sicuramente non un amante fedele..."

"Sì... Ho anch'io questa impressione..."

"È uno che vuol provare di tutto, ne sono convinta. Quando ti ho detto che vuol venire a letto con voi, non era una mia carognata, per dividervi, te e Thomas. Lo pensavo, lo penso ancora, veramente... Vuol provare..."

"Chissà quante occasioni ha avuto..."

"Qui è più libero di fare quello che vuole. Nessuno controlla quello che fa di sera. A New York, o dove sta, può darsi che abbia paura di qualche pettegolezzo, o di qualche giornaletto di gossip. A Praga lo conosciamo soltanto noi, soprattutto adesso che la sua troupe è ritornata da dove è venuta e lui non ha nessuno sul collo..."

"Sai che idea... Un bel giro a tre, a quattro... Che danze... I cavalieri sono pregati di cambiare le dame... O gli altri cavalieri..."

"Non mi far ridere... Ci vorrebbe una bella colonna sonora..."

"Chiediamo a Thomas... un minuetto, un bel valzer..."

"Una polka schnell, forse è più adatta..."

"Povero Thomas, se sa che lo stiamo prendendo in giro..."

"Magari gli passano i capogiri, e gli svenimenti..."

"Sai che potresti avere più ragione di quello che pensi? Lui sta male quando si emoziona troppo con me, ma se tutto fosse più leggero, più allegro..."

"Meno coinvolgente dal punto di vista sentimentale, è questo che vuoi dire?"

"Sì, non sarebbe per la promiscuità. Sarebbe per

divertirsi un po' per non vedere tutto come un segno del destino..."

"Per quanto sono riuscita a conoscerlo, è la sua mania, il Destino... Ma vivere non è una colpa, accidenti..."

"Dillo a lui... Anche con Edward... Prima lo detestava, gli faceva paura. Diceva che lo vedeva con l'orologio del Destino in mano, che girava solo per lui..."

"E Adesso?"

"Gli è passata. Gli è simpatico, lo vede volentieri..."

"Stai attento... Magari Edward gli salta addosso..."

"Ti dico una cosa che non sai, di cui forse non ti sei mai accorta. È Tom che conduce i giochi..."

"Thomas?"

"Sì, è da un po' che me ne sono reso conto. È lui, ti fa fare quello che vuole. Poi magari ci muore, ma è lui..."

"Quindi, se tu hai in mente un gioco a te o a quattro, è lui che decide se come e quando..."

"Proprio così..."

"E in un giro a due dove lui non c'è?"

"Come ai vecchi tempi?"

"Esattamente..."

Capitolo 35

"Una bella idea... Capace di morirmi sul divano..."

"Lo mettiamo fra le braccia di Edward..."

"Una bella idea anche questa... Finisci la birra che è meglio. Se so che è fra le braccia di Edward senza di me, non deve aspettare di svenire per andare all'altro mondo..."

"Senza di te?..."

"Ho detto così?"

"Sì, hai detto così. Tu, Edward, e lui... Cos'hai in mente, Janicek, cosa ti gira per la testa?"

"Niente, mi è scappata... Sei tu che hai cominciato coi giri a tre e a quattro..."

"Guarda che sei stato tu..."

"Sei stata tu a farmi venire l'idea..."

"Sì, va bene... A proposito di tutti questi giri, di Thomas e di Edward... Domani devo telefonare ad Edward per dirgli del contratto. Pensi che mi risponderà?"

"Perché non dovrebbe? Vuoi che lo faccia avvertire da Thomas, di non buttarti giù il telefono, che si tratta di lavoro?"

"Sì, e che non mi importa più di lui, che non gli romperò più le scatole, e sarò una persona normale... Sarebbe una cortesia... Janicek, puoi farlo domattina?"

"Penso di sì. Ti so dire..."

"Magari li trovi insieme..."

"Piantala, strega..."

Giri a tre, giri a quattro, di qua, di là, a due... La verità era che, come al solito, era andato a letto da solo... Che palle... Ancora pochi giorni, e sarebbe tornato. Non aveva voglia di andare a Londra. Lo aveva capito anche lui, e non ne aveva fatto un dramma. E aveva anche la faccenda della casa di Olga da sistemare per Edward. Se, come aveva detto AnnCecilie, i tempi sarebbero stati più stretti, sarebbe tornato due o tre giorni dopo Tom. Doveva spicciarsi, andarci un paio di sere, e lavorarci sicuramente tutto sabato. Domenica no, tornava Tom e voleva essere libero di andare a prenderlo all'aeroporto e stare con lui tutto il pomeriggio, e la sera. Quella storia di Edward, e le allusioni di AnnCecilie continuavano a non andargli giù, e mentre si girava nel letto, continuava a pensarci. Domani gli telefono, e vedo... Se solo intuisco che ha combinato qualcosa lo disfo, lo faccio a pezzi, per telefono, altro che dirgli che gli telefona AnnCecilie... Già, AnnCecilie... Adesso che non ha più Edward per la testa, ho l'impressione che, se ci provo, qualcosa porto a casa. Anzi, è stata lei... L'idea è stata sua... Un giro a due, io e te, senza Thomas... Thomas... Domattina lo chiamo...

"Ciao, dormivi?"

"No, e tu?"

"Se ti telefono vuol dire che sono sveglio, no?"

"Janicek, il fatto che tu sia in piedi e al telefono non vuol dire che tu sia anche sveglio..."

"Spiritoso... Senti, hai visto Edward?..."

"Sì, perché me lo chiedi?"

"Dovresti avvisarlo che gli telefonerà AnnCecilie. Non le deve sbattere giù il telefono, lo chiama per il contratto..."

"E cioè?"

"Ha il lavoro..."

"Ed sarà contento..."

"Penso anch'io... E poi mi ha chiesto di fargli sapere che le spiace di essersi comportata come ha fatto, che non succederà più..."

"Che ha qualcun altro in mente... Capito..."

410

"Non proprio così, ma più o meno... E con Ed? quando lo hai visto?..."

"Ieri sera. È venuto qui e siamo andati per un sushi..."

"Nel senso che ti sei mangiato un tonno crudo?"

"Esagerato... Un paio di fette..."

"E poi?"

"E poi è venuto qui, abbiamo fatto due chiacchiere, l'ho caricato su un taxi e l'ho mandato a casa..."

"Nient'altro?..."

"Nient'altro..." la voce di Thomas ebbe una piccola esitazione. "Nient'altro, non l'ho buttato sul divano e non gli sono saltato addosso, se è questo che vuoi sapere..."

"Sul divano no, e in camera?"

"Non è neanche entrato..."

"Capisco... Allora tutto è successo sulla porta di casa..."

"Senti, la pianti?" la voce di Tom cominciava ad alterarsi. "Si può sapere chi ti mette in testa queste cose? O fai tutto da solo? Adesso cosa ho fatto? Okay, l'ho sbattuto sulla porta mentre usciva, e gli ho messo la lingua in bocca per dieci minuti... È questo che vuoi sapere?"

"Non ti arrabbiare, Thomas, è che mi manchi, e non vedo l'ora che arrivi..."

"Certo, sei tanto impaziente che non vieni nemmeno a Londra a conoscere i miei"

"Non posso. Devo sistemare l'appartamento di Olga per Edward. Se è come penso, dovrà essere qui la settimana prossima, per firmare il contratto, e prendere contatti per le riprese"

"Addirittura?"

"Sì. Sei contento?"

"Sì, perché no?"

"Per via della lingua in bocca?"

"Tu come lo sai?"

"Come? Lo hai fatto davvero?"

A Thomas per un attimo mancò il fiato. "Ma cosa mi fai dire?... La vuoi smettere con queste tue gelosie, di vedere quello che non c'è?"

E invece c'era, lo sapeva benissimo. Aveva le antenne... Non era possibile che Edward gli avesse detto qualcosa, e gli sembrava di essere stato attento a non sbilanciarsi.

"Thomas, se so che hai combinato qualcosa..."

"Janci, smettila, ti prego, mi fai star male... Si può sapere cosa ti prende, di mattina... E magari sei anche in ufficio..."

"Tom, non farlo, non farlo mai..."

"Janci, mi fai straparlare... È meglio che torni al più presto, così stai calmo... Ma si può sapere chi ti gonfia la testa in questo modo? Non sarà stata lei?"

"Lei chi?"

"Indovina. Non far lo scemo. Mi hai detto che l'hai sentita per Edward. Non è che ne ha approfittato per tornare sui suoi discorsi, sulla storia che Ed vuole venire a letto con te, con me, con noi due assieme?"

"Ma cosa dici?"

"Ho capito, ti ha detto proprio questo... magari vi siete visti ieri sera, e ne avete discusso... Vero, Janci?"

"Sì, ci siamo visti..."

"Ecco, e poi fai le scene a me..."

"Non ci ho fatto niente..."

"Come no... Quella è un pericolo anche starla ad ascoltare..."

"Lasciala stare, e stai attento con Edward..."

Come avesse fatto a capirlo, o solo a sospettarlo, per Thomas era un mistero. E poi si era visto con AnnCecilie. A letto non ci era andato, lo aveva intuito dal tono della voce. Ci sarebbe mancato solo quello. Ma si sentiva in colpa. Con Edward era stato lui a darsi da fare, non Janicek. Era meglio tornare. In

412

fretta. Rimanere da solo a Londra avrebbe potuto essere un rischio. Edward sarebbe tornato senz'altro a trovarlo, e questa volta ci avrebbe provato lui. E non gli avrebbe detto di no, se lo sentiva. Di nuovo a Praga, di fianco a Janci, non sarebbe successo. Sì, doveva tornare.

"Ciao, Edward, ti ha già telefonato AnnCecilie?"

"No, oh, ciao Thomas, che piacere sentirti. No, non mi ha telefonato. Cosa mi dovrebbe dire?"

"Mi ha chiesto di non sbatterle giù il telefono, quando ti chiama. È per il contratto, pare che sia pronto e che ti aspettino al più presto per la firma"

"Meno male. Bel colpo..."

"E devo riferirti che le spiace per quello che è successo, per il suo comportamento. È stata stupida, e non capiterà più"

"Stupida AnnCecilie?"

"Sì, figurati... Ha cambiato idea, semplicemente... ha in mente qualcun altro, e di te non le importa più..."

"Tu dici?"

"Certamente. Se no avrebbe cambiato tattica e continuerebbe a sfracellarti le palle..."

"Cacchio, due belle notizie in un colpo solo... Qui bisogna festeggiare... Cosa fai stasera?"

"Oh, Edward, no, per cortesia, non voglio che succeda di nuovo..."

"Dai, Tom, non c'è stato niente di male, solo un assaggio, ma bello..."

"Edward, non dire così..."

"Non mi dire che non ti è piaciuto..."

"E' questo il guaio... Se lo sa Janicek succede un pandemonio... Per me ha sospettato qualcosa, ha le antenne..."

"Per così poco? In pratica non è successo niente... Ci siamo soltanto salutati sulla porta di casa..."

"Sì... Dottore, grazie della visita, arrivederci..."

"Sai che nel taxi ho controllato se mi ero bagnato i pantaloni?"

Thomas scoppiò a ridere. "Per così poco? Se poi succedeva qualcosa ti scioglievi per la strada?"

"Non lo so... Stasera proviamo, vuoi?"

"Penso di no, non insistere, poi stasera esco coi miei. Ci rivediamo a Praga."

"Quando torni?"

"Domenica"

"Allora ci vediamo sabato, cosa ne dici?..."

"Vedremo... Ci sentiamo, okay? Adesso lascia libero il telefono, ti deve telefonare AnnCecilie per dirti che ti ama ancora, e Janicek, per la casa..."

"La casa?"

"Sì, cercherà di prepararla per questo fine settimana, così quando torni è già pronta..."

"Ma io torno alla fine del mese..."

"Da quello che ho capito a metà settimana firmi il contratto e il giorno dopo cominci a lavorare. Senti quello che dice il tuo grande amore, e poi organizzati..."

"Janicek? Lui non è il mio grande amore, magari potresti esserlo tu..."

"Per cortesia piantala, parlavo di AnnCecilie..."

"Ti prego... Ci vediamo sabato, prima che tu parta, va bene?"

"Ci sentiamo... Senti cosa ti dicono..."

Non molla, pensò Thomas. E il guaio è che a me non dispiace. Se insiste e passa di qui, non so cosa farei... anzi, lo so benissimo. Lo scaravento sul divano e gli strappo la camicia di dosso prima che abbia finito di salutarmi, poi altro che bagnarsi i pantaloni... Lo mangio vivo... E' meglio che torni a Praga al più presto, dal mio Janci, e mi metta tranquillo. È colpa mia, non riesco a stare calmo. Ieri sera non potevo fare finta di niente e buonanotte?. Appena posso torno, aspettami Janci, non succederà più.

Con questi pensieri per la testa, il rimorso per quello che in fondo non aveva fatto, la sensazione che se rimaneva a Londra lo avrebbe fatto senz'altro, coi sensi di colpa che galoppavano e il desiderio di rivedere Janicek al più presto, andò su internet per vedere se poteva anticipare il volo. Almeno di un giorno. La visione di Edward con l'orologio in mano lo colpì di nuovo. Gli mancò il fiato. Cosa voleva dire?... qual'era il significato, cosa si annidava nel profondo della sua mente?... C'era qualcosa, ma non riusciva a capire... Sì, occorreva fare in fretta... Bisognava muoversi. C'era poco tempo, ecco il significato. Qui non poteva più stare, e presto avrebbe risolto tutto. Di nuovo fra le braccia di Janicek, di nuovo in quella che oramai era la sua famiglia. Lui e Janci. Loro due, la loro casetta, il suo violino che lo aspettava. Questa casa di Londra era il suo passato, sua madre, le sorelle... Il passato... Ci sarebbe tornato, in questa casa, magari presto, ma con lui. Senza più fantasie, senza cedimenti. Aveva capito. Edward gli diceva di tornare a casa, subito. A Praga avrebbe sistemato in fretta anche le avances di Edward, e le sue debolezze. Con Janci vicino, tutto sarebbe stato facile. Trovò un volo per il sabato. Andava bene. Mancavano ancora due giorni. Li avrebbe usati per stare con i suoi, vedere qualcuno, e poi a casa, di nuovo. Così avrebbe evitato di vederlo e lui avrebbe capito di lasciar perdere. Non era stupido. Se fosse tornato a Praga un giorno prima era chiaro che non voleva star da solo con lui... Al sabato mattina salutò i suoi con la promessa che sarebbe tornato con Janicek entro un mese. Sua madre e le sorelle volevano assolutamente conoscerlo, ed avevano insistito per questo. Le foto non bastavano, e la voce al telefono nemmeno. Volevano vedere di persona chi aveva preso il cuore di Thomas, che finalmente si era messo tranquillo, e non era più un'anima in pena, sempre solo, o con chi era meglio non frequentasse. "Magari veniamo a trovarvi tra un paio di settimane, cosa ne pensi?", gli aveva detto sua madre quando erano usciti a cena. "Perché no?..." le aveva risposto, "così torni a vedere la città dove sei nata, tanto tempo fa..." "Non così tanto tempo fa, Tommy, non così tanto tempo fa..." le aveva risposto sorridendo.

Quindi, era ora. Al mattino del sabato, mentre faceva i bagagli, telefonò ad Edward.

"Mascalzone, lo hai fatto apposta..."

"Scherzerai... Ci vediamo a Praga, tanto so che fra pochi giorni torni anche tu..."

"E' vero, ma là non saremo soli..."

"Ti stavi abituando male, bel giovane..."

"Io direi benissimo..."

"Dai, piantala... Ci vediamo quando torni..."

"D'accordo. Fa' buon viaggio"

"Anche tu."

La coda al metal detector fu eterna, come al solito, e quando arrivò al cancello di imbarco, questo stava già per essere aperto dal personale. Giusto in tempo. Durante il volo quasi nessuno gli diede fastidio, e nessuno cercò di attaccare discorso con lui. Quando l'aereo atterrò, si trovò a pensare finalmente sono a casa, sono a casa di nuovo. Non aveva detto niente a Janicek, apposta. Voleva fargli una sorpresa. Lo immaginava in casa, sdraiato sul divano, mentre leggeva, sentire la porta che si apre, vederlo entrare, ed esclamare sei qui! Sei già qui! Sei arrivato! Gli avrebbe buttato le braccia al collo, al suo Janci, e se lo sarebbe trascinato subito in camera da letto, tanto per fargli capire le sue intenzioni. Ancora un'ora. Ancora un'ora e sarebbe stato a casa. Il bagaglio non arrivava mai, e le valigie erano tutte uguali alla sua.

Finalmente uscì dalla bocca del nastro trasportatore. Lui la afferrò e uscì dal terminal di gran carriera, per prendere un taxi... Che freddo! In due settimane aveva già dimenticato il clima praghese, e una ventata d'aria gelida lo colpì al volto, e alle orecchie. Non ci fece caso, non più di tanto, e, salito sul primo taxi, gli diede l'indirizzo di casa. La strada fu la stessa dell'altra volta, il tassista per fortuna no, e non si dilungò in discorsi sulla bellezza della città. Pagato il taxi, prese le valigie e volò sulle rampe di scale. Mise lentamente le chiavi nella serratura, cercando di fare tutto in silenzio, e aprì piano la porta. Tutto taceva. Non c'era nessuno. L'unico rumore fu quello del compressore del frigorifero, che iniziò a funzionare mentre lui girava per casa, a vedere se fosse in bagno, o in camera a dormire. Niente. Perplesso, e deluso, portò in camera le valigie, e sistemò le sue cose. Mise sul bancone della cucina la bottiglia di whisky, di vent'anni, che gli aveva regalato sua madre, e la scatola di caramelle che aveva preso da Harrod's. Tornerà, pensava, sarà uscito per comprare qualcosa. Scartò l'idea di telefonargli. Voleva che aprisse la porta senza sapere che fosse in casa, e rimanesse senza fiato per la sorpresa. Aspettò. Aspettò per quasi un'ora, poi si decise a telefonargli. Strano. Al telefono non rispondeva. Suonava, e dopo qualche squillo, saltava la comunicazione. Chiamò due o tre volte, a distanza di cinque, dieci minuti l'una dall'altra. Niente. Il telefono era aperto, ma non rispondeva. Poi si ricordò dell'appartamento di Olga da risistemare, e pensò che fosse lì, o che fosse in giro per acquistare qualcosa per la casa... Asciugamani, scope, forse la lavatrice nuova... Se aveva il telefono in tasca, ed era in qualche centro commerciale, vestito da inverno, non avrebbe sentito la chiamata.
"Pronto, Olga?"

"Thomas, che bello! Quando sei rientrato?"

"Un'ora fa... Volevo chiederti di Janicek... In casa non c'è. Per caso sai dove è andato?"

"Sì, è andato a casa mia per sistemare le ultime cose. Se mercoledì o giovedì arriva Edward, deve trovare tutto in ordine..."

E' perché non mi risponde al telefono... Volevo fargli una sorpresa, ma in casa non c'è..."

"E' sicuramente da me. Oggi bisogna finire l'impianto elettrico, collegare il quadro, sistemare la lavatrice e le altre cose..."

"Se vado là lo trovo?"

"Sì, però, guarda, probabilmente non funzionano né il campanello né il citofono sulla strada. L'impianto elettrico è staccato, come ti ho detto, e non puoi entrare..."

"Allora come posso fare?"

"Vieni da me, ti do un mazzo di chiavi di scorta"

"Grazie. Allora arrivo..."

"Vieni, ti offro il caffè..."

"Non vorrei far tardi..."

"Figurati... Ne avrà fino alle dieci di sera... Vieni pure con calma. Mi dici come è andata a Londra, e come stanno le sorelle... Ho voglia di rivederle..."

Dopo venti minuti Thomas era a casa di Olga. Michal era andato in campagna a trovare suo padre, e non avrebbe potuto fargli compagnia per andare da Janicek, e poi, forse, non era il caso, vero, Thomas?

"Be' sì, proprio così... Ho voglia di rivederlo, dopo due settimane..."

"Ma a Londra avrai avuto un mucchio di cose da fare, no?"

"Sì, in effetti, sono stato con mia mamma, le sorelle... Avevano voglia di conoscere Janicek, ma non è venuto..."

"Era per la casa da sistemare, Tom. C'era premura, e

voleva finire per questa sera, così quando arrivavi tu aveva tutto il tempo per te... Quando aprirai la porta e ti vedrà sarà contento, molto contento. Sarà conciato come pochi..."

"Perché?"

"Si è messo in testa di voler imbiancare la camera da letto. Secondo me non c'è necessità, ma ha deciso così... Tra quello, e i fili da sistemare..."

"Vuol far tutto lui?"

"Dice che sono quattro cose, e ci riesce benissimo da solo. L'impianto elettrico dovrebbe essere già finito... Ma dimmi delle sorelle..."

"Forse vengono qui tra un paio di settimane. Vogliono conoscere Janci, soprattutto mia madre, che si è innamorata di lui per telefono, e vogliono stare un po' con noi, con tutti noi..."

"Sì, poi tua mamma è di Praga... Avrà voglia di rivedere la sua città..."

"Sì... Le ho detto che dai suoi tempi molte cose sono cambiate..."

"Addirittura?"

"Sì. Le ho detto che adesso hanno fatto un ponte nuovo sulla Moldava, che si chiama Ponte Carlo, e che in cima alla collina hanno costruito un sacco di case, che chiamano Castello..."

"Screanzato!..." gli rispose Olga mettendosi a ridere, "e lei cosa ti ha risposto?"

"Si è arrabbiata... Non più di tanto, però... Ha detto che in fondo non è così vecchia..."

"Ci credo... Adesso vai, sono sicura che gli farai una bella sorpresa..."

Thomas uscì di casa e si incamminò verso il piccolo appartamento abitato da Olga fino a poco tempo prima. Man mano che si avvicinava sentiva il cuore battergli sempre più forte, e il desiderio di vederlo lo sopraffaceva sempre di più. Lo vedeva, vestito da imbianchino, sulla scala, a pitturare i muri, con la calce fra i capelli, un berretto fatto col giornale sulla testa... Lui che entra silenziosamente, tossisce, Janci si volta e gli cade direttamente tra le braccia. Lui gli toglie il berretto, lo butta sul letto, gli strappa quello che aveva addosso e se lo mangia, se lo mangia vivo per quattro ore di fila, fino a sentirgli dire basta, per carità, basta... Ancora, così... Sul letto di Edward, che così in fondo è come se ci fosse anche lui. Già, Edward. Meno male che sono a Praga... Scusami Janci, è colpa mia... Io non volevo, mi sono lasciato andare, ma mi sono fermato subito... Scusami Janci, scusami amore... Arrivo, pochi minuti e sono da te... Arrivato a casa di Olga, stava per suonare il citofono. Poi pensò, non funziona, e se funziona e risponde, addio sorpresa... Salì fino alla porta, mise le chiavi nella serratura, e aprì lentamente, per non farsi sentire. Entrò in soggiorno, e chiuse piano la porta. I rumori che venivano dalla camera da letto lo fecero inorridire.

"Thomas?!"

"Janicek!! E lei cosa cazzo ci fa qui?"

Capitolo 36

Gli si annebbiò la vista. AnnCecilie, nel letto, nuda, insieme a Janicek. E ridevano, tutti e due.

"Dai, vieni qui nel letto insieme a noi..." gli sembrò dicesse Janicek, mentre lei lo guardava, senza nascondersi, senza coprire le sue tette maledette, senza un gesto, senza pudore, senza niente...

"Dai, vieni qui, divertiamoci tutti e tre insieme..." questa parole gli risuonavano nel cervello, e lei dietro lui beffarda, vittoriosa...

Non riuscì a rispondere. Gli girava la testa, tutto arrivava confuso, sfuocato... Janicek gli parlava, forse, ma non riusciva a sentire una parola. Lei lo guardava, gli sorrideva con un'aria di trionfo, e intorno a lui ogni cosa cadeva, si allontanava e gli si perdeva nella mente e nei pensieri che non riusciva a connettere. Rimase fermo a guardare, senza capire, senza vedere. Dopo un momento lungo come una vita, fermo sulla porta, li osservò ancora, ridere e parlare. Alla fine, ancora col berretto in mano, abbassò lo sguardo, chinò il capo. Il ciuffo gli ricadde sulla fronte, gli coprì gli occhi. Si girò, e uscì da quella stanza, da quella casa maledetta, dalla vista di loro due. Senza chiudere la porta, scese le scale, si rimise il berretto, ed uscì per la strada. Il freddo lo colpì di nuovo, con una fitta al petto, senza che se ne rendesse conto. Si incamminò, senza sapere dove andare. Girò per le strade, senza una meta, la testa vuota, le mani in tasca, fra la gente che ogni tanto lo osservava. E' colpa mia, fu il suo primo pensiero, quando ricominciò a connettere. Ho sbagliato io, per aver pensato ad Edward, per essermi lasciato andare con lui. Non dovevo fare lo stupido con lui, baciarlo sulla porta di casa, fargli capire che, se insisteva, forse ci sarei stato. E lui, a letto con lei, i vestiti per terra, i suoi vestiti, quelli che avrebbe dovuto togliergli lui, quelli che gli aveva tolto tante volte, a casa, quando gli sorrideva e lo stringeva dicendogli cosa ne dici di conoscerci meglio? E lui cominciava sbottonandogli la camicia e via via tutto il resto, fino a perdersi uno nelle braccia dell'altro, per un tempo breve e infinito insieme... I suoi vestiti per terra, e lui fra le braccia di quella, a letto insieme... L'ho voluto io, l'ho voluto io... Edward, il tuo orologio... quello che mi volevi dire... Sei il Destino... Sei venuto per segnare la mia strada, le mie ore, a condannare la mia vita... Adesso dove vado... Il freddo lo attanagliava, si sentiva a disagio, la testa continuava a girargli, e si rese conto di parlare da solo. E la gente intorno, non sentiva il freddo che aveva lui, non era solo la confusione che aveva in testa, che lo faceva stare male... Si decise, e si avviò verso casa. Voleva stare al caldo, e bere qualcosa. Al resto ci avrebbe pensato dopo. Adesso a casa, sul divano, o sulla sedia. A casa sua. In quel momento non era casa loro, sua e di Janicek. Era casa sua, e basta, e voleva arrivarci in fretta. Salì le scale senza rendersi conto dell'affanno, entrò e chiuse la porta a chiave. Seduto sul divano, cominciò a riprendersi, e vide la bottiglia di whisky che aveva lasciato sul bancone della cucina. Aprì la bottiglia e cominciò a versarne un po' nel bicchiere. Lo bevve subito, tutto in un fiato, e si sentì meglio. Se ne versò ancora, e questa volta lo bevve più lentamente, adagio, assaporandolo. Gli sembrò di sentire il telefonino suonare nella tasca del giaccone, ma non gliene poteva importare di meno. Rimase senza pensare, seduto sul divano, col bicchiere in mano, mentre il tempo scorreva... Un tempo che non era il suo, che non gli apparteneva, e gli scivolava intorno, senza toccarlo... Quando decise di versarsi il terzo bicchiere, oramai era sera, ma non gli importava. Non finì il bicchiere. Lo appoggiò sul tavolino avanti al divano, si alzò, si rimise il giaccone, il berretto, e uscì.

Janicek si alzò, nudo com'era, e andò a chiudere la porta. Non rideva più. Tornò in camera, si rivestì, e le disse vattene. Lei era ancora nel letto, nuda, appoggiata alla spalliera. Stava per dire qualcosa, ma lui la precedette. "Vestiti e vattene", le ripeté serio, con gli occhi bassi.

"Sei stato tu a dirmi di venire qui oggi..."

"Vattene..."

"E' colpa tua, e poi non mi sembra che l'abbia presa così male..." gli rispose mentre si alzava dal letto e cominciava a rivestirsi.

"Per cortesia, esci da questa casa, esci dalla mia vita, e non farti più vedere..." Janicek era sempre serio, con gli occhi bassi, e mentre lei si rivestiva, uscì dalla camera e si sedette al tavolo del soggiorno.

Quando ebbe finito di rivestirsi, AnnCecilie lo raggiunse nel piccolo locale.

"Guarda che non è innamorato di te, non ti ama. È solo infatuato. Vive una storia che sogna, ma non è così... Non è amore..."

"Sta zitta ed esci da questa casa..."

"Tra due uomini non ci può mai essere amore... Puoi chiamarlo come vuoi, ma non è amore. L'amore vero è quello tra un uomo e una donna... Quella fra te e Thomas è un'infatuazione, è una voglia. Il vostro è un gioco, non ha domani..."

Questo era troppo...

"Tu cosa cazzo ne sai dei sentimenti degli altri, troia..." gli urlò Janicek, alzandosi dalla sedia, "cosa ne sai di quello che uno prova dentro di sé, di quello che uno ha nel cuore... Cosa ne sai... Cosa ne sai di quando uno ti sorride, e ti guarda nell'anima... Cosa ne sai di quanto ti batte il cuore aspettando che ti telefoni, e come ti senti quando ti chiede come stai, e cosa fai stasera... Cosa ne sai quando siamo in casa, e si siede vicino a te sul divano, e gli basta così... Cosa credi, che amore sia scopare uno sopra e tu sotto, ed è finita lì, perché quello è l'ordine naturale delle cose?"

"Sì, è così..." gli rispose AnnCecilie guardandolo sfrontatamente negli occhi.

"Vattene... Fuori da questa stanza, fuori dalla mia vita..." le sibilò Janicek, cercando di non urlare. La prese per un braccio, la sbatté fuori di casa, e chiuse la porta a chiave.

L'aveva preso in giro, era da quando lo conosceva che lo prendeva in giro, e aveva continuato a farlo anche adesso. Non le importava niente di lui, di Thomas, degli altri, di quello che la gente aveva nel cuore. Le importava solo di sé stessa, di affermarsi, di vincere. Soltanto adesso capiva il suo egoismo, la sua incapacità di comprendere e di capire quello che gli altri provavano. No, non l'incapacità, ma il disinteresse... E lo mascherava con l'ordine naturale delle cose, che solo quello era l'amore, quello che riguardava lei... Il protagonismo... Lo aveva circuito fin dall'inizio, da quando era stata piantata da Edward... Doveva prendersi la sua rivincita, e se l'era presa massacrando i suoi rapporti con Thomas, devastando il loro amore, la loro intimità. E lui c'era cascato, aveva approfittato di un suo momento di stanchezza, aveva rovinato tutto... Se l'era girato come un burattino, e non se ne era accorto... Eccoli, i suoi giri a tre, le sue fantasie, i suoi discorsetti... Solo per dominare, solo per dividerli... Solo per il gusto di farlo... E adesso, come fare con Thomas, cosa dirgli... Non voleva perderlo, adesso se ne rendeva conto, non poteva... Seduto di nuovo sulla sedia, pensò ai momenti passati insieme, alle valigie che aveva aiutato a portare quando era arrivato in casa, ai due piani di scale... A quando, vestito da tamburino, era passato sotto le finestre del suo ufficio... Si mise a piangere, e pianse a lungo. Oramai era sera. Rimise a posto il letto, uscì. Si diresse verso casa, a cercare Tom, per dirgli che non voleva, c'era cascato come uno stupido, che era colpa sua, solo colpa sua. Perdonami, Tom, ti prego, perdonami... Ho capito... Amo solo te... Lo ha fatto apposta, ci ha preso in giro, tutti e due, e io le ho creduto... Perdonami, perdonami ancora. Il pensiero era uno solo, correre da lui, buttarsi ai suoi piedi, alle sue ginocchia... dirglielo, abbracciarlo, giurargli quello che non gli aveva mai detto, asciugargli le lacrime, stare con lui, sempre con lui... Camminava in fretta, sempre più in fretta... Quasi correva, fino a fermarsi sottocasa, per prendere coraggio, per avere la forza di guardarlo, riuscire a vederlo e buttarsi ai suoi piedi... Salì le scale e aprì la porta, piano. La casa era buia, le luci erano spente e non c'era nessuno... Lo chiamò, piano, mentre accendeva la luce e girava per la casa, in bagno, in camera da letto... Niente, non c'era. La casa era vuota... vide la bottiglia del whisky e la scatola di caramelle, e non ebbe il coraggio di piangere. Sul tavolino davanti al divano vide il bicchiere avanzato da Thomas quando era uscito... È venuto a casa, pensò, ha aperto il whisky ed è uscito a fare un giro... Quando torna gli parlo, gli spiego tutto. Prese il bicchiere, si sedette al bancone della cucina. Si rese conto di avere ancora addosso il giaccone ed il berretto. Si rialzò, se li tolse, e si sedette di nuovo. Finì il whisky nel bicchiere, appoggiò il braccio al bancone, e ci si appoggiò con la testa, gli occhi chiusi, a dimenticare quello che aveva fatto, quello che era successo... Tornerà, non può non tornare, le valigie sono qui, ha messo a posto tutto... Lo aspetterò, ti aspetterò, torna, ti prego, torna subito... Non tornava.

Il tempo passava, non tornava. Pensò di chiamarlo sul telefonino, ma non avrebbe risposto... Chi risponderebbe al telefono al suo posto... e non gli avrebbe parlato così. Voleva vederlo, parlargli di persona, spiegarsi. Voleva abbracciarlo... Non c'era, e si stava facendo tardi. Forse è da mia sorella, pensò.

"Ciao Olga..."

"Oh, Janicek... Hai visto Thomas?"

Il tono della voce di sua sorella gli fece capire che lui non era lì.

"Come sai che era qui?"

"E' venuto a casa mia a prendere le chiavi... Voleva farti una sorpresa..."

"Sì..."

"L'hai visto? Non vedeva l'ora di correre da te..."

"Sì... sì..."

"Adesso dove siete? Siete ancora lì o siete tornati a casa? È tardi per lavorare, non credi?"

"Senti, Olga..."

Il tono della voce di Janicek la insospettì.

"Dimmi, c'è qualcosa che non va? Si è rotto qualcosa nell'appartamento di Edward?"

"Olga, è successo un guaio..."

"Un guaio grosso?"

"Puoi venir qui?"

"Arrivo... Qui dove, Janicek?"

"Qui a casa..."

"Da Edward?"

"No, qui da me..."

"Puoi dirmi qualcosa?"

"No, vieni qui subito..."

"Thomas come sta?"

"Vieni qui..."

Non c'era bisogno di fare altre domande. Qualcosa era successo, ed era qualcosa di grave. Sicuramente riguardava Thomas... Ma se si era sentito male avrebbe dovuto chiamare un medico, l'ambulanza. Pensò di richiamarlo per dirglielo, ma ci sarebbe arrivato da solo. Non sapeva cosa pensare. Non aveva mai sentito suo fratello così. Forse Thomas lo aveva piantato, ma non era possibile... era venuto da lei a prendere le chiavi, non vedeva l'ora di correre da lui... No, non era quello. Si era sentito male, molto male, era l'unica possibilità... Cercò di non pensare al peggio, ed in pochi minuti fu sotto casa loro. Parcheggiata la macchina, suono il citofono e salì di corsa le scale. Le aprì Janicek in lacrime.

"Janicek, dimmi, cosa c'è? Dov'è Thomas?"

"Olga, è successo un guaio..." Abbracciò la sorella, e continuò a piangere. Thomas non si vedeva.

"Janicek, dimmi..."

"E' successo... Ho combinato un guaio..."

"Un guaio grosso?"

"Sì..."

"Te la senti di dirmelo?"

"Tom è venuto a casa di Edward..."

"E cosa è successo?"

"Mi ha trovato a letto con AnnCecilie..."

"Con quella troia?" urlò Olga. "Janicek, ma come hai potuto?"

"Non lo so... Mi ha telefonato, è venuta a trovarmi, e io mi sono trovato a letto con lei..."

"E sul più bello, è arrivato Thomas..." La conclusione era ovvia. "E cosa ha detto?"

"Non ha detto niente. Si è rimesso il berretto ed è uscito..."

"E tu?"

"L'ho mandata al diavolo, e sono venuto a casa..."

"E lui?"

"E lui non c'è. Deve essere venuto a casa, poi ha bevuto il whisky, ed è uscito"

"Come fai a saperlo?"

"Quella bottiglia l'ha portata da Londra. A casa non c'era..."

Olga prese la bottiglia. "Quanto ne manca?... No, non molto, non si è ubriacato..."

"No, ha lasciato lì mezzo bicchiere, l'ho finito io..."

"E la slivoviz? So che ci andate giù duri..."

"No, è lì. Non l'ha toccata"

Meno male, almeno non è in giro ubriaco, pensò Olga.

"Sarà in giro... Sarà andato in qualche bar... Hai provato a telefonare a Patrik, o a Dagmar? Forse è da loro..."

"E cosa gli dico?"

"Ci penso io..."

Chiamò prima uno e poi l'altra, scusandosi dell'ora, e dicendo che Thomas e Janicek avevano litigato, Thomas era uscito sbattendo la porta, e suo fratello era in lacrime che lo aspettava. Per caso era lì? No, ma se fosse passato da loro glielo avrebbero rispedito subito a casa.

"No, Janicek, non è da loro. Ti viene in mente qualcun altro?"

"No, non mi viene in mente nessuno... Forse Martina, ma non è così in confidenza..."

"Proviamo..." Anche Martina non ne sapeva nulla.

"Janicek, sarà andato in qualche bar per distrarsi, per bere qualcosa..."

"Se so che è andato in qualche bar per rimorchiare uno..."

"Tu cosa fai? Quello che hai già fatto? Te lo meriti..."

"Aiutami, Olga, cercalo, digli che gli voglio bene, che mi spiace..."

"Hai provato a chiamarlo?"

"No, a me non risponderebbe..."

"Vero... Forse a me sì..."

Olga provò a chiamare. Una volta, due volte... Il telefono non era chiuso, suonava, ma Thomas non rispondeva.

"Senti, c'è qualche bar dove andate di solito? Qualche locale, qualche posto che a lui piace? Dove andate volentieri?"

"C'è questo sotto casa, uno all'inizio della Narodni, e uno più avanti, quasi al Teatro... Non mi viene in mente altro..."

"Vado a vedere. Tu sta in casa, e se torna mi avvisi. Te la senti di restare solo?"

"Non lo so..."

"Senti, Michal è dai suoi... È a un'ora di macchina. Diventa troppo tardi, e tra poco i bar chiudono. Vado. Tu sta in casa e chiamami, d'accordo?"

"Digli che mi spiace, che gli voglio bene, che non succederà più... Che farò quello che vuole lui, sempre, per sempre... Che torni da me, io non ce la faccio..."

"Dovevi pensarci prima... Comunque glielo dico. Tu sta in casa e avvertimi"

E adesso?, pensò Olga appena uscita. Cosa ha combinato? E' stata lei, se lo è sempre girato come un burattino. Edward l'ha piantata, e lei si è vendicata su mio fratello, e su Thomas... È riuscita a fare del male a tutti e due, e magari è anche contenta di averlo fatto. E adesso dove lo trovo, Thomas, chissà dove è andato. L'ispezione al bar sotto casa non diede alcun risultato. A piedi, si avviò verso la piazza Venceslao, verso gli altri bar indicati da Janicek. Telefonò a Michal, e gli spiegò quello che era successo.

"Senti, non è che sia andato in qualche bar per soli uomini?"

"Thomas?"

"Sì, un qualche bar dove vanno per conoscersi, e per passare la serata insieme..."

"Ho capito, ma io non so se è il caso che ci vada... Magari non mi fanno neanche entrare... Non so neanche dove sono..."

"Forse tuo fratello lo sa..."

"Non mi ha detto niente..."

"Arrivo. Dammi un'ora. Dove ti vedo?"

"Sto andando in piazza Venceslao, poi prendo la Narodni e vado a vedere i due bar che ha detto Janicek."

"Sei a piedi?"

"Sì..."

"Allora senti, ci vediamo tra un'ora davanti al Teatro Nazionale, e se non l'hai ancora trovato, lo cerchiamo insieme..."

"Sì, tra un'ora va bene. Lo chiami tu Janicek, e gli dici che ci sei anche tu?"

"Certo, lo chiamo subito... Come sta?"

"Ha capito quello che ha fatto. Sta malissimo..."

"Lo chiamo e poi ci vediamo..."

"Prova a chiamare anche Thomas, non si sa mai..."

Il telefono di Thomas squillò molte volte, ma lui non rispose. Dopo essere uscito di casa, aveva deciso di andare da qualche parte, ma non sapeva dove. Dopo avere bevuto il whisky si sentiva meglio, ma aveva ancora un senso di costrizione al petto, e sentiva freddo, più freddo della gente che gli passava accanto... Se ne rendeva conto, il berretto calcato in testa, le mani ficcate bene in tasca, il bavero rialzato... Niente da fare, il freddo lo pungeva, gli dava fastidio... Fosse solo quello, pensava tra sé... Come ha potuto... È stata lei, sono sicuro, e lui ci è caduto come un pollo... Solo per far male, per farci male... E c'è riuscita... Come faccio a tornare a casa, non mi sento di vederlo, non ci riesco... Decise di avviarsi verso il centro, verso piazza Venceslao. Le luci, le persone, lo avrebbero aiutato a distrarsi, a non pensare a quello che era successo, a decidere sul da farsi... Non sapeva cosa fare, era indeciso su tutto. Tornare a casa, perdonarlo... No, troppo facile. Cerco un

430

albergo, e passo la notte fuori, così domattina ragiono con più calma... Forse, perché no... Altrimenti torno in aeroporto e prendo il primo volo per Londra, e mando al diavolo lui, il contratto, e tutti quanti... Continuando a camminare, era arrivato in centro, fra i turisti che affollavano la piazza, con qualche gruppo di ragazzotti in cerca di avventure, col naso davanti a qualche locale, con i butta dentro che li invitavano ad entrare... Beati loro, pensava, una scopata e sono felici... Sai che grandi amori... Quanto vuoi cara, ti amerò per sempre. Sentì vibrare il telefonino nella tasca. Se credi che ti risponda ti sbagli di grosso, caro mio... No, non me la sento, non ci riesco... Scusami amore, non ce la faccio. Se avesse guardato sul display avrebbe visto che la chiamata era quella di Olga, come la successiva, pochi minuti dopo e sì, forse a lei avrebbe risposto. Gironzolò per la piazza, si sedette su una panchina, poi rifece il giro, rifiutando gli inviti ad entrare nei vari paradisi per turisti. Turisti... L'idea di prendere l'aereo e tornare a casa forse era la migliore... Per un po' sto a casa mia, gliela faccio pagare, e il col teatro dico che sto male e chiamino un sostituto... Venga a Londra e si metta in ginocchio davanti a me, e poi ne riparliamo... Ma come hai fatto, perché? È colpa mia, stavo per andare a letto con Edward... Il telefonino vibrò di nuovo. No, non ti rispondo, è inutile che chiami, non ti voglio parlare, non adesso.

In macchina, in viaggio verso il Teatro, ormai già a Praga, quando Thomas non rispose nemmeno a lui, Michal pensò che doveva aspettarselo. Già rispondeva solo quando era di buon umore, figuriamoci stasera. Ma a lui di solito, parlava... Doveva essere davvero arrabbiato... Dove lo trovo, in qualche bar per incontri, ma dove sono? In realtà non sono tipi da frequentare quei posti. Una telefonata a

Janicek fugò ogni dubbio. Non erano mai andati in quei posti, e difficilmente Thomas li frequenterebbe.

"Non ti viene in mente qualche altro posto dove andate volentieri, che a lui piace, o che gli ricorda qualcosa? Pensaci, Janicek..."

"Adesso che lo dici, il ponte, dopo la Narodni, vicino al Teatro..."

"Quello dove vi abbiamo visto quella sera?"

"Sì, quello... Ha voluto che ci andassimo anche il primo dell'anno, quando si è sentito male di nuovo..."

"Come, si è sentito male? Cosa vuoi dire?"

"Era già successo a Natale, a casa tua. Gli manca il fiato, vede tutto nero, e poi sta male, si sente debole..."

"E tu non dici niente?"

"Non vuole, poi gli passa. Ma a Capodanno stava per svenire..."

"Sul ponte?"

"Sì, poi a casa, al caldo, gli passa..."

"Sul ponte del Teatro, hai detto?"

"Sì..."

"Chiamo Olga e glielo dico, forse è già lì..."

"E' lì, è lì senz'altro. Quel posto per lui è importante... E' lì, mi vesto e vengo..."

"No, tu sta in casa. Almeno se torna ti trova che lo aspetti."

Stanco della piazza Venceslao, senza rendersene conto, Thomas si era avviato verso la Narodni, verso il teatro. Forse l'abitudine, forse l'idea del conforto di un luogo noto, lo avevano spinto su quella strada. Passò davanti a quei bar dove andava ogni tanto con lui, quando tornavano dal Teatro, se veniva a prenderlo a piedi. Camminò per quella strada, piano, un passo dopo l'altro, le mani in tasca, i turisti meno frequenti... Torno a Londra, ecco cosa fare... È la cosa giusta. Torno a casa, poi ci penserò. Adesso è troppo presto per andare in aeroporto. Giro ancora un po', magari bevo qualcosa... Un posto aperto lo trovo, dove non faccia questo freddo dannato. Sì, sto in qualche bar per un po', poi prendo un taxi e vado. Farò così. Oh, il ponte...

Era arrivato al Teatro, e la vista del ponte, al di là della strada, lo commosse. Il ricordo di quando lo aveva abbracciato, così stretto da mancargli il fiato, e lo aveva baciato sotto la neve, lo colpì dritto al cuore. Fu preso da una nostalgia improvvisa ed infinita. Si accorse di piangere. Attraversò la strada, e si diresse verso il centro del ponte, sul marciapiede, vicino al parapetto.

Che freddo... Mentre camminava, guardava il fiume che scorreva, nero e buio, le luci sull'acqua. E' il fiume, pensava, è lui che porta questo vento gelido... Arrivato a metà del ponte, si fermò, prese fiato, e si affacciò al parapetto, a guardare la corrente, il Teatro, le case lungo il fiume... Sognavo un mondo vero, si diceva, dove potevo essere felice, ma mi è stato negato... Su questa terra i sogni non si avverano, durano poco... C'è sempre qualcuno che li distrugge... Torno a Londra, passerà...

Capitolo 37

Appoggiato coi gomiti sul parapetto, si prese la testa fra le mani. Si accorse di avere le lacrime che gli cadevano sulle guance, e se le asciugò. Sentiva freddo, era il vento... Ecco il mio destino, si diceva guardando il fiume che scorreva, ecco la città del mio destino. Ecco il mio inverno... È colpa mia. Se non mi fossi lasciato andare con Edward, se non fossi tornato a Londra... Se fossi rimasto qui non sarebbe successo. Avremmo potuto andare a sciare in Svizzera qualche giorno, e quella maledetta sarebbe rimasta a casa sua. Perché, ma perché lo ha fatto? E che freddo... È questo fiume, è lui che porta questo vento... Si rialzò, per respirare meglio, per guardare le luci della città, delle strade lungo il fiume. Osservò a lungo il Teatro, pensando alla musica, alla fossa dell'orchestra, a Patrik, a Martina e tutti gli altri. Le luci che si spegnevano, gli applausi, Janicek che lo aspettava all'uscita degli artisti... Diede un paio di pugni sul bordo del parapetto, guardò di nuovo il fiume che scorreva, e osservò dall'altra parte. Mala Strana, con le sue luci, le sue case, era lì. La visione nella mente fu improvvisa, quasi violenta. Era la stessa che aveva avuto più di una volta, anche qui a Praga, una sera. Si rivide ragazzo, in una strada di periferia, dritta, assolata. Stava tornando da scuola... Per la strada nessuno, un negozio alla sua sinistra... Camminava, forse c'era un suo amico, un suo compagno vicino a lui, ma non lo vedeva, ne intuiva soltanto la presenza. Non c'erano macchine, non c'erano persone... Solo una strada diritta e le rotaie del tram che si perdevano lontano. Ai lati le case, le finestre chiuse, i portoni chiusi. Alla sua sinistra un portone. Lui sentiva chiamare, forse sua madre, gli diceva di salire. Lui guardava in alto, guardava il portone, e non entrava. Si fermava per la strada, camminava, parlava col suo compagno, senza vederlo, senza capire chi fosse... Questa volta no. Si voltò per capire chi fosse il compagno vicino a lui e si accorse di essere solo, che il suo amico stava svanendo, lo salutava, diceva di dover andare a casa sua... Entrò nel portone, adagio... Entrava, senza paura, entrava e sapeva di dover salire quelle scale, laggiù. La visione svanì. Non ci fece caso, non più di tanto. La mente era da un'un'altra parte, era sempre in quella stanza maledetta, a lei che gli rideva in faccia... Tornò a guardare il fiume... L'acqua era scura e buia, la corrente lenta, l'aria fredda. Le luci sull'acqua, i riflessi dei lampioni, la città, il Castello. Appoggiato al parapetto, continuava a guardare il fiume, e per distrarsi si sporse un poco, per vedere meglio l'acqua che passava. Una fitta al petto lo colpì, e lo fece ritrarre. Mentre riprendeva fiato gli venne un pensiero. Ci aveva già pensato, qualche volta, anche a Londra, nei momenti bui, quando era depresso. Succedeva, magari quando, lui adolescente, qualche storiella finiva male, o gli dicevano che aveva sbagliato indirizzo. O sul lavoro, in orchestra, quando gli abbaiavano qualcosa di ingiusto, di profondamente ingiusto... Il pensiero era quello... Se mi butto?... Basta saltare il parapetto... Se mi butto i miei guai sono finiti... Un tuffo e via. L'acqua deve essere così fredda, in due minuti è andata, è finita... Lui si tiene la sua AnnCecilie, e io tolgo il disturbo. Per sempre. Coi vestiti addosso, non riuscirei a stare a galla neanche trenta secondi. Uscirei sui giornali. Musicista londinese tradito dal suo fidanzato si butta nella Moldava... I vestiti... Gli vennero in mente i suoi vestiti per terra, e lui sul letto... Ricominciò a piangere, senza ritegno, senza riuscire a fermarsi, le mani sul viso, per nascondersi, perché nessuno vedesse. Gli prese un nodo allo stomaco, un dolore che non aveva mai sentito prima. Prese fiato, ancora. Respirò lentamente, profondamente, e si sentì meglio. Si riposò per qualche istante dall'affanno, dai suoi pensieri. Guardò il fiume, gli altri ponti in lontananza, la gente, le auto che passavano. Si riappoggiò al parapetto. Torno a Londra, continuò parlando con sé stesso. La cosa migliore che possa fare è tornare a Londra. Sono a casa mia, ci sono le sorelle, loro capiranno, mi presenteranno qualche loro amico. E poi c'è Edward. Ecco, torno a Londra, dico a Janicek di venire e quando arriva mi faccio trovare a letto con Edward... Basterebbe essere capaci. Non me la sento, non lo farei mai, non voglio che soffra come sto soffrendo io... Janicek, perché lo hai fatto...

Olga era a metà della Narodni, e si dirigeva verso il Teatro, dove aveva appuntamento con Michal. Era appena uscita dall'ultimo locale che le aveva indicato Janicek, e di Thomas nessuna traccia. Aveva anche chiesto ai baristi, ma nessuno aveva visto uno come quello descritto da lei. Suonò il telefono.

"Dimmi Michal..."

"Novità?"

"Nessuna. Non lo hanno visto da nessuna parte..."

"Ho sentito Janicek. Forse è sul ponte delle legioni, quello di fronte al Teatro"

"Dove lo abbiamo visto noi?"

"Sì, quello. Prova ad andare. Forse è lì. Ti raggiungo sul ponte."

Olga si avviò. Cinque minuti, pensò, in cinque minuti ci arrivo. Provo a chiamarlo ancora. Magari mi risponde...

Il telefonino suonò, ma Thomas non rispose. Aveva ricominciato a piangere, e non si era accorto della

437

vibrazione nella tasca. Pochi minuti, pensò Olga, ancora pochi minuti e ci sono. È lì, sono sicura che è lì. Povero Thomas, arrivo, aspettami... Arrivata al teatro, attraversato il lungofiume, lo vide, appoggiato al parapetto, con la testa fra le mani. Il respiro di sollievo fu immediato. Cominciò a correre verso di lui, e lo chiamò.

All'inizio Thomas non se ne accorse. Quando lei fu più vicina, quando era quasi arrivata a lui, sentì una voce che lo chiamava, e si voltò.

"Olga..." le rispose con un filo di voce..."

"Thomas, Thomas caro, sono qui..."

"Oh, Olga, non ne posso più..."

"Lo so, ti capisco, caro, lo so..."

"Te lo ha detto lui?..."

"Sì, mi ha detto tutto... Sta male come te..."

"Sto male anch'io..."

"Lo so, Tom, lo so..."

"Ho freddo, Olga... Voglio tornare a Londra..."

"Abbracciami, Tom, forte, abbracciami..."

La abbracciò. Tremava. Olga lo tenne stretto più che poté, per scaldarlo, per dirgli che gli voleva bene. Thomas continuava a tremare.

"Coraggio, Thomas, passerà. Vedrai, ti vorrà più bene di prima... anche adesso, ti vuole bene come non te ne ha mai voluto..."

"Tanto?"

"Tantissimo, Tom, non puoi immaginare quanto..."

"Olga, ho freddo..."

Michal era riuscito a parcheggiare vicino al teatro. A piedi, a grandi passi, si diresse verso il ponte, e ancora prima di arrivarci, vide Olga che lo abbracciava stretto. L'ha trovato, meno male, pensò con sollievo. Accelerò il passo fin quasi a correre per raggiungerli.

"Tom, eravamo così in pensiero..." gli appoggiò un braccio sulla spalla. "Tom, andrà tutto bene, vedrai, si sistemerà tutto. Vero, Olga?"

"Certo Michal, si vorranno più bene di prima..."

"Sì, Tom, vieni qui... Lascia che ti abbracci anch'io..."

"Thomas non si sottrasse all'abbraccio caloroso e potente di Michal.

"Voglio tornare a Londra..."

"Certo Thomas, tornerete insieme, torneremo tutti, faremo una grande festa, e tu sarai la star. Oramai sei abituato a fare la star, no?... Ma cos'hai, Tom, cosa c'è?"

"Ho freddo, Michal, ho tanto freddo..."

"Fatti vedere..."

Olga e Michal lo guardarono. Aveva le labbra viola, tirate. Stava male, era evidente, non erano solo le lacrime. Anche il viso era stravolto, sofferente. Gli occhi erano stretti, bassi, gli tremavano le labbra. Lo abbracciarono tutti e due, cercando di sostenerlo, e di scaldarlo. Si guardarono e si capirono al volo. Mentre Olga continuava a sostenerlo con tutta la forza che poteva, Michal si allontanò un attimo, per non farsi sentire, e chiamò un'ambulanza. Olga assentì al suo cenno di intesa. Sarebbero arrivati subito... Tom si appoggiò a Olga, e crollò. Non cadde a terra di schianto solo perché furono velocissimi a prenderlo per le braccia e a sostenerlo, ma non riuscirono a tenerlo in piedi. Lo aiutarono a sdraiarsi sul marciapiede, mentre i pochi passanti si avvicinavano

"Ho già chiamato l'ambulanza, sta arrivando. Per cortesia, non c'è niente da vedere. Per cortesia, si allontanino..." Il tono di Michal era perentorio, e il piccolo capannello piano piano si sciolse. Mentre Michal si guardava intorno per vedere se e da dove sarebbe arrivata l'ambulanza, Olga, inginocchiata vicino a Thomas, gli teneva la testa fra le mani, appoggiata sul suo grembo.

"Olga..."

"Non parlare, caro, non ti affaticare... Sta arrivando il medico, andrà tutto bene..."

"Olga..." la voce di Thomas era debolissima, flebile... Olga avvicinò il capo per sentirlo meglio. "Olga..."

"Ssst, non dire niente, va tutto bene, va tutto bene..."

Thomas cercò di alzare la testa. Olga lo aiutò a sostenersi. Stava malissimo, aveva gli occhi chiusi, respirava a fatica, rantolava. Tremava, tremava ancora. I denti, le mani, tutto il corpo. Lo si intuiva anche da sotto i vestiti, dal giaccone, dal berretto di lana.

"Sta tranquillo, Tom. Sta arrivando l'ambulanza..."

In effetti si sentiva la sirena in lontananza, che si stava avvicinando. In un attimo, era già sul ponte. E non ci fu bisogno del gesto di richiamo di Michal perché sapessero dove fermarsi.

"Olga..."

"Ssst..."

La voce di Tom era appena un sussurro.

"Olga... Digli che lo amerò, lo amerò per sempre..."

Olga scoppiò in lacrime. "Certo, caro, glielo dirai tu appena lo vedrai..."

Thomas chiuse gli occhi, e la testa gli cadde, abbandonata, sulle sue ginocchia. Gli infermieri furono velocissimi. "E' il cuore" aveva fatto in tempo a dire Michal mentre scendevano dall'ambulanza. Il polso c'era ancora, debole, molto debole. Lo misero sulla lettiga. Olga e Michal salirono anche loro, e lo accompagnarono verso l'ospedale. Da come gli infermieri si muovevano, la rapidità, i monitoraggi, le varie cannule inserite, intuirono subito che la situazione era serissima. Thomas non dava cenni di vita, non rispondeva, aveva gli occhi chiusi, non reagiva a nessuno stimolo. Si presero per mano, pregarono perché ce la facesse.

All'ospedale arrivarono in fretta. Al pronto soccorso lo

scaricarono e lo portarono immediatamente oltre una
porta, dove loro non poterono entrare. Si strinsero, si
abbracciarono, si sedettero accanto a chi era già lì
prima di loro, gente dolente, in angoscia, in pensiero
per sé stessa e per i loro cari.

"Olga, telefoniamo a Janicek..."

"Sì. E' meglio che venga qui..."

"Certo..."

Olga prese il telefonino dalla borsa.

"Janicek..."

"L'avete trovato?"

"Sì, dove hai detto tu, sul ponte..."

"Come sta? Sta bene? Digli che mi spiace, che non
volevo..."

Olga cercò di interromperlo. "Janicek..."

"Non volevo, ti giuro... Diglielo... Diglielo tu..."

"Janicek, ascolta... si è sentito male... Sul ponte, con
me e Michal... Si è sentito male. Abbiamo chiamato
un'ambulanza, e adesso siamo all'ospedale..."

"Come sta?"

"Lo stanno visitando... Forse è meglio che venga
anche tu..."

"Arrivo"

Detto ad Janicek in che ospedale erano, e come fare
a raggiungerli, si sedettero di nuovo, in attesa.
Aspettarono. Janicek volò, e dopo pochi minuti la sua
testa bionda comparve all'ingresso della sala d'attesa.

"Come sta?"

"Non si sa ancora niente..."

"Come è successo?"

Brevemente, gli spiegarono tutto. Di come l'avevano
trovato, di come si era accasciato sul marciapiede,
della corsa in ospedale.

"E cosa ha detto?"

"Te lo dirà lui, quando lo vedrai", gli rispose Olga,
tenendolo per mano. Il tempo non passava mai. Olga

441

continuava a tenere la mano di suo fratello, seduto, silenzioso, la testa sul petto. Cosa ho fatto, si diceva Janicek... È colpa mia, solo mia... Thomas, ti prego, cerca di farcela... esci di lì in piedi, guarito... Dimmi che era tutto uno scherzo, che lo hai fatto solo per farmela pagare... Mi va bene, va bene così... ma tu esci, esci di lì, dimmi come stai...

Aspettarono ancora. Ogni tanto usciva qualche medico, qualche infermiere... Qualcuno si allontanava senza parlare, qualcuno chiamava un nome, e dei parenti si avvicinavano per sapere... Nessuno veniva da loro. A un certo punto uscì un medico. "Mayer? Parenti Mayer?"

"Siamo noi. Thomas, Thomas Mayer"

"Per cortesia, vengano con me"

Lo seguirono fino ad un piccolo studiolo, le pareti piene di libri, una scrivania, due sedie. Si guardarono intorno, notarono degli strumenti medici, un apparecchio per misurare la pressione, delle cartelle, di qualche paziente, senz'altro... Il medico proseguì.

"Loro erano al corrente delle condizioni del loro congiunto?"

"Intende del cuore?" rispose Michal.

"Sì... Non c'era mai stato qualche sintomo, non aveva mai accusato dei dolori, degli svenimenti?"

"Sì, due volte recentemente..." gli rispose Janicek

"E prima? Non avevate un dossier, dei referti di visite precedenti?"

"Sta con me solo da otto mesi," precisò Janicek. "Prima viveva a Londra, e non mi ha mai detto niente..."

"A Londra ha qualcuno? Dei parenti?"

"Sua madre, le sorelle, "rispose Janicek, "ma non mi hanno mai riferito di problemi di salute di Thomas. Anche lui, non mi ha mai detto niente..."

"Lo conosce bene?"

"Sì, è il mio fidanzato..."

"Capisco... Non le aveva mai accennato a dei dolori, a qualcosa che potesse insospettirla?"

"Non più di tanto. Come le ho detto è stato male due volte. Gli manca il fiato, si sente svenire. La prima volta poco, ma a Capodanno volevo portarlo dal medico, e lui non ha voluto. Poi a casa, al caldo, si è sentito subito meglio."

"Ha idea di perché gli sia successo?"

"Gli è capitato quando era particolarmente emozionato. È molto emotivo, molto sensibile. Si emoziona facilmente..."

"E' un musicista", aggiunse Olga, "è un artista..."

"Come sta?" chiese Michal.

Il medico chinò il capo, abbassò lo sguardo. Olga capì al volo e prese la mano del fratello, stringendogliela fino a fargli male.

"Abbiamo fatto il possibile, non siamo riusciti... Quando è arrivato qui, non c'era già più... Abbiamo fatto tutto quello che abbiamo potuto, vi prego di credermi... Quando è arrivato, le sue funzioni cerebrali erano già assenti..."

"Ha sofferto?" chiese Michal.

"Soltanto quando era con voi, e avete chiamato i soccorsi... Dopo no, non si è accorto più di niente..."

"Non siete riusciti a riprenderlo?"

"Abbiamo fatto l'impossibile. Il cuore batteva ancora, ma ha smesso due minuti dopo che era da noi. Il defibrillatore purtroppo non è servito..."

"Il massaggio cardiaco?"

"Abbiamo provato anche quello, per quaranta minuti, non è servito. Le funzioni cerebrali erano già piatte appena abbiamo cominciato a monitorarlo. Non ha risposto a nessuno stimolo."

"Non ha idea di perché sia successo?" Janicek si era fatto forza e voleva sapere, voleva sapere perché il destino glielo aveva portato via. Aveva rialzato il capo, e guardava il medico negli occhi.

"Con tutta probabilità il freddo. Gli ha stretto i vasi sanguigni, ed uno era già fortemente compromesso. Con l'autopsia si saprà meglio, e verrete informati..."

"Non può essere stata un'emozione, come era già successo?"

"Non fino a quel punto... Non sarebbe bastata..."

"Le altre volte era successo così..."

"No, era solo questione di tempo. Prima o poi sarebbe capitato... Avrebbe dovuto fare degli esami. Avere dei sospetti precisi, e sottoporsi ad una serie di esami... E non è detto che venisse fuori qualcosa. Il problema si sarebbe presentato in un altro momento, o da qualche altra parte... Mi dispiace. Sappiate che non si è accorto di nulla, se ne è andato senza capire e senza soffrire", concluse guardando Janicek. Gli appoggiò una mano sul braccio e con l'altra gli strinse la mano. Poi salutò Olga, ed infine a Michal. "Se volete vederlo, tra poco sarà possibile".

Michal rispose per tutti. "Certo. Dove dobbiamo andare?"

"Venite con me". Li accompagnò per i meandri dell'ospedale, fino ad una saletta isolata, in fondo ad un corridoio. "Aspettate qui... Vi verranno a chiamare". Uscendo, passò accanto a Janicek. "Si faccia coraggio, comprendo il suo dolore", gli mormorò a bassa voce. Janicek fece solo un cenno, e si sedette fra Olga, che continuava a stringergli la mano, e Michal. Michal gli mise un braccio sulla spalla, e lui scoppiò. Gli appoggiò la testa sulla spalla, e pianse. Con pudore, cercando di trattenersi, di fermare le lacrime, i singhiozzi. Olga lo abbracciò, e lui le appoggiò la testa sul petto, gli occhi chiusi, il pensiero a lui, a lui che non c'era più. Anche Olga era in lacrime. Gli carezzò dolcemente i capelli, piano, cullandolo come quando il fratellino veniva da lei perché era triste, o si era fatto male, e giocava a fare la mamma con lui... Lo rivedeva, bambino, giocare nel prato, e venire da lei, e adesso. E adesso... Michal gli aveva posato una mano sulla schiena, e se sarebbe abbracciato anche lui, ma non voleva strapparlo alla sorella. Un po' alla volta Janicek si calmò, si rimise dritto sulla sedia, gli occhi bassi. Si soffiò il naso, si asciugò il viso. Non si vedeva ancora nessuno. Dopo qualche minuto passato in silenzio, nell'attesa che si aprisse qualche porta, che venissero a chiamarli, Olga ebbe un piccolo sobbalzo.

"Bisogna avvertire sua madre, e le sorelle"

"A quest'ora?" le disse Michal.

"E' suo figlio, non si può non dirglielo subito", replicò lei.

"Pensaci tu, Olga, io non me la sento..." le disse Janicek.

"Forse è meglio prima parlare con le sorelle", suggerì Michal.

"Sì, esco a telefonare. Se ci chiamano per vederlo dimmelo. Io sono qui fuori"

Prese il telefonino dalla borsa, un pacchetto di fazzoletti di carta, ed uscì. Michal prese Janicek per un braccio, lo scosse un poco. Janicek lo guardò.

"Hai sentito cosa ha detto il medico, Janicek. Non è stata l'emozione, non sei stato tu..."

"Sì, ma se stava in casa, se stavamo in casa noi due tranquilli, non sarebbe successo..."

"Forse non oggi, ma domani senz'altro. Non hai sentito il medico? Aveva un problema, un grosso problema di cui era impossibile accorgersi. Sarebbe capitato andando a teatro, o mentre saliva le scale. Era solo questione di tempo..."

"Lui diceva che è il tempo che segna il nostro Destino..."

"Vedi, lo sapeva..."

Rimasero in silenzio ancora per qualche momento. Olga rientrò nella saletta e riferì che domani avrebbero preso un aero e sarebbero arrivate al più presto...

"Hai detto che sono nostre ospiti, di non preoccuparsi dell'albergo?"

"Sì, saranno da noi in villa. Dobbiamo avvertire..."

"Domattina..."

Sì aprì la porta, entrò un infermiere e chiese se volevano seguirlo. Si alzarono, e andarono dietro lui, in un cameretta vicina. Era lì, steso su un lettino. Sembrava che li aspettasse. L'infermiere porse ad Olga il berretto blu, ed il giaccone, che gli avevano tolto quando era entrato in sala medica. Lei ringrazio, piegò il giaccone, e se lo mise sul braccio. Prese il berretto e lo porse ad Janicek, che lo tenne stretto fra le mani, senza staccare lo sguardo da Tom. Gli si avvicinò, gli si inginocchiò di fianco, vicino al suo capo, al suo ciuffo castano che gli cadeva sugli occhi, anche questa volta... Sui suoi occhi verdi chiusi per sempre. Gli appoggiò il berretto sul petto, lo baciò. Gli baciò la fronte, a lungo, e le mani, tenendole fra le sue. Gliele riappoggiò sul grembo, gli carezzò i capelli. Si rialzò, prese il berretto e si scostò per permettere ad Olga di avvicinarsi. Lei gli andò vicino, lo guardò a lungo, poi si chinò per baciargli la fronte. Anche lei gli carezzò i capelli, anche lei gli strinse le mani fra le sue. Così fece Michal. Rimasero fermi così, per qualche minuto.

Janicek, in piedi accanto a lui, riprese la mano di Thomas e la tenne stretta fra le sue.

"Senti, Olga..."

"Dimmi..."

"Cosa ti ha detto quando vi siete visti, sul ponte... Al pronto soccorso mi avevi detto che me lo avrebbe detto lui..."

"Sì, Janicek, speravo te lo dicesse lui..."

"Hai fatto in tempo a dirgli che mi spiaceva, che gli volevo bene?..."

Sì, Janicek, glielo ho detto, glielo ho detto subito..."

"E lui? Mi ha perdonato?"

"Sì, ti ha perdonato, Janci, ti ha perdonato..."

"E cosa ha detto?"

"Ha detto che ti amerà, ti amerà per sempre..."

Janicek ricominciò a piangere, e si inginocchiò di nuovo, vicino a lui. Appoggiò il viso vicino al suo, e si fermò, accarezzandogli il volto con una mano. Rimase così per un paio di minuti. Poi rialzò il viso, sorpreso. Lo guardò ancora, si chinò, e lo baciò sulle labbra. Senza dire niente, si rialzò, e si rimise di fianco ad Olga.

Gli aveva parlato, era sicuro. Lo aveva sentito, chiaramente. Sarebbe stato sempre con lui, non lo avrebbe mai abbandonato.

Capitolo 38

Uscirono dalla saletta, piano, per non disturbarlo. Sulla soglia, Janicek si voltò, gli strizzò l'occhio, ed uscì chiudendo la porta con un sorriso impercettibile sul volto, sul capo chino... Sì, Tom, amore, ti ho sentito... Saremo sempre insieme, e lo sapremo noi due soltanto... Lo so, sei uscito con me da questa porta, e stai camminando accanto a me... Mi abbracci... Lo so... Non diciamolo a nessuno, è il primo dei nostri nuovi segreti... Adesso che mi leggi nel cuore sai, sai come è successo, sai tutto... Sì amore, noi due, noi due per sempre, solo noi due... Camminando verso l'uscita, mentre Olga e Michal ogni tanto si dicevano poche parole su come organizzare i giorni successivi, Janicek, in mezzo a loro, si asciugò una lacrima. Era di commozione, non di dolore. Il suo Tom era lì con lui, camminava insieme a loro, abbracciato a lui, e sarebbe sempre stato così... Sulla porta dell'ospedale si mise il berretto blu che Olga gli aveva dato, e sedendosi dietro, in macchina, mise il giaccone di Thomas sulle sue ginocchia, tenendolo stretto fra le mani. Voleva abbracciarlo, ma si trattenne.
Lo portarono a casa loro. Non era il caso di lasciarlo solo per quella notte, e forse anche per le prossime. Non sapevano come avrebbe reagito tornando in quella casa dove aveva vissuto con Thomas. Ci sarebbero tornati insieme, lo avrebbero accompagnato, avrebbero fatto in modo che non ci pensasse, che non si intristisse troppo. Non stanotte. Lo misero tranquillo su un divano, gli diedero da bere...
"Janicek, sei sicuro di volere la slivoviz?"

"Sì, Michal, per cortesia, due bicchieri, uno per me e uno per Tom..."

Gli fecero compagnia. Janicek pregò che gli dicessero tutto quello che era successo, da quando lo avevano visto, fino all'ospedale. Per Michal, e soprattutto per Olga, era difficile ritornare senza commuoversi a quello che avevano vissuto poco tempo prima con Thomas, ed Olga più di una volta si interruppe, cercando di non piangere. Janicek ascoltava, e viveva quei momenti come se fosse stato con loro, ma senza angoscia, senza che il dolore riprendesse il sopravvento. Sentiva di avere vicino Tom, che lo consolava, e questo gli bastava.

Passarono la notte quasi senza dormire, e al mattino, appena fu possibile, avvisarono tutti. La madre di Tom chiamò dicendo che avevano trovato posto sul volo di mezzogiorno, e sarebbero arrivate alle tre. Il padre si sarebbe fermato a Londra per la pratiche della sepoltura. Avevano una tomba di famiglia in campagna, non lontano dalla città, in un piccolo cimitero pieno di fiori. Il nostro Tom avrebbe riposato lì, ed avrebbe accolto a braccia aperte chiunque sarebbe andato a trovarlo. Michal avvisò il padre e Milana, che immediatamente si resero disponibili e promisero di venire all'aeroporto insieme a loro per accoglierle. Olga telefonò alla madre, e lei cominciò a piangere, senza fermarsi.

"Smettila, mamma, fai piangere anche me..."

"Oh, il mio Tom, così gentile, come mi dispiace... Il mio bambino inglese, l'altro mio figlio... E Janicek? Povero Janicek... Il mio Thomas, così un bel ragazzo... Come sta Janicek?"

"E' qui da me... Adesso si è addormentato, è sul divano..."

"Come l'ha presa?"

"Pensavo peggio... Adesso almeno dorme..."

"Lascialo riposare... A che ora arriva la mamma di Tom?"

"Alle tre..."

"Senti, noi veniamo subito da te, e poi andiamo insieme... È possibile andarlo a vedere in ospedale?"

"Sì, certo... Se vuoi andiamo tutti insieme quando arriva la madre di Thomas."

"Va bene. Noi arriviamo. Janicek dorme sempre?"

"Sì..."

"Non lo svegliare. Tra un'ora siamo da te..."

Passata poco più di un'ora Klara e Frank arrivarono a casa della figlia. Janicek si era appena svegliato e si era accorto che per non fargli prendere freddo, gli avevano messo addosso il giaccone di Thomas. Lo prese, lo avvicinò al suo viso, per sentirlo più vicino, per sentire il suo odore, il suo profumo, lo baciò...

"Mamma..."

"Caro, come mi dispiace... Vieni qui, abbracciami..."

"Mamma, il mio Tom..." non riuscì a non piangere.

"Lo so, caro, l'ho sempre saputo..."

"Di me e di Tom?"

"Certo, volevi che la tua mamma non lo sapesse? Anche tuo padre l'ha sempre saputo..."

"E non mi avete mai detto niente?"

"Non c'era bisogno, ed eravamo orgogliosissimi di Tom... Di te e di Tom, di tutti e due, caro, dei miei bambini preferiti..."

"Mamma, è colpa mia..."

"Non è vero", intervenne Olga.

"Cosa vuoi dire, cara?"

"Thomas non è morto a causa di un'emozione... Aveva un vizio cardiaco... È stato il freddo..."

"Era il mio tempo, amore... Era la mia ora..." queste parole fecero capolino nella mente di Janicek, chiare, sussurrate dolcemente in un orecchio...

"Hai sentito, mamma?"

"Il freddo?"

"No... E tu, Olga?"

"No, cosa?"

"Era Thomas... L'ho sentito... Ha detto che era la sua ora..."

Olga e sua madre si guardarono. Forse non l'aveva presa così bene...

"Non guardatemi in quel modo... Ti dico che l'ho sentito..."

Olga e sua madre continuarono ad osservarlo, senza dire niente, piene di comprensione. Povero Janicek, pensarono, gli passerà. Klara si voltò verso il marito, perplessa.

"Lascialo in pace", le disse sottovoce Frank, "ha appena perso il suo Tom, non dirgli niente..."

Klara assentì. Suo marito aveva ragione. Non bisognava insistere. Gli passerà, pensarono tutti. Janicek beveva il suo caffè in silenzio, un sorriso impercettibile, lo sguardo nella tazza. Gli passerà...

"Dobbiamo muoverci", Michal ruppe il silenzio, "Tra poco arrivano i miei, e alle tre dobbiamo essere in aeroporto. Occorre andare in ospedale, avvisare che nel pomeriggio passeremo con sua madre e che ci stiamo organizzando per portarlo a Londra. Io faccio un salto per avvertire l'amministrazione. Janicek, hai voglia di fare una doccia e di venire con me? Andiamo ancora a trovarlo, ti va?"

"Sì, Michal, dammi dieci minuti..."

Quando fu pronto per uscire, si mise il giaccone, il berretto di Tom, e se ne andarono. Si sarebbero visti più tardi, in un ristorante vicino a casa, e poi sarebbero andati tutti insieme all'aeroporto.

All'ospedale sbrigarono rapidamente le pratiche in sospeso, avvisando che sarebbero tornati più tardi con la madre per le firme necessarie. Avevano ancora tempo.

"Janicek, andiamo a trovarlo?"

"Sì, Michal"

"Te la senti?"

"Sì..."

Tornarono nella saletta dove lo avevano visto la notte prima. Li stava aspettando... sembrava che sorridesse... Gli parlò.

"Se vuoi, Janci, suonerò per te... Suonerò per te ogni volta che vorrai, se ti sentirai solo... Suonerò per te la musica più bella... Solo per te, solo per te, amore..."

Janicek si chinò su di lui, gli baciò le labbra ormai gelide.

"Sì, amore, suona per me... Ti ascolterò, ti ascolterò per sempre, e poi mi getterò nelle tue braccia... stringimi amore... resta con me..."

Janicek si era inginocchiato per essere più vicino al volto di Tom. Michal gli mise una mano sulla spalla. Dopo un momento posò l'altra mano su quelle di Tom, fredde, fredde, e ripensò a quando le aveva viste muoversi sul violino, suonare quella musica solo per lui e per Olga. Non ce la fece. Piano, in silenzio, cominciò a piangere anche lui. Janicek lo guardò, si rialzò e gli disse "Non farlo, Michal, non piangere... non è morto... è qui con noi, sarà sempre qui con noi..."

"Speriamo, Janicek, speriamo..."

"E' così, Michal, è un segreto, non dirlo a nessuno..."

Rimasero in silenzio tutti e due, e quando uscirono, Michal avvertì una serenità, una pace che non si aspettava di trovare. Si voltò verso Janicek, lo guardò, e fra sé pensò, potrebbe aver ragione, potrebbe averlo sentito davvero. Forse non è andato via di testa come credevo... lo sente, l'ho sentito anch'io...

La madre e le sorelle arrivarono da Londra in orario. Andarono subito in ospedale, sbrigarono tutte le pratiche che andavano sbrigate, le incombenze, le firme. Per poterlo portare a Londra ci sarebbero voluti alcuni giorni, ma ne erano consapevoli.

"Oh Tommy..." furono le parole della madre quando, di nuovo nella saletta, con tutti presenti, furono passati i primi minuti di commozione, e di cordoglio.

"Oh, Tommy, te lo sentivi... Lo sapevi che te ne saresti andato..."

Janicek la guardò. Klara la guardò. Tutti gli altri, uno alla volta la guardarono chiedendosi cosa volesse dire.

"So che non vi ha mai detto niente, soprattutto a te, Janicek, il suo amatissimo Janicek... Ne parlava solo con me. Se lo sentiva, lo sentiva dentro di lui... Se ne sarebbe andato presto, mi diceva. Io non diventerò mai vecchio, mamma, resterò giovane per sempre... Io lo prendevo in giro, ma quando diceva così mi faceva paura... lo sapeva..."

"Non dica così, signora...", Janicek non sapeva se abbracciarla o meno. Ci pensò Olga. La abbracciò, la strinse al petto.

"Signora... Sono cose che i ragazzi dicono sempre, quando sono tristi, e vogliono essere consolati, o quando affrontano difficoltà che hanno paura di non superare... Lo dicono tutti..."

"Cara, lui lo diceva in un altro modo. Era serio, lo pensava veramente. Per questo mi faceva paura. Dentro di lui sapeva che se ne sarebbe andato presto, prima degli altri. Ma è morto felice, ha fatto in tempo a conoscere te, Janicek..."

"Signora, mi fa piangere..."

"Lo so, Janicek... Il vostro era un grande amore... Non dico niente di nuovo, no? Spero di non sorprendere nessuno..."

"Lo sapevamo tutti, signora..." le rispose Olga, "non sono riusciti a tenerlo nascosto nemmeno per un minuto..."

La madre di Thomas sorrise, e si rivolse a Janicek. "Il vostro era un grande amore, so che lui ti amava davvero, e anche tu, gli volevi molto bene. Ci sono molte persone che arrivano alla fine di una vita lunghissima, e non hanno mai saputo cosa vuol dire amare. Voi due, il mio Tommy, lo ha saputo, ed ha avuto, nel suo poco tempo, quello che tanti non hanno mai provato"

"Sì. Gli volevo bene davvero," rispose Janicek. "Sì, anche adesso. Per sempre..."

"Il mio Tommy sarà contento di sentirtelo dire... Non vedeva l'ora di tornare da te..."

Per Janicek il ricordo diventò improvvisamente pesante.

"Lo so, signora, lo so..."

La madre di Tom lo guardò, e sorrise.

"Avrei voglia di vedere dove abitavate, la vostra casetta, come diceva lui, qui a Praga. Hai voglia di accompagnarci?"

Janicek guardò la sorella. "Se ci andiamo tutti insieme..."

"Certamente", fece Olga, "poi dobbiamo organizzarci per questi giorni..."

Klara intervenne. "Siete da noi. Punto. Dobbiamo parlarci. Anche con te, Milana... Potete restare da noi, almeno questa sera?"

"Certo, Klara, veniamo anche noi, stiamo tutti insieme, non preoccuparti..."

Dato un ultimo saluto a Tom, prima di vederlo nella bara pronto per tornare a Londra, si avviarono verso casa di Janicek. Aprire la porta per lui fu difficile. Nonostante la vicinanza della sorella. E della voce di Tom che gli sussurrava di non preoccuparsi. Fu difficile lo stesso. Entrate nel soggiorno, scoprirono che non era poi così una casetta. A suo tempo Olga lo aveva sistemato con molto gusto. A Thomas piaceva, lo aveva sempre detto, quando si sentivano al telefono, e anche a sua madre piacque, e anche alle sorelle.

"Questo è il whisky che aveva portato, e questa la scatola con le caramelle..." ad Janicek fu difficile trattenere la commozione. Immediatamente decise che quella bottiglia, col bicchiere dove avevano bevuto tutti e due, purtroppo, dannatamente purtroppo, non insieme, sarebbe stato messo in una vetrinetta, insieme alle caramelle, alla scatola, chiuso a chiave e nessuno li avrebbe mai toccati. Lo fece subito. Prese la bottiglia, il bicchiere, il resto, e li mise al sicuro, sotto chiave.

"Questo è il soggiorno, i divani, il tavolo... Questo è il bancone della cucina... Qui facciamo colazione, e di solito mangiamo anche, quando torniamo, quando vado a prenderlo al teatro, e torniamo a casa tardi..."

Nessuno fece caso che Janicek parlava di Thomas al presente. Lo sentivano con loro, una sensazione di cui non si rendevano conto, ma era lì con loro, insieme a Janicek.

"Questa è la nostra stanza," continuò, "prima io stavo in quell'altra, poi siamo sempre stati in questa... Oh, non ha finito di mettere a posto le valigie... Dopo le sistemo... Ha lasciato qui il violino..."

Janicek ebbe un crollo. Nonostante sentisse Tom vicino a lui, nonostante la presenza affettuosa della sorella e di tutti gli altri, non ce la fece. Si sedette sul letto, e cominciò a piangere. La madre di Tom gli si avvicinò.

"Senti, Janicek..."

"Sì, signora?..."

"Ho visto che hai messo sottochiave la bottiglia ed il bicchiere... È quello dove avevate bevuto insieme quando era tornato?"

"Sì, signora..."

"E qui ci sono tutte le sue cose... I suoi vestiti, il computer..."

"Sì, signora, è tutto qui..."

"E quando suonava eri contento?"

"Sì, signora. Sempre. Soprattutto quando qui in casa, noi due da soli, suonava soltanto per me..."

"Quel violino è tuo... Anche tutto quello che c'è qui... È il posto migliore dove possa stare, vero ragazze?" disse, rivolta alle figlie. Le sorelle di Thomas furono immediatamente d'accordo. Il violino di Thomas, i suoi vestiti, dovevano stare con Janicek. Erano suoi. Janicek guardò il violino, e gli sembrò di sentirlo suonare... "Suonerò per te, la musica più bella..." gli mormorò Tom.

"Grazie, signora, non sa quanto mi fa piacere..."

"Janicek, non chiamarmi più signora... Chiamami Eva..."

"Grazie, Eva... E Tom come ti chiamava?..."

"Mommy... In realtà ogni tanto mi chiamava Mommuth, ma io facevo finta di arrabbiarmi..."

La tensione, la tristezza, si alleggerirono al pensiero di Tom che prendeva in giro sua madre, e qualche sorriso affiorò sui volti ancora incupiti. Eva continuò.

"Il violino ogni tanto va suonato, altrimenti si rovina... Devi dirlo ai vostri amici dell'orchestra, quelli che avete conosciuto qui... Devi farli venire per suonarlo, almeno una volta alla settimana, se puoi..."

"Lo diremo a Patrik, e a Martina", disse Olga.

"Anche Petr, lo faranno senz'altro", aggiunse Michal.

"Un'ultima cosa, Janicek," Eva gli chiese sottovoce, sedendosi accanto a lui mentre era ancora seduto sul letto, e gli altri stavano uscendo dalla stanza, "mi hanno detto che quando è tornato siete stati in casa e poi siete usciti, per fare un giro... Come mai siete andati su quel ponte?"

"A lui piaceva... Una volta ci eravamo baciati lì, vicino

al parapetto, e ogni tanto ci tornavamo..."

"Senti, sono sua madre... Puoi dirmi le ultime parole che ha detto?"

Janicek si rimise a piangere. "Che mi amerà, mi amerà per sempre..."

Eva si commosse. "Anch'io ti vorrò bene. Ti vorrò bene per sempre." Lo abbracciò ed uscirono insieme dalla stanza.

"C'è Edward al telefono, vuol parlare con te". Olga passò il telefonino al fratello, appena rientrato in soggiorno per riunirsi agli altri. Janicek prese il telefono e si isolò un poco, per essere più libero di parlare con lui. Si mise a conversare sottovoce, sotto lo sguardo di Olga, che ogni tanto lo controllava, per vedere come si riprendeva. Ad un certo punto lo sentì esclamare, cercando di trattenere la voce, "dille che se lo fa l'ammazzo..." Poco dopo la raggiunse.

"Cosa ti ha detto?" gli chiese.

"Resta a Londra e ci aspetta. Mi ha detto che quando si sono visti ha parlato solo di me, e ha promesso che quando tornerà da noi ci vedremo molto spesso..."

"E' un amico... E poi?"

"Ha detto che AnnCecilie vuole andarlo a trovare all'ospedale, e che ha tanta voglia di telefonarmi, ma non sa come comportarsi..."

"Quella... Ho detto a tutti di riferirle di non farsi più vedere, di non osare chiamarti..."

"Non hai detto niente a nessuno, vero?"

"No, solo a Denisa, perché sappia come comportarsi con lei..."

"Cosa ha detto?"

"Che entro la settimana lascerà l'appartamento, e appena non ci vive più insieme la farà licenziare. Ha già parlato con Jirina, e si sono messe d'accordo. Una così non la vogliono più vedere."

"E se mi telefona?"

"Non rispondere. Se chiama me ci penso io..."

"E Dagmar, e gli altri?"

"Sono andati tutti a trovarlo. Mi hanno chiesto se questa sera possono venire al cottage della mamma a trovarti, e io ho detto di sì..."

"Sì, anche domani, per cortesia..."

"Tutte le sere finché vorrai, Janicek. Al cottage, qui... Dove vuoi tu... Patrik e Martina hanno detto che ti vogliono al Teatro tutte le sere che suoneranno, e vogliono che li aspetti all'uscita degli artisti, come facevi con Tom..."

Janicek stava per rimettersi a piangere, ma sentì Tom ridere vicino a lui.

"Janci, vogliono che tu gli offra una birra tutte le sere... Precedili, fattela offrire tu, e dì a loro che per suonare il mio violino si paga..."

"Ma dai..." gli rispose Janicek, metà col pensiero, metà sottovoce.

"Almeno fatti offrire i biglietti. Prime file, platea, centrale..."

"Va bene, amore..."

Olga lo guardò. "Janicek, cosa stai dicendo?"

"Parlavo con Tom... Dice di farmi offrire i biglietti..."

Olga lo guardò di nuovo. Lo assecondò. "Ottima idea. Adesso andiamo al cottage."

La sera, dopo cena, Olga e Janicek furono raggiunti da tutti i loro amici, Dagmar in testa, che quasi stritolò Janicek quando lo abbracciò. "Mi avevi detto che stava male", gli disse cercando di confortarlo, "che ogni tanto gli mancava il fiato, ma così..."

"Non ti preoccupare, Dagmar", gli aveva risposto, "Tom è sempre qui con me, e adesso ti sta salutando..."

"Oh, Janicek..."

Più tardi, seduti sui divani, parlarono della musica, del violino. Si misero d'accordo per suonarlo, a turno, una volta alla settimana. Petr si offrì di suonarlo qualche volta in teatro, se Janicek acconsentiva a portarlo fuori casa. Sarebbe stato come se Thomas fosse in teatro, a suonare con loro.

"Sì, certo, Petr, senz'altro..." Ogni tanto guardava sua madre parlare fittamente con Milana ed Eva, la mamma di Tom, su un divano in un angolo del salone, lontano dagli altri. Si domandava cosa avessero di tanto importante da dirsi, ma non aveva voglia di andare a chiedere. Continuò a conversare con Dagmar, e Denisa, che in un orecchio, quando si erano visti, gli aveva bisbigliato "a quella ci penso io". Ad un certo punto notò Milana fare un cenno a Patrik. Lui la raggiunse, e lo vide conversare con lei, con sua madre e con Eva. Erano lontani, parlavano a bassa voce. Chissà cosa si stanno dicendo, pensava. E venne il turno di Martina e Petr, chiamati da Patrik, che si unirono al gruppetto ed ascoltarono, attenti, annuendo di tanto in tanto. Li stava ancora osservando, ascoltando distrattamente Dagmar e le sorelle di Tom, quando si alzarono e vennero al centro del salone.

"Cosa c'è, mamma?" gli chiese incuriosito dall'aria di ufficialità presa da sua madre.

"Abbiamo deciso una cosa, Janicek caro. Ascoltateci tutti"

"Cosa c'è, mamma?", le chiese Olga.

"Abbiamo deciso che tutti gli anni, in questo giorno, faremo un piccolo concerto in memoria di Thomas. Io e Frank dovevamo organizzarlo questa primavera, ma non ci siamo riusciti... Il nostro Tom... Lo terremo a casa di Pavel e Milana, come abbiamo già fatto prima di Natale. Petr si è offerto di suonare il violino di Thomas, se Janicek glielo permetterà. Se non sarà un quartetto sarà un trio. Ma tutti gli anni suoneremo per lui..."

"Oh, mamma, sei bravissima!..." Olga la abbracciò, poi abbracciò Milana, Eva, e tutti gli altri. Anche Janicek si alzò, commosso. Abbracciò sua madre, Eva e Milana. Poi si risedette sul divano, in silenzio. Sentì suo padre dire che ci voleva un brindisi, e andava subito a prendere lo champagne in cantina. Guardò sua sorella, Michal e gli altri commentare la decisione di sua madre, sollevati, contenti di tenere viva in questo modo la memoria di Thomas.

"Dì a Petr di non rovinarmi il violino..."

"Tom, amore, si offende..."

"Guarda che poi facciamo i conti..."

"Sì, amore..."

Più tardi, nella sua camera, era a letto tranquillo. Cercava di non pensare, era contento dell'idea di sua madre, ma era stanco. Dagmar e gli altri avevano promesso di tornare anche l'indomani, e lui aveva accettato con piacere. Quanto a dormire, era un altro discorso. Aveva preso una pillola, ma non riusciva, proprio non ce la faceva...

"Hai promesso di suonare per me..."

"Sì, amore. Ogni volta che vuoi..."

"Suona per me, fammi dormire..."

Si addormentò come un bambino, mentre un violino suonava la più dolce delle ninnenanne...

461

Capitolo 39

Era passato più di un mese dalla morte di Tom. Janicek, reduce da Londra, era tornato a vivere a casa sua, nonostante sua sorella e sua madre gli avessero consigliato di rimanere per qualche tempo al cottage o a casa di Olga. Non si sentiva a disagio, non era oppresso dai ricordi. Soltanto, al fine settimana andava dai suoi in campagna, per riposarsi e confidarsi con sua madre, parlare di lui. Il pensiero di Tom era continuo, lo sentiva vicino, e ogni tanto gli sussurrava piccole frasi, i piccoli segreti di chi si vuole bene. Come se fossero ancora insieme. Non ne parlava con nessuno. Le poche volte che si era sbilanciato, accennando al fatto che lo sentiva vicino a lui, che era come se lo abbracciasse ancora, era stato guardato con un'aria tanto compassionevole da non farlo più tornare sull'argomento. Di certo non avrebbe detto a nessuno quello che gli era capitato poche sere prima, a casa. Era seduto sul divano, con i piedi appoggiati sul tavolino. Aveva bevuto, e stava dormicchiando, stanco del lavoro, in attesa di svegliarsi e di andare a letto.

"Ciao amore..."

"Tom, che bello..."

"Sei stanco? Hai voglia di parlare un po'?"

"Certo, Tom, fammi compagnia..."

"Quando ci siamo visti, la prima volta, non avevi avuto la sensazione che ci conoscevamo già?"

"Cosa vuoi dire, Tom?"

"Non hai avuto l'impressione dentro di te, che ci incontravamo di nuovo, dopo tanto tempo?"

"In realtà no, ero troppo occupato a schivare le portiere nelle palle..."

"Esagerato... Non ti sei domandato se mi avevi già visto da qualche parte? Che non ero uno sconosciuto, che mi avevi già voluto bene?..."

"No, però ho recuperato in fretta, cosa ne dici..."

"Senz'altro... Ti ricordi, una sera ti avevo parlato di uno dei miei sogni..."

"Non facevi altro... Di quale?"

"Di quando mi vedevo ragazzino, tanti anni fa, in un'altra vita... Una strada polverosa , assolata..."

"Sì, le case ai lati, un negozio di frutta con le bancarelle fuori, una voce che ti chiamava..."

"Le rotaie del tram, in mezzo alla strada... Tornavamo da scuola... Eri tu quello di fianco a me... Eri il mio grande amico, ci scambiavamo i segreti, le confidenze..."

"Segreti? Anche allora?"

"Sì, quelli di due ragazzi di quindici anni..."

"E...?"

"Stavamo attraversando la strada. Mi hanno chiamato, e mi sono spostato appena in tempo... Tu non ce l'hai fatta..."

"Il tram?"

"Sì, e poi mi hai sempre aspettato, mi sei sempre stato vicino, finché non siamo stati di nuovo insieme..."

"Ecco perché giro sempre in macchina... Eravamo noi?"

"Sì, Janci, eravamo noi... Adesso sono io quello che ti aspetta, che ti sarà sempre vicino, fino a quando non saremo insieme di nuovo, questa volta senza altre prove..."

"Subito?"

"No, amore, quando sarà il nostro tempo... La strada è lunga, non devi aver premura..."

Janicek si era risvegliato dal torpore. Si era stropicciato gli occhi, aveva tolto i piedi dal tavolino. La bottiglia della slivoviz era ancora lì, davanti a lui. La aveva aperta, bevuto un sorso. Che strano, si era detto perplesso... Va bene tutto, ma questo, proprio non devo dirlo a nessuno... Era rimasto qualche minuto sul divano, pensando al sogno appena fatto, a cosa volesse dire. Poi si era alzato, ed era andato a letto. Non riusciva a dormire. Il pensiero di Tom non lo abbandonava. Certo non quella sera. Cosa vuoi dirmi, Tom? Che ci conoscevamo ancor prima di nascere? Che abbiamo avuto un'altra vita prima di questa? Aveva cercato di dormire. Niente da fare. Guardava dall'altra parte del letto, la scrivania, l'armadio coi suoi vestiti... Coi cuscini dietro la schiena, le mani sulla testa, si era detto, fra sé, vuoi dire che ci siamo voluti bene già in un'altra vita? Vuoi dire che tu eri venuto al mio, di funerali? E com'era? Hai pianto?... Alla fine si era addormentato, mezzo seduto e mezzo sdraiato, pensando ancora al sogno di poco prima.

Già, il funerale di Tom. Ormai era passato un mese... Con l'aiuto di Barbara, suo padre aveva organizzato tutto quello che c'era da fare, e a Londra, ogni cosa era pronta. Lo avevano portato poco lontano dalla città, in un piccolo villaggio dove avevano un vecchio cottage, in mezzo al verde della campagna. Il cimitero era come aveva detto sua madre. Pieno di fiori. Piccolo. Dove Thomas avrebbe accolto a braccia aperte chiunque fosse andato a trovarlo. Mentre calavano la bara nella terra, aveva sentito Tom, il suo Tom, abbracciarlo e parlargli sottovoce.

"Sono qui con te. Non intristirti per quello che c'è lì dentro. Non è niente. È il passato. Ci aspetta un'altra vita da vivere insieme, sempre uniti, sempre vicini..." Gli era sembrato di essere baciato, sulla guancia... Ne era sicuro... Si era guardato attorno. Nessuno se ne era accorto...

Erano venuti tutti. I suoi, Olga, Michal, tutti. Edward lo aveva aspettato all'aeroporto. Lo aveva abbracciato, ed era rimasto accanto a lui in silenzio per tutto il tempo. Patrik e Martina avevano deciso di eseguire alcuni brani durante la cerimonia, e Petr aveva accettato di buon grado l'invito ad unirsi a loro. Avevano preparato un pezzo speciale. Prima di partire per Londra, quando ancora mancavano un paio di giorni, e stavano finendo di sbrigare le varie pratiche, Janicek era dovuto tornare a casa per cercare alcuni documenti di Tom, e aveva chiesto a Patrik di fargli compagnia. Mentre cercava nei cassetti della scrivania, in camera, aveva trovato dei fogli di musica, riempiti a mano. Li aveva presi, e li aveva passati a Patrik, perché gli desse un'occhiata. Lui li aveva guardati, e aveva cominciato a leggerli, canticchiando le note scritte sul pentagramma. Si era fermato, sorpreso. Aveva ricominciato a leggerli, quando vide in cima al primo foglio un piccolo appunto, scritto a mano da Tom. "E' una trascrizione..." aveva osservato.

"Cosa vuoi dire, Patrik?"

"Thomas ha fatto un'altra trascrizione. L'ha scritta lui..."

"E cioè?"

"Ha trascritto un'aria delle nozze Figaro, il Porgi Amor, del secondo atto. È un'aria cantata, e lui l'ha trascritta mettendo il violino al posto della voce. Come aveva fatto per l'altra aria, ti ricordi, quella per tua sorella e Michal..."

"Sì, al concerto, avevate suonato il Voi che sapete, mi ricordo benissimo... Anche il Tamburino..."

"Sì, e ha trascritto anche questa, evidentemente". Guardò ancora i fogli. "Sì, è finita. La trascrizione dovrebbe essere completa."

"E' una bella aria?"

"Dolcissima, Janicek, molto triste... La suoniamo a Londra, ti va?"

466

"A Londra?"

"Abbiamo pensato di venire anche noi, e di suonare qualcosa per lui, al cimitero. Se ti fa piacere eseguiamo anche questa... Dovremmo fare in tempo a prepararla..."

"Tu e Martina?"

"Anche Petr... Viene anche lui."

"E tu vieni a Londra col violoncello?"

"No, è troppo ingombrante. Martina mi presta il suo violino."

"Prendi quello di Tom... Non lo rovinare..."

Al cimitero, di fianco alla tomba aperta, Janicek li aveva ascoltati in silenzio, con le braccia conserte. Aveva ragione Patrik. La musica era molto dolce. Lentamente, gli entrava nell'anima. Mentre suonavano aveva visto Tom che li guardava, sorridendo, e poi si era avvicinato a lui, lo stringeva, lo abbracciava.

"Sono bravo, vero?"

"Sì amore, sei bravissimo..."

Quanti fiori... Finita la musica, si era guardato intorno. Il piccolo cimitero, i fiori... Tutti per lui... Quanti fiori... Quanti fiori per il mio Tom... Sono per te, amore...

"Portane a casa uno, tienilo di ricordo..."

"Sì, amore..."

Di ritorno a Londra, alla sera in albergo, Eva lo aveva preso da parte.

"Janicek, per me tu sarai sempre l'altro mio figlio, come Tommy era l'altro figlio di tua madre," aveva esordito. "Ho parlato con le ragazze, e anche loro sono d'accordo con me."

"Dimmi, Eva..."

"Non affitteremo più il suo appartamentino. Lo terremo per te. Ogni volta che verrai a Londra avrai la tua casa che ti aspetta. Ci sono le altre cose di Tommy, i suoi libri, i vestiti... È tutto tuo. Ogni volta che sarai qui sarà come se fosse qui anche lui, venuto a passare qualche giorno con noi. È casa tua. Tua e di Tommy, del tuo Tom."

Anche questa mattina Janicek era casa sua. Sua e del suo Tom. La casa di Praga. Seduto al bancone della cucina, stava facendo colazione. Dopo avrebbe avuto un paio di commissioni da sbrigare e poi doveva tornare a casa, per prepararsi. Aveva il tempo di fare tutto con comodo, non c'era premura. A piedi nudi, mentre spalmava del formaggio su una fetta di pane, pensò ancora a quei giorni, a quello che era successo il mattino prima di partire per Londra. Lei aveva provato a chiamarlo più di una volta, ma lui non aveva mai risposto. Incautamente, AnnCecilie aveva allora chiamato Olga, e mal gliene era incolto. Con quello che i diplomatici chiamano un franco chiarimento di opinioni, Olga aveva spiegato alla ex amica che la riteneva responsabile della morte di Thomas, che il suo comportamento nei confronti del fratello era stato rivoltante, che lo aveva circuito ancora una volta per vendicarsi di essere stata piantata da Edward, che l'aver voluto giocare a dividere Janicek da Thomas approfittando del fatto che uno fosse a Londra per due settimane poteva essere nato solo da una mente malata, e così via. Quando lei aveva replicato dicendo che solo quello tra un uomo e una donna può essere amore, che tutto il resto è un gioco o è una perversione, e che lei in fondo aveva il merito di avere fatto rientrare Janicek nell'ordine naturale delle cose, Olga non ci aveva visto più. Le aveva urlato che lei non sapeva neppure cosa fosse l'amore, che il suo era solo il più spietato degli egoismi, che era incapace di capire e di rispettare il prossimo, che i sentimenti degli altri per lei non esistevano. Felice di perderti, AnnCecilie. Buona fortuna. Ovviamente AnnCecilie non si era presentata al funerale, e neppure all'ospedale, per l'ultimo saluto prima della partenza da parte di chi non aveva potuto venire a Londra con loro.

Sull'aereo, il giorno dopo, Denisa aveva confidato ad Olga, e a lui, di avere trovato in tempi record un'altra sistemazione, un bellissimo appartamento con due camere da letto vicino al lavoro, e ci si sarebbe trasferita appena tornata a Praga. Avrebbe potuto farci venire il bambino, che finalmente avrebbe potuto vivere con lei. Mi ha dato una mano Thomas, sono sicura, aveva concluso guardando Janicek. Ringrazialo da parte mia, so che lo senti. Glielo riferirò, aveva risposto sorridendo Janicek, appena lo vedo.

E Edward? Come farà per il contratto? Le aveva chiesto Olga. Lo firmerà direttamente con Jirina e con Leo, quando tornerà a Praga insieme a noi, aveva risposto Denisa. Guardando l'ora, aveva proseguito riferendo che proprio in quel momento Jirina stava chiamando AnnCecilie nel suo ufficio, per licenziarla. Le ho spiegato cosa è successo e, come supponevo, non ha avuto dubbi. A lei i serpenti non piacciono. Janicek increspò appena le labbra in un piccolo sorriso.

"Tom, non mi dire che sei stato tu..."

"No, amore, noi non portiamo rancore. Ha fatto tutto da sola. È una ragazza intelligente, le servirà. Capirà che tutti abbiamo diritto alla libertà di essere quello che siamo, di essere rispettati, che i sentimenti degli altri hanno diritto alla stessa considerazione dei nostri. Capirà, forse ha già capito..."

"Bravo, Tom..."

"Lo so, amore, sono bravissimo..."

Forse Tom si era mosso in un'altra direzione, se non due. La più importante, sicuramente, era quella del lavoro. Tornato in ufficio, a colloquio col suo principale, Janicek gli aveva riferito dell'appartamento di Londra, e del fatto che da ora in poi ci sarebbe andato piuttosto spesso, e ogni volta ci si sarebbe fermato qualche giorno, per stare con la madre di Tom, e con le sorelle. Aveva aggiunto che per lui questo era irrinunciabile, ed era disposto a lasciare il lavoro. A malincuore, ma lo avrebbe fatto. Scherzerai?, gli aveva risposto il capo. Io a te non rinuncio. Anzi, caro mio, d'ora in poi tu sei quello che curerà i nostri rapporti con i clienti di Londra.

"Ma noi non abbiamo clienti inglesi..." aveva risposto Janicek.

"E invece sì, ragazzo. Un paio di contratti sono già nel mio cassetto, e gli altri sono quelli che ci procurerai tu. Quindi vai su e vedi di muoverti. E sai un cosa", aveva concluso, "quel tuo amico, me lo ricordo ancora, sotto le finestre vestito da tamburino... Qui in ufficio, ci siamo innamorati tutti di lui... È spiaciuto a tutti, quando abbiamo saputo..."

Se non c'era la zampa di Tom, aveva pensato...

"E quando vai, Business... Paga la ditta..."

Ah, ecco... Adesso ci capiamo... Tom, le cose, o si fanno bene, o non si fanno, vero?...

L'altro fatto in cui forse c'era lo zampino di Tom era accaduto pochi giorni prima, qui a Praga. Edward era passato una sera da lui, dopo cena, e lo aveva invitato a bere un a birra, per ringraziarlo dei contratti pubblicitari, che aveva appena cominciato a girare, aveva detto.

"Sai, dovrei dirti una cosa..." aveva esordito, davanti ai bicchieri appena posati sul tavolo da un cameriere distratto.

"Per i contratti?"

"No, si tratta di qualcos'altro..."

"Non ti sarai rimesso con AnnCecilie, voglio sperare..."

"No, questo mai. Lo sai che non lavora più nella casa di produzione di Leo, vero?"

"Sì. Denisa mi aveva accennato alla cosa..."

"Quando siamo tornati da Londra, e mi hanno chiamato per la firma del contratto, lei non c'era. Io non ho fatto domande e loro non mi hanno detto niente..."

"Chissà come ti è spiaciuto..."

"Non hai idea... Figurati che adesso riesco di nuovo a lavorare... Come farò senza di lei..."

"Non dirlo a me... E dire che mia sorella è stata così gentile con lei..."

"Senti... Non è per questo che sono qui..."

"Per cosa, Edward..."

"Ho un problema di coscienza, ma non so se parlarne..."

"Se sei qui, è perché ne hai voglia. Vuota il sacco..."

"A Londra, ci ho provato con Thomas..."

"E lui?"

"Mi ha tirato il bidone. Mi ha promesso che ci saremmo visti, ed invece è partito il giorno prima per tornare qui"

Ecco il Destino, pensò Janicek. Ecco perché lo vedeva con l'orologio in mano. È venuto via un giorno prima per colpa sua, per evitare lui. E ha trovato me...

"Mi dispiace, sentivo di dovertelo dire. Se non vuoi che ci si veda ancora, ti posso capire. Mi dispiacerà due volte, ma sappi che ti capisco. Cerca di perdonarmi...

"Ti ha fatto il bidone, ed è partito il giorno prima..."

"Sì..."

"Non male... "

"A cosa stai pensando?"

"Ho l'impressione che tutto fosse stato scritto da tempo, e noi abbiamo solo recitato la nostra parte..."

"Senti, posso dirti ancora che mi spiace?"

"Posso dirti una cosa, Edward? Forse ti farà sentire meglio..."

"Sì, per cortesia..."

"Fossi stato io al posto di Thomas, mi sarei fermato..."

"Non ti capisco, cosa vuoi dire?"

Edward non sapeva, era evidente. Janicek rispose con una verità, un'altra verità.

"Con te, ci avrei provato anch'io..."

Edward posò il bicchiere della birra. Troppo tardi. Glielo avesse detto un mese fa... Ora non se la sentiva più... Lo guardò. "Sei sicuro?"

"Forse sì, insieme a Thomas, se avesse voluto..."

"Dai, piantala di prendermi in giro... Mi è spiaciuto abbastanza, son qui a dirtelo e a chiederti scusa, non infierire..."

"No, va tutto bene, Edward... Prendiamo un'altra birra, ti va?"

"Poi torno a piedi... Ti va anche un bicchierino di acquavite?"

"Facciamo tutta una bottiglia?..."

Eh, sì... Pensò Janicek tornando a casa. Edward non lo sapeva, e il Destino lo ha mosso come una marionetta. E per farlo, ha anche trovato un attore. Uno bravo. Complimenti, signor Destino... Volevi dirmi anche questo, vero, Tom? Allora è vero anche che saremo sempre insieme, che dobbiamo solo avere un po' di pazienza, che quando sarà il nostro momento saremo per sempre uno nelle braccia dell'altro?

"Proprio così, amore, stai attento al tram quando attraversi..."

Janicek aveva finito la fetta di pane col formaggino. Anche il prosciutto, insieme a due panini. Il caffè. Si vestì in qualche modo, mise in ordine la cucina, e uscì per le due piccole commissioni.

Tornò quasi subito. Aveva ancora tempo. L'aereo per Londra sarebbe partito a metà pomeriggio, anche se lui non vedeva l'ora di mettersi in viaggio. Si sarebbe fermato a lungo, per quasi un mese. Il capo gli aveva dato una agenda piena di indirizzi e gli aveva procurato appuntamenti a non finire. Avrebbe avuto le giornate piene e, se queste erano le premesse, le sue trasferte a Londra sarebbero state molto frequenti. Vivere nella casa di Tom, quella dove stava prima di conoscerlo, era un'un idea che gli piaceva, gli dava un senso di pienezza, completava la loro relazione. Olga e sua madre avevano promesso che tra due settimane lo avrebbero raggiunto, per passare con lui e la mamma di Tom il fine settimana, o perché no, qualche giorno in più. Erano state prese quasi da un'euforia, una voglia di muoversi anche loro, di stringere i legami con la famiglia di Tom, di sentirsi parenti, amici. Anche di distrarsi, di vedere qualche vetrina insieme... Le capiva. Lui, il suo Tom lo vedeva ancora, gli parlava, era sempre con lui. A loro non succedeva, era giusto che si consolassero in qualche modo.

Si decise a fare le valigie. Era una cosa che detestava. Per questo primo viaggio, questa prima trasferta sarebbe andata così, ma per le prossime volte si sarebbe organizzato per andare via solo con la borsa dell'ufficio. I vestiti di Tom rimasti a Londra gli sarebbero senz'altro andati bene, e non vedeva l'ora di metterseli, per essere come lui, essere lui... Probabilmente avrebbe dovuto solo far allungare qualche paio di pantaloni. Qualcosa avrebbe comprato, ma avrebbe chiesto consiglio a Tom, l'avrebbero comprata insieme, qualunque cosa fosse stata. Alla fine era tutto pronto. Valigia, trolley, computer, borsa. Non aveva fame, aveva tempo. Doveva cambiarsi, ma non subito... Voleva stare tranquillo, solo, solo con il suo Tom. Si sedette di nuovo al bancone della cucina, ci appoggiò i gomiti, appoggiò la testa sulle mani...

"Ciao Tom, torniamo a Londra... Vieni con me?"

"Vuoi che ti lasci solo? Chissà che guai mi combineresti..."

"Io guai? Ho mai combinato dei guai, io?"

"Da dove comincio, amore? Dal tram va bene?"

"Hai voglia di suonarmi qualcosa? Ho voglia di piangere..."

"Piangere? Perché, amore?"

"Non lo so... Le valigie, noi che andiamo a Londra... Ho tanta voglia di abbracciarti, di stringerti, come una volta, Tom, come prima..."

"Questo non è più possibile, amore, ma io sono sempre con te, lo sai..."

"Sì, ma è un'altra cosa..."

"Cosa vuoi che ti suoni?"

"Quell'ultima aria, quella che ha suonato Patrik..."

E lo vide, davanti a lui, col violino in mano, bellissimo, coi capelli sulla fronte, i suoi occhi verdi... Suonava per lui, lo guardava, sorrideva... Insieme alla musica, la visione lo cullò, piano, in un abbraccio dolcissimo...

"Suona ancora per me, ti prego, non smettere..."

"Adesso basta, se no non parti più. Vatti a cambiare... E smetti di piangere..."

Rimase seduto al bancone della cucina. A bere un bicchierino non ci sarebbe stato niente di male, pensò, non devo pilotare l'aereo. Guardò fuori dalla finestra. Era freddo, il cielo era coperto, grigio... Sembrava che volesse cominciare a nevicare... Senza rendersene conto, senza pensare, tolse il portafogli dalla tasca, lo aprì, prese la lettera che Tom gli aveva scritto e aveva trovato sul cuscino, e che teneva sempre con lui. Aveva piegato il foglio in quattro, lo aprì e cominciò a leggerla, ancora una volta, un'altra volta, come sempre...

Epilogo

Janicek aveva rimesso la lettera nel portafogli. Non piangere Janci, non farlo... Tom gli ripeteva, sussurrando, ogni volta che la leggeva... Si era cambiato. Andò allo specchio, speranzoso. Quando si metteva i vestiti di Tom si guardava sempre allo specchio, casomai gli apparisse, riuscisse a vederlo, vedersi insieme a lui... Vedere sé stesso col suo viso, questo sì, gli sarebbe piaciuto, ma non era successo. Non ancora, almeno. La felpa col cappuccio era quella che indossava quando si erano conosciuti, quando era sceso dal taxi la prima volta che si erano visti. Anche i jeans erano gli stessi. Avrebbe messo anche le sue scarpe, ma non ci stava dentro. Appoggiò il giubbino di pelle nera sopra la valigia. Tom diceva che era più bello perché era suo, e per chiarire le cose aveva scritto Tom sulla fodera. Lo avrebbe indossato prima di uscire, sotto il giaccone. Era marzo, era passato un mese dal funerale di Tom, ma era ancora freddo, almeno qui a Praga. E la neve, la fuori... Stava ricominciando a nevicare... Chiamò il taxi. Si mise il giubbino, il giaccone, prese le valigie e scese in strada, avviandosi all'aeroporto.
L'aereo non era strapieno. Il posto di fianco a lui era vuoto, e l'altro posto era occupato da un signore di mezza età, impegnato coi tasti del suo computer. Janicek sedeva silenzioso, vicino al finestrino, guardando le nuvole sotto di lui, il cielo grigio. Pensava al suo appartamentino, alla sua vita che cambiava... E la musica... Aveva la musica di Thomas nelle orecchie, nel cuore. Lo sentiva, suonava per lui, la sua musica, la sua musica dolcissima...
Non si accorse subito del vicino. Gli stava parlando, lo

sentì tossicchiare...

"Io mi sono appena presentato... Posso sapere con chi ho il piacere di fare questo viaggio?"

Janicek lo guardò.

"Thomas, signore... sono Thomas Mayer..."

Porgi Amor qualche ristoro
Al mio duolo ai miei sospiri
O mi rendi il mio tesoro
O mi lasci almen morir
(dalle Nozze di Figaro, di W.A. Mozart)

CPSIA information can be obtained
at www.ICGtesting.com
Printed in the USA
LVOW04s1530230616
493838LV00018B/876/P